PAUL ARIÈS

I FIGLI DI McDONALD'S

LA GLOBALIZZAZIONE DELL'HAMBURGER

edizioni Dedalo

Titolo originale: *Les fils de McDo. La McDonalisation du Monde*

Traduzione di Maria Chiara Giovannini

© 2000 Edizioni Dedalo srl, Bari
www.edizionidedalo.it

a Catherine, a Mathilde, a Camille,
agli ultimi mangiatori

Il mondo è pieno di relitti umani educati
Ray Kroc, fondatore di McDonald's (1980)

Gli animali si nutrono, l'uomo mangia,
ma solo l'uomo di spirito sa mangiare
Brillat-Savarin (1820)

La cucina di un popolo è la sola esatta testimonianza
della sua civiltà
Eugène Briffault (1846)

Dello stesso autore:

- *La fin des mangeurs*, Desclée de Brouwer, Parigi 1997
- *Le retour du diable, sectes sataniques et extrème-droite*, Golias, Lione 1997
- *Déni d'enfance. Manifeste contre la banalisation de la pédophilie*, Golias, Lione 1997
- *La Scientologie, laboratoire du futur? Les sectes d'une machine infernale*, Golias, Lione 1998
- *Libération animale ou nouveaux terroristes*, Golias, Lione 1999.

Prefazione all'edizione italiana

Quando *I figli di McDonald* è apparso in Francia, nel settembre 1997, non esisteva ancora in Europa un vero e proprio movimento anti-McDonald's. Allora eravamo in pochi a considerare quella lotta necessaria e possibile. McDonald's, autentica abbuffata unica del pensiero unico, prosegue la sua conquista del mondo, nazione per nazione, paese per paese, casa per casa. Voleva 20.000 McDonald's per l'anno 2000, a tutt'oggi ne possiede 23.300. Di fronte a questa invasione, l'Europa reagisce superando le sue antiche divergenze: la gente comincia a non guardare più di buon occhio questi extraterrestri dell'abbuffata, vi sono resistenze ovunque, nelle città come nelle campagne, da parte di organizzazioni di studenti, di operai, di contadini. McDonald's non è una questione di gusto, ma di concezione dell'uomo, è l'espressione di una tavola disumanizzata e disumanizzante; McDonald's non è di cattivo gusto solo per il palato, ma per la mente: ama così tanto i bambini che non vuole diventino adulti. Non è per antiamericanismo che la gente si oppone a McDonald's: McDonald's, per la verità, non è né americano, né riservato esclusivamente ai giovani: è l'abbuffata di coloro che non sanno più cosa vuol dire mangiare.

I francesi devono molto ai loro vicini, visto che l'umanesimo della tavola è giunto proprio dall'Italia e dalla Spagna, durante il regno di Francesco I. Allo stesso modo, dall'Italia e dall'Inghilterra sono giunte le prime forme di resistenza alla McDonaldizzazione, alla McDominazione del mondo. Ogni anno sono organizzate giornate mondiali di lotta, il 12 e il 16 ottobre. Questa battaglia si combatte contro il simbolo più forte della disumanizzazione e si aggiunge alle altre, volte a preservare la ricchezza del mondo, la sua diversità. «Le Monde Diplomatique» si domandava che cosa accomunasse le mie opere, quale rapporto ci fosse tra McDonald's, le sette religiose e la pedofilia. La risposta è nata dalla penna di Alain Bihr: in tutti vi è lo stesso rifiuto dell'indistinzione barbara, lo stesso appello alla resistenza umanista. L'infanzia è oggi minacciata perché rappresenta il volto stesso della fragilità, in una società globalizzante che rifiuta il ruolo del debole; il diffondersi della pedofilia è il segno di un più profondo diniego dell'infanzia. Le sette religiose non costituiscono un fenomeno marginale, né un retaggio del passato, ma sono un vero e proprio laboratorio del futuro, uno specchio delle nostre logiche. McDonald's è un autentico emblema della mondializzazione commerciale. Ognuno di questi aspetti della società rivela uno stesso rifiuto del simbolico, delle culture. Ciascuno dice a modo suo che il problema dell'uomo è l'uomo, perché è debole, dipendente, non è onnipotente. La convinzione secondo la quale tutto è concepibile e tutto è possibile, è pericolosa. L'Italia, con i suoi programmi di educazione alla corretta alimentazione, ha iniziato a «riumanizzare» la tavola, luogo capace di umanizzare l'uomo.

2 giugno 1999

Paul Ariès

McMenu

Mc Donald's prosegue la sua conquista del mondo con 25.000 ristoranti in 115 paesi e con 40 milioni di pasti al giorno. Ogni cinque ore apre un nuovo punto di ristorazione. L'Europa non sfugge certamente a questa invasione, visto che un solo paese, l'Albania resiste ancora. La Francia, regno della buona tavola, non fa eccezione: conta infatti 630 McDonald's e un giro d'affari di 7 miliardi di franchi. L'Italia non è da meno. McDonald's rappresenta quindi un vero e proprio caso che coinvolge la società e non un mero fenomeno generazionale o di costume. La trasformazione della cucina, identica da un capo all'altro del pianeta è logica, visto che gli esperti di tutti i paesi dicono che il mondo diventerà nel XXI secolo un villaggio globale: dunque come potrebbe l'alimentazione sfuggire a questa mondializzazione? McDonald's costituisce quindi un autentico laboratorio del futuro, che inventa l'alimentazione dell'era della globalizzazione del mondo e non solo una variante culinaria tra le altre. Questa modernizzazione coinvolge ognuno di noi, non solo perché decide ciò che mangeremo e come mangeremo, ma anche perché, secondo l'adagio, «siamo ciò che mangiamo». Quale cibo prepara McDonald's sui suoi fornelli? A cosa somiglierà l'uomo che nascerà da quelle infinite equazioni culinarie? La McDonaldizzazione del mondo è preoccupante perché crea un cosmopolitismo alimentare che si propone come universale: McDonald's non è più americano di quanto non sia cinese o francese; ha infatti assemblato per la prima volta nella storia dell'umanità un prodotto alimentare infraculturale, poiché la cultura è esattamente ciò che differenzia gli uomini e frena quindi l'omogeneizzazione dei mangiatori. In futuro mangeremo tutti la stessa cosa, allo stesso modo, con lo stesso sguardo. Questa mutazione è essenziale, poiché genera nuovi standard alimentari che minano poco a poco le fondamenta di tutte le nostre culture culinarie tradizionali. Si badi bene: McDonald's è più lontano dalla cucina delle nostre nonne di quanto non possa esserlo l'alimentazione più esotica che riusciamo ad immaginare. L'hamburger ci è davvero più estraneo di un piatto a base di serpente, ma l'uomo mondializzato non se ne rende già più conto. Questo comunismo alimentare alla Ubu è molto inquietante, poiché non si mangia mai impunemente. L'uomo McDonaldizzato, alla fine, dovrà renderne conto sia sul piano fisico che psicologico, economico e sociologico.

La McDonaldizzazione riguarda ristoranti di proprietà e in franchising. L'obiettivo di questo studio non è di rendere conto delle diverse situazioni che potrebbero eventualmente verificarsi, ma di indagare i «segreti» del sistema McDonald's. Abbiamo incontrato molte difficoltà nell'accedere ai documenti interni, sistematicamente classificati come «informazioni riservate» dalla direzione della «comunicazione». Un simile ostracismo può essere responsabile di qualche cantonata o dell'ignoranza relativa alle ultime modifiche apportate all'ideazione e alla produzione di alcuni prodotti. Riteniamo tuttavia che questa mancata trasparenza non nuoccia alla comprensione della logica del sistema, che per definizione non si riduce alla somma dei propri elementi. L'opera intende quindi percorrere alcuni sentieri ancora disagevoli per stabilire un primo bilancio[1]. Forse non è troppo tardi per presentare tutti insieme il conto a McDonald's. Forse si può ancora sperare, per un domani, in un'alimentazione che appaghi ad un tempo il gastronomo, il genitore e il cittadino.

[1] Ringrazio i miei studenti dell'Università di Lione II e l'Institut Vatel di Lione, che hanno partecipato ai vari seminari dedicati alle forme di alimentazione.

1. *Pianeta Mac*

Succede solo da McDonald's
Slogan del XXI secolo

McDonald's rappresenta un prototipo dell'impresa moderna; in base alla sua stessa formula, si propone come molto più di un semplice ristorante, anticipando il superamento del concetto di ristorazione e addirittura di alimentazione. Inventa infatti un nuovo modo di concepire il ruolo dell'uomo nell'impresa e quindi anche nella società. Tale modernità si caratterizza prima di tutto attraverso uno straordinario processo di omogeneizzazione e standardizzazione che riguarda in prima istanza il prodotto stesso, cioè le materie prime, il processo di produzione, di commercializzazione e persino il suo consumo, ma si estende anche alla gestione, ai fornitori, ai dipendenti e addirittura alla clientela. Questo livellamento non è lasciato assolutamente al caso, è voluto, pensato e organizzato nei minimi dettagli. Crea un sistema, producendo un significato che oltrepassa quello dei singoli elementi che lo compongono. Il «sistema» McDonald's è consacrato «scientificamente» in 25.000 manuali o schede tecniche imposte su scala mondiale. La stampa pone in risalto con estrema attenzione e piacere qualche disfunzione di questa o quella norma standard, si sforza di cogliere McDonald's in fallo rispetto alla propria logica. Siamo convinti che essa di per sé sia molto più preoccupante di episodici errori certamente inevitabili. La regola ci pare molto più pericolosa delle eccezioni. Non ci preoccupiamo di ciò che non funziona, ma di ciò che funziona: è infatti molto meno grave vendere un hamburger conservato troppo a lungo, che creare le

11

condizioni in base alle quali 40 milioni di consumatori mangiano tutti i giorni, esattamente, la stessa cosa nello stesso modo o costringere 800.000 dipendenti a svolgere nel mondo gli stessi gesti rigidamente definiti, cronometrati e controllati. Questa standardizzazione estrema esiste anche in altri settori economici, quale quello tessile o automobilistico; in McDonald's, tuttavia, presenta tre caratteristiche specifiche:

– Questa standardizzazione riguarda un settore molto particolare. Il consumo di prodotti alimentari ha implicazioni fisiologiche, sociali e psichiche di natura diversa rispetto a quelle che risultano dall'acquisto di un vestito o di una vettura. Bisogna pensare infatti che se «l'uomo è ciò che mangia», la sua natura profonda dovrà cambiare rapidamente a causa della sua totale McDonaldizzazione.

– Questa standardizzazione viene resa manifesta in modo davvero osceno, McDonald's ne fa apertamente un argomento di vendita, mentre dalle altre industrie essa è quasi sempre camuffata, con l'uso di strategie di «falsa diversità».

– Questa standardizzazione non è solo il frutto della logica economica, poiché la sua efficacia è prima di tutto di ordine simbolico. Si può pensare che essa sia una maniera moderna di risolvere l'angoscia alimentare. L'uomo occidentale è passato in pochi decenni dalla paura per la mancanza di cibo alla paura dell'eccesso di cibo. McDonald's ha quindi inventato un nuovo modo di placare l'angoscia, proponendo un'alimentazione sempre più omogenea. La standardizzazione può dunque essere accettata come un vero e proprio dogma, perché si ritiene renda felici gli uomini. McDonald's ha quindi una vera e propria missione da portare a termine e continua a diffondere la propria fede:

La Francia ha imparato molto dagli Stati Uniti e dal Canada, che l'hanno accompagnata in questa trasmissione di conoscenze [...]. Il paese può contare sulle proprie risorse e metterle al servizio della propria espansione e di quella dei suoi «vicini», come è avvenuto in Belgio, in Spagna, in Italia e più di recente in Portogallo e in Marocco, dove staff francesi hanno contribuito allo sviluppo del marchio. Un effetto a cascata, è la legge del sistema.

Messages, giornale di McDonald's France, settembre 1995

Un tempo si diceva che i bambini nutriti da una stessa balia fossero fratelli di latte. Un domani saremo tutti fratelli in McDonald's? La modernizzazione alimentare assume, certo, altre forme, come quella degli stuzzichini o del culto dell'esotismo, ma i fast food hanno portato all'estremo le tendenze attuali. McDonald's non costituisce l'unico vettore di questa metamorfosi, ma ne rappresenta il protagonista principale sia nella realtà mondiale che nell'immaginario collettivo dei popoli.

1. McDonald's dai mille volti

McDonald's rappresenta il marchio più conosciuto al mondo dopo Coca Cola. È diventato un riferimento obbligato tanto per i suoi ammiratori quanto per i suoi avversari; tale riconoscimento non si ottiene senza buone ragioni: bisogna prima di tutto essere diffusamente presenti quotidianamente, senza però che questa presenza passi inosservata. McDonald's, in effetti, con i suoi 80 miliardi di hamburger venduti nel mondo e le sue sedi in più di 115 paesi, stupisce sempre: una simile vitalità sorprende soprattutto perché la sua crescita sembra lungi dall'arrestarsi. Il mercato americano necessita probabilmente di una proposta alternativa, poiché già la metà della popolazione vive a meno di tre minuti di macchina da McDonald's, e proprio per questo il gigante s'ingegna per inventare altri prodotti e altre forme di distribuzione per conquistare nuovi clienti. L'Europa e l'Asia, senza parlare dell'Africa, rappresentano, al contrario, terre ancora in gran parte vergini rispetto all'America. Questa crescita vertiginosa non sarebbe tuttavia possibile senza l'efficacia di un marketing che contribuisca impercettibilmente a «McDonaldizzare» la popolazione mondiale, ed è per questo che McDonald's investe ogni giorno più di due milioni di dollari nella sola pubblicità televisiva. Questo addestramento dei consumatori ha già dato i suoi frutti. La Multinazionale ha realizzato nel 1998 un giro d'affari di 175 miliardi di franchi, con una crescita dell'8% in un anno. I risultati sono straordinari, se si pensa che il primo ristorante è stato aperto solo il 15 aprile

1955 a Des Plaines nell'Illinois (USA). Il gruppo è cresciuto rapidamente: nel 1959 inaugurava il suo centesimo ristorante e festeggiava il cinquecentesimo nel 1963. Tale progressione è successivamente divenuta ancora più folgorante, fino a raggiungere gli attuali 25.000 ristoranti, 5000 in più rispetto a quelli previsti per l'anno 2000. L'espansione è avvenuta per lungo tempo nei limiti del mercato americano, il gruppo infatti ha aperto il suo primo ristorante all'estero, in Canada, solo il 1° gennaio 1967.

McVillaggio

Gli Stati Uniti rimangono ancora provvisoriamente in testa, con 9.744 ristoranti, ma i dieci McDonald's che realizzano le entrate maggiori sono all'estero. Nel 1991 McDonald's ha aperto più franchising all'estero (427) che negli USA (188) e il mercato statunitense un giorno sarà raggiunto e sorpassato dai mercati asiatici e forse anche europei. Il Giappone occupa già la seconda posizione, con 1.133 ristoranti. Il successo dell'hamburger nel paese del sukiyaki, del tempura e dello sushi, così fiero delle proprie tradizioni culinarie, pure così particolari, è prova della temibile efficacia del sistema. Nel palmarès, molto meno sorprendentemente, il Canada e l'Australia, altri paesi nuovi senza un'autentica memoria culinaria. La Multinazionale ha conquistato più di recente, nel 1998, gli ex paesi socialisti più occidentali del blocco, la Yugoslavia e l'Ungheria. La caduta del muro di Berlino ha accelerato la penetrazione negli ex paesi del «socialismo reale». McDonald's ha persino invaso la Cina, a partire da Schenzen, nel 1990 (città campione, di frontiera, come Hong Kong aperta all'Occidente) e nell'aprile 1992 ha aperto a Pechino uno dei più grandi McDonald's del mondo, in grado di accogliere 700 persone, con 29 registratori di cassa e quasi 1000 dipendenti. Il giorno della sua apertura sono stati serviti 40.000 clienti. Questo gigantesco mercato offre in effetti grandiose possibilità agli occhi dei strateghi del gruppo, che intendono passare dalle 20 sedi attuali a 600 nell'anno 2000.

L'hamburger «americano» sostituirà un domani «la ciotola di riso» della Rivoluzione cinese? Mao probabilmente si sta rivoltando nel suo mausoleo, all'idea che l'Occidente capitalista abbia inventato una nuova «tigre di carta» in fin dei conti molto più temibile della «stupida» bomba atomica. Anche i paesi del Medio Oriente, Israele e Arabia Saudita, hanno ceduto nel 1993; l'anno dopo, McDonald's ha conquistato l'Egitto, il Barhein e gli Emirati Arabi Uniti. L'apertura di un McDonald's a Tripoli, a Baghdad o a Teheran sarebbe senza dubbio il segno della reintegrazione delle «forze del Male» nel concerto delle nazioni civilizzate. McDonald's inoltre supera nel vecchio continente i suoi stessi obiettivi, con circa 4000 fast food. L'Europa McDonald's progredisce quindi molto più rapidamente dell'Europa politica o sociale, raggiungendo un giro d'affari di 25 miliardi di franchi e l'apertura di una nuova sede al giorno. L'Inghilterra e la Germania hanno superato i 550 ristoranti, i Paesi Bassi ne contano più di 100. La Spagna, il Portogallo e l'Italia sono mercati a potenziale molto alto. L'hamburger ha così riconciliato i sostenitori della cucina al burro e quelli della cucina all'olio. Solo l'Africa nera sembra trascurata e per questo merita più che mai la qualifica di continente dimenticato. Questo disinteresse coincide perfettamente con una dimenticanza più generale, ricordiamo infatti che le strategie delle multinazionali riflettono anche lo stato del mondo in un determinato momento. Il turista occidentale può percorrere il pianeta con animo sereno, poiché mangerà dovunque lo stesso prodotto, servito allo stesso modo, con lo stesso sorriso... Questa mondializzazione è possibile solo perché McDonald's ha imparato ad essere in ogni paese ad un tempo simile e diverso. Il miracolo è possibile solo perché McDonald's non è né americano, né francese, né cinese. Il prodotto, certo, è nato negli Stati Uniti, ma possiede una vocazione universale: corrisponde infatti all'alimentazione del mangiatore moderno, cioè dell'uomo giunto nell'era della globalizzazione del mondo. Per questo motivo, è estraneo e pericoloso tanto per la cucina del Texas quanto per quella di Pechino, di Madrid o di Hebron. La vittoria dell'hamburger è stata possibile solo perché McDonald's ha saputo mettere in gioco simbologie comuni, per raggiungere l'uomo al di qua della sua definizione e della sua specificità culturale. L'esistenza di questo substrato comune non impedisce però al gruppo di sviluppare parallelamente sistemi diversi d'immagine. Tale logica appare evidente nel confronto tra il McDonald's di Mosca e quello di Los Angeles.

Il McDonald's di Mosca

Il Socialismo di Stato avrebbe forse avuto un futuro se avesse saputo inventare un solo prodotto capace di rivaleggiare con McDonald's. La migliore Trabant fa una brutta figura, anche di fronte al peggiore hamburger. Il fallimento del sistema comunista risulta evidente anche nella facilità con la quale la popolazione sovietica ha ceduto ai nuovi idoli. Servirà più tempo per convincere il vecchio contadino del Massiccio Centrale dei benefici dell'hamburger che per conquistare l'anima del giovane proletario delle officine Lenin. L'hamburger racchiude infatti in sé tutto ciò di cui l'uomo sovietico è stato a lungo privato, simbolizza per ciascuno lo spirito di libertà, ma anche le speranze di una facile riuscita, materializza quindi un esotismo assoluto, ma immediatamente a portata di mano. Il gigante americano è partito nel 1988 alla conquista degli ex paesi socialisti dalla sua base operativa a Vienna, in Austria. Dispone attualmente di più di 60 ristoranti, di cui 50 in franchising (Mosca, Budapest, Praga, ecc.). Questo mercato costituisce il più forte potenziale dei prossimi anni: 40.000 persone si sono prese a spintoni per entrare nel ristorante di Varsavia il giorno della sua apertura. Il gruppo ha progettato di creare, entro il 2000, 500 unità supplementari. L'apertura, nel 1989, di un primo McDonald's nel cuore della capitale sovietica ha costituito un'autentica rivoluzione culturale in piena perestroika; l'avvenimento, preparato da manager canadesi della multinazionale, è stato sfruttato e amplificato al massimo, su scala internazionale. La stampa e i membri della Nomenklatura sono stati invitati gratuitamente. Tutta la Mosca che conta vi si è precipitata nelle prime settimane, prima di lasciare il posto alla semplice popolazione. Le famiglie umili regalano un hamburger ai figli, per il loro compleanno, e li guardano deliziati mangiare i risparmi di molti mesi. Le coppie dividono un hamburger in due. I più innamorati si cullano nella felicità di vedere la loro fidanzata gustare da sola il dolce sogno americano. Il personale, selezionato in uno stadio fra più di 40.000 candidati, è stato formato all'ideologia McDonald's durante uno stage non remunerato di molti giorni. Assunto sistematicamente part-time, sfugge in questo modo alle leggi del diritto del lavoro sovietico. Nei dipendenti riemergono antichi riflessi stacanovisti: per le sale circolano manager che fanno scivolare nelle tasche dei migliori qualche «buono omaggio» che permette loro di vincere berretti o magliette McDonald's. Le condizioni climatiche impongono di lasciare accesi i motori dei camion di trasporto giorno e notte. La società offre in compenso un pasto mensile agli abitanti più vicini ai ristoranti, per farsi perdonare. Come non perdonare tutto, infatti, ad un'impresa che rappresenta la materializzazione del mito occidentale, seppur ridotto alla sua espressione americana? Ogni moscovita si avvicina a quei luoghi come a qualcosa di magico, poiché accarezza la speranza d'incorporare, attraverso quel prodotto, una cultura, in uno dei suoi segni più forti. È per questo che il primo ristorante moscovita ha sfruttato spudoratamente il tema del viaggio, scegliendo come decorazioni i colori di diversi paesi inaccessibili: ogni cittadino sovietico, infatti, per uscire dal proprio paese, doveva riuscire ad ottenere, cosa molto difficile, un'autorizzazione speciale dal Ministero degli Interni; grazie a McDonald's, i moscoviti potevano in quel modo acquistare il proprio hamburger (pseudo) americano e andare a mangiarlo a «Mosca», a «Londra», in «Giappone», in «America del Sud», alle «Antille» o in «Danimarca», sentendosi così uguali agli americani, cioè a uomini liberi che possono viaggiare da un capo all'altro del pianeta. Da allora, McDonald's ha aperto altre sedi, sempre collocate nel centro di Mosca, in particolare nelle zone pedonali. Un ristorante riservato alle nuove élites del regime post sovietico è stato aperto all'interno di un nuovo edificio nel cuore del quartiere degli affari. Il governo russo si è opposto al progetto che prevedeva il pagamento obbligatorio in dollari, volto a sottolineare meglio lo spossessamento culturale, ma anche ad evitare che i nuovi poveri non turbassero il banchetto dei nuovi ricchi.

McDonald's di Los Angeles

Naturalmente, negli Stati Uniti McDonald's si presenta con un altro volto. Il sogno americano non fa vendere, nel paese dello zio Sam. Molti vivono in veri e propri ghetti privi di qualsiasi struttura sociale; ciascuno, in quei luoghi, in modo innato sa che McDonald's non costituisce l'alimentazione di nessuna comunità del melting-pot americano, sente tuttavia intuitivamente che l'adesione alla modernità passa per questa nuova forma di alimentazione. Ciascuno ha imparato dalla televisione che McDonald's è il cammino più breve per appartenere alla grande nazione americana. Il messaggio è efficace: McDonald's tende a diventare il luogo d'incontro di una gioventù demotivata e squilibrata dalla crisi delle istituzioni, catalizzando tutti i sogni d'integrazione sociale e urbana. La segregazione colpisce infatti più di dieci milioni di americani, il 30% della popolazione nera. Alcune città battono tutti i record, come Chicago o Detroit, con più del 50% di segregati. Los Angeles, con solo il 7% sembra essere una città «europea». Questa deriva comunitaria del liberalismo anglosassone è causata da una politica di raggruppamento in «block-groups» di molte centinaia di famiglie della stessa origine. Tale urbanesimo segregato è recuperato da McDonald's, che ne fa il motore di uno sviluppo anch'esso etnicizzato. Questa evoluzione rompe con il modello del melting-pot, che ha permesso fino ad ora di assimilare le culture, pur preservandone le identità. McDonald's offre infatti ad ogni popolazione lo stesso prodotto, come se fosse ad essa specificatamente destinato; il portoricano da McDonald's si sente a casa propria, esattamente come l'irlandese o il vietnamita. Questa politica di etnicizzazione risulta efficace grazie all'isolamento delle varie comunità e spiega perché questa gioventù

18

sfaccendata si ritrovi la sera davanti al McDonald's del proprio quartiere come un tempo ci si ritrovava sulla piazza del paese. Ognuno parla il proprio americano, quello del quartiere o dell'etnia di appartenenza. McDonald's fa quindi parte della tribù, ci si va per ritrovare un'identità e per dimenticare le difficoltà della vita economica, familiare, psichica, ecc.; esso diventa una seconda famiglia, alla stregua dei gruppi di soldati che all'interno della caserma si formano spontaneamente per sfuggire al suo grigiore, ma che rappresentano l'aspetto più triviale della vita militare. Vi si incontrano molte persone senza fissa dimora, disoccupati, emarginati o operai che vogliono mangiare senza spendere troppo. La metà della popolazione nera vive al disotto della soglia minima di povertà. L'omicidio è divenuto la prima causa di morte fra i giovani. Su cinque giovani neri, quattro finiscono in galera ed uno solo riesce a terminare gli studi. McDonald's è quindi oggetto di una vera e propria adulazione, nel quadro di un reciproco rispetto. Ogni tanto vi si lavora, vi si mangia un po' più spesso, vi si è accolti come si è, per quello che si è. Il crew* è quasi un compagno, a volte è un vicino o un fratello di pelle, poiché McDonald's ha saputo spargere punti «etnicizzati» nelle varie comunità. Questa etnicizzazione razziale, sociale e culturale di McDonald's, offre molti vantaggi al gruppo: permette prima di tutto di creare al minimo costo, una segmentazione del mercato che consente di vendere lo stesso prodotto, allo stesso modo, a clienti diversi. Ognuno infatti è convinto che il prodotto sia rivolto esclusivamente a lui e per questo si personalizzano i ristoranti, giocando sull'ambiente e sull'arredamento: si giunge così a «psicologizzare» il cliente, in mancanza d'identità culturale. Una tale etnicizzazione favorisce l'appropriazione del prodotto, che diventa uno strumento d'identificazione e d'integrazione, sempre comunque all'interno di ciascuna comunità (un McDonald's black, un McDo Gay, ecc.). Ciò spiega perché i McDonald's furono risparmiati in occasione delle sommosse di Los Angeles:

---

* *Crew* è il dipendente generico e polivalente di McDonald's. Il suo profilo professionale sarà analizzato nel capitolo quinto: *McManagement* [*N.d.T.*].

non si distrugge infatti ciò che si crede di possedere; una sorte peggiore fu riservata invece a locali quali le pizzerie, ad esempio. Certo, una piccolissima parte della gioventù protesta in alcuni stati contro l'obbligo di guardare ogni giorno alla televisione scolastica spot pubblicitari, obbligo che prevede una punizione se non rispettato. Un'esigua minoranza di insegnanti insorge contro l'utilizzo di materiale pedagogico pubblicitario, che prevede la presenza dell'immagine del pagliaccio Ronald per l'apprendimento della lettura o degli hamburger per l'apprendimento della matematica. La maggioranza degli educatori organizza invece gite scolastiche in McDonald's in miniatura, dove i bambini possono giocare ad essere dipendenti, manager o clienti. I miei studenti americani, di passaggio in Francia si precipitano al primo McDonald's che incontrano, disertando le taverne di Lione, troppo «caratteristiche» ed esotiche per i loro gusti.

La Francia McDonald's

La Francia, paese della buona tavola, dallo spirito così provinciale e polemico poteva soccombere a sua volta al fascino dell'hamburger? Il fidanzamento fu, ammettiamolo, difficile e il matrimonio si concluse con un divorzio. Il secondo matrimonio fu molto più felice e fecondo. La Francia, dopo aver puntato i piedi e tenuto il broncio, alla fine si è gettata nelle braccia del bell'americano. Raymond Dayan è stato lo sfortunato artefice dell'introduzione dell'hamburger in Francia, aprendo, nel 1972 un primo ristorante nella capitale. Dieci anni più tardi sarebbe stato trascinato davanti ad un tribunale americano per non aver rispettato le norme standard di fabbricazione:

Raymond Dayan disponeva dell'esclusiva sul mercato parigino. La sua incapacità nel mantenere il livello di qualità ha indotto McDonald's a impugnare il contratto con lui, al termine di un'azione legale che ha dato ragione al marchio.

Messages, giornale di McDonald's France, settembre 1995

McDonald's rimproverava in effetti a Raymond Dayan di aver violato il tabù del Sistema. Ogni cultura si basa infatti su un Divieto assoluto, fondante l'identità stessa del gruppo. Il gestore francese aveva commesso il crimine di voler adeguare l'hamburger ai capricci dei suoi connazionali, sostituendo l'occhio del cuoco alla precisione elettronica, per determinare la buona cottura della carne, e aveva in questo modo osato scommettere sull'imperfezione dell'uomo, che guarda e giudica, piuttosto che sulla suoneria meccanica. La reazione è stata proporzionata all'errore. McDonald's ha ordinato la scomunica, intentando un procedimento giudiziario per rompere il contratto. Nel regno degli hamburger, non si scherza con le regole. Il «segreto» del «sistema» McDonald's sta interamente nella sua capacità di standardizzare tutto ciò che può esserlo. La rottura dell'omogeneità non costituisce quindi una semplice infrazione, ma un crimine assoluto. Nell'attesa del giudizio, il gruppo tuttavia ha dovuto accettare la sfida di conquistare la Francia giacobina a partire dalla sua periferia. L'ufficio di Francoforte, incaricato di condurre l'operazione, ha aperto un ristorante nel 1979 a Strasburgo, poi a Metz e a Nancy nel 1980. Nel 1981 la multinazionale ha installato i propri uffici nel cuore stesso di Parigi, una vera e propria unità di crisi, composta solamente da cinque persone, che però è riuscita a far sviluppare molto velocemente il marchio, tanto che due anni dopo il gruppo contava 15 ristoranti in Francia, di cui 3 a Lione, città pure così fiera di essere considerata capitale della gastronomia. L'ora della vendetta è suonata nel 1984. Raymond Dayan, condannato, ha dovuto cambiare il marchio di tutti i suoi ristoranti in tre sole notti (insegne, divise, tovaglioli...). McDonald's ha subito aperto il suo primo ristorante a Parigi in rue Montmartre, e a tutt'oggi conta 353 sedi, distribuite in tutta la Francia. Siamo tuttavia solo all'inizio della creazione di una grande rete che dovrebbe arrivare a ricoprire tutta la Francia di ristoranti con il doppio arco giallo. Jim Cantalupo, direttore di McDonald's International, ha elaborato infatti un metodo per definire uniformemente le prospettive di crescita del gruppo su scala mondiale. Per prima cosa ha calcolato il numero di abitanti per ristorante

McDonald's negli Stati Uniti (circa 25.000). Ha poi diviso il numero di abitanti di ogni nazione per tale coefficiente, ottenendo in questo modo la penetrazione teorica del gruppo in ogni paese. Il teorema, certo, integra altri dati, come il reddito nazionale pro capite, ecc. I piani quinquennali sono stabiliti regione per regione a partire da analisi di mercato e da dati socio-economici. La Direzione dello sviluppo ne deduce il numero di sedi possibili. Essa stabilisce così in Francia una previsione a 3 anni sulla base di 50 nuove sedi annuali nelle città con meno di 30.000 abitanti. La Francia avrebbe così 2237 punti ristorazione, contro i 330 attuali. Il pianeta sarebbe coperto da più di 42.000 ristoranti dal doppio arco giallo.

McDonald's: un marchio americano, un'azienda francese

McDonald's è divenuto, nell'immaginario individuale e collettivo, un vero e proprio simbolo dell'americanizzazione della società. Questa semiologia, di solito molto redditizia, diventa tuttavia un handicap nel momento in cui la politica americana urta troppo gli interessi di alcune popolazioni. Il marchio è così diventato nel 1992 e nel 1999 il bersaglio privilegiato delle manifestazioni contadine contro il GATT e l'OMC. La Multinazionale ha reagito subito prendendo contatto con gli enti agricoli e lanciando una vasta campagna informativa sul tema «McDonald's Francia è un'azienda francese con fornitori francesi». La bomba contadina è così stata disinnescata. Lo stato maggiore però ha avvertito comunque il passaggio del proiettile, tanto che ha fatto di questo slogan congiunturale, il suo nuovo dogma. Presenta ormai le proprie realizzazioni come altrettante prove della sua integrazione nazionale. McDonald's France, con i suoi 630 ristoranti e un volume d'affari pari a 7 miliardi di franchi all'anno contribuisce certamente alla crescita del prodotto interno lordo ed occupa quindi un posto importante all'interno dell'economia nazionale; offre occupazione a molti dipendenti e fa lavorare direttamente o indirettamente, molte aziende francesi, comprando prodotti francesi per circa un miliardo e mezzo di franchi, non limitandosi alle derrate alimentari: si rivolge infatti al mercato francese per la costruzione, l'arredo, il mantenimento dei suoi ristoranti. L'inserimento nell'economia nazionale non deve però mascherare il processo di standardizzazione e di concentrazione in corso. La collaborazione con McDonald's, infatti, non si traduce solo in un aumento del volume d'affari, ma anche nella trasformazione dei prodotti e delle fabbricazioni. I prodotti agricoli, ad esempio, devono soddisfare le norme internazionali del gigante americano. Il modo di pensare e di lavorare è quindi plasmato profondamente, e di conseguenza le diverse produzioni locali vengono distrutte, visto che la selezione McDonald's si orienta sulle varietà più redditizie. Il contadino diventa produttore McDonald's solo se si McDonaldizza. McDonald's France rimane ancora, prima di tutto, un'impresa McDonald's, non potendo esistere al di fuori della propria sottomissione ad un sistema di norme universali. Il gigante americano ha così preferito differire il proprio insediamento in Cina di alcuni anni, visto che non ha trovato fattorie di Stato in grado di fornirgli immediatamente prodotti standard. Per gli stessi motivi, in Russia ha costruito proprie aziende, così da ottenere produzioni perfettamente omogenee.

2. La fabbrica di hamburger

I critici gastronomici si scagliano spesso violentemente contro le qualità organolettiche dei vari prodotti McDonald's, in particolare contro il loro gusto, il loro aroma, la loro consistenza. Tuttavia, si può discutere all'infinito senza riuscire a concludere se l'hamburger sia «buono» o «cattivo». Non credo di poter affermare che apprezzerei di meno un hamburger e patatine, piuttosto che una ciotola di vermi bianchi, pur tanto gustosa per alcuni popoli. La vera posta in gioco non sta nel definire se il «Prodotto» McDonald's sia «buono» o meno, ma nel sapere se è un alimento come gli altri. Ci interesseremo quindi soprattutto agli effetti individuali o collettivi del prodotto. Bisogna infatti guardarsi da ogni «cosismo» e considerare

23

che l'essenza del prodotto non è nel piatto, ma nella relazione che intratteniamo con esso. McDonald's è a questo riguardo una semplice evoluzione o costituisce un'autentica rivoluzione alimentare? In che cosa, allora, il nuovo è diverso dall'antico? Non è tanto il prodotto in sé, che ci inquieta, quanto la natura delle relazioni stabilite con esso, dalla sua creazione alla fabbricazione e poi dalla sua commercializzazione alla sua incorporazione. Il viaggio nell'universo McDonald's si fonda dunque in partenza su una semplice constatazione: McDonald's rimane identico, sempre, dovunque, da un angolo all'altro del pianeta. I suoi prodotti, così omogenei, si rivolgono a tutti i tipi di consumatori, di qualunque età, sesso, nazionalità, livello sociale, insomma di qualunque cultura essi siano. Da McDonald's si può mangiare da 7 a 77 anni, a Istanbul come a Ginevra.

Una simile universalità porta certamente dei vantaggi considerevoli, permettendo prima di tutto di produrre in serie, e quindi di beneficiare di economie su grande scala a livello di ricerca, di produzione, di distribuzione e certamente di marketing. Il denaro investito in Francia o in Cina fa così ritorno in misura consistente all'interno del pianeta McDonald's. Tale miracolo economico è realizzabile solo perché McDonald's è falsamente semplice, artificialmente evidente, illusoriamente americano. È quindi necessario andare dietro ai fornelli per scoprire il segreto della sua grande cucina. Ricordiamoci infatti che McDonald's non fa che assemblare prodotti alimentari di base che si trovano in tutti i panieri delle massaie, cioè del pane, della carne e delle patate. Il «segreto» di McDonald's non sta nei propri prodotti, ma nel proprio sistema.

McDonald's è semplice

McDonald's nutre ogni giorno milioni di persone di culture diverse, ed è per questo che propone solo pochi prodotti; paradossalmente, infatti, può nutrire popolazioni così diverse solo con una scarsa varietà di alimenti. Bisogna essere (falsamente) semplici per essere efficaci su scala mondiale. L'eterogeneità dei consumatori necessita dell'omogeneità delle derrate. McDonald's vende quindi solo sei grandi tipi di prodotti; tale offerta è caratterizzata prima di tutto dalla sua estrema debolezza rispetto all'abbondanza dell'offerta della concorrenza, ma soprattutto rispetto al volume d'affari e al numero di pasti serviti. La scelta limitata incide economicamente su tutti i fattori di produzione (materie prime, personale, formazione, pubblicità, attrezzature, ecc.), favorisce inoltre un'identificazione più veloce e più facile del prodotto. Che cosa mangia di solito, allora, l'uomo McDonaldizzato? Prima di tutto, è necessariamente un grande amante delle patatine fritte, amore ereditato da un'abitudine acquisita all'epoca dei self service. Le patatine fritte di McDonald's non sono però delle patatine qualunque: il gruppo ha infatti sostituito le patate fresche con un prodotto surgelato perché era impossibile altrimenti ottenere un prodotto standard. Le varietà utilizzate non si trovavano sul mercato per molti mesi e le bucce emanavano inoltre un cattivo odore incompatibile con l'immagine igienista desiderata. Gli esperti del gruppo hanno così selezionato tra le centinaia esistenti, solo poche varietà ad alto rendimento (Bintje, Pentland Dell, Russet Burbank, Marijike). Gli agricoltori possono così fornire un prodotto completamente standard nella forma, nelle dimensioni, nelle qualità organolettiche e nelle caratteristiche di cottura. Le industrie di trasformazione realizzano in questo modo un prodotto surgelato standard grazie ad una tecnologia industriale all'avanguardia. La produzione è seguita minuziosamente dalla distribuzione delle patate non ancora lavate fino alle ultime operazioni di frittura, di surgelamento e d'impacchettamento. Una rete di telesorveglianza segnala ogni difetto visibile, mentre un altro sistema elettronico misura la densità per rilevare la presenza eventuale di polpa vitrea. Le patate così selezionate sono poi congelate e distribuite in casse da 10 kg. Sono maneggiate con cura, perché gli esperti di McDonald's hanno calcolato che la loro caduta da un'altezza di un metro può causare la perdita di trenta porzioni ogni 45 kg. Hanno stabilito con la stessa spaventosa precisione che sbagliare il riempimento dei cesti della frittura riduce il rendimento da 10 a 20 porzioni. Il dipendente

25

deve quindi riempire esattamente i 4 cesti da 625 grammi. Il rendimento ottenuto così varia da 888 a 933 porzioni per 100 kg. Le patate sono conservate per nove mesi dalla data del loro confezionamento, vengono cotte ancora congelate il più presto possibile e in modo standard, cioè senza tenere conto delle tradizioni e dei gusti. Non resta che venderle più velocemente possibile e sempre in modo standard. Le patatine fritte non possono infatti essere conservate più di 7 minuti. Il cliente può scegliere tra tre formati (normale, da 68 grammi, medio, da 110 grammi e grande, da 136 grammi). Una porzione grande è quindi esattamente uguale a 1,42 volte una porzione normale. Le patatine hanno un calibro 6/6, per dare l'illusione di porzioni abbondanti. L'uniformità del prodotto è garantita da McDonald's, il quale realizza 19 controlli durante tutto il processo di fabbricazione e di commercializzazione, solo il consumo sfugge ancora (parzialmente) a questo controllo. La paletta con la quale sono servite le patatine sottolinea il senso d'igiene e dà l'illusione di una grande quantità, oltre a fare in modo che ogni porzione sia esattamente calibrata. Il «segreto» delle patatine McDonald's sembra essere, secondo G. Ritzer, la compresenza di zucchero e di sale nel condimento, grazie al quale si ottiene un prodotto standard neutro in cui il cliente trova sia il sapore dello zucchero che quello del sale, ma non quello delle patate. L'olio della frittura è composto per il 90-92% da grassi bovini e per l'8-10% da olio di cotone (*Guida di riferimento della qualità*, gennaio 1989). Visto che il servizio informazioni non ha fornito dati più recenti, non possiamo precisare in quale misura il grasso animale sia stato sostituito da olio vegetale. Le patatine, servite in involucri di carta, devono essere mangiate con le mani.

Il menu delle specialità calde a base di carne o di pesce costituisce il vertice della gastronomia McDonald's: è composto esclusivamente da prodotti del suo sacco. Il consumatore novizio, desideroso di scoprire uno dei 7 prodotti di base può essere tuttavia rassicurato: non sarà né deluso né sorpreso, avrà diritto alla sua parte di piacere calibrato, identico a quello del suo vicino o a quello dell'indomani. Una simile stabilità è il risultato di una formidabile prodezza tecnologica: sarebbe impossibile infatti servire tutti i giorni milioni di prodotti identici senza disporre di un sistema altamente efficiente; per raggiungere una tale perfezione è necessario eliminare sistematicamente l'aleatorio, cioè l'umano. Il genio culinario passa qui dal forno alla calcolatrice. Il manager vince sul cuoco. Ogni prodotto è così calibrato con grande precisione: un hamburger pesa normalmente 103 grammi e non uno di più. Misura 10 centimetri. Un Cheeseburger pesa 117 grammi, mentre un doppio Cheeseburger raggiunge solo i 166 grammi, con sorpresa delle mie figlie, che già hanno tante difficoltà con le moltiplicazioni. Un Big Mac pesa esattamente 211 grammi a mezzogiorno come di sera, a Roma come a Berlino. Un Royal Cheese raggiunge i 210 grammi, un McBacon 183 grammi, un Filet-O-Fish 144 grammi, qualunque sia il grado di simpatia che un dipendente può provare per il «proprio» cliente: McDonald's non transige infatti sulle dimensioni e sul peso dei suoi prodotti. Si potrebbe temere che una tale precisione finisca per stancare il consumatore; le ricerche di mercato ce lo presentano infatti come curioso e desideroso di essere stupito. 80 miliardi di hamburger standard sono già stati venduti, cioè 16 hamburger per ogni terrestre; un successo del genere non è assolutamente casuale, come dimostra la storia del Big Mac, che ha festeggiato nel 1993 i suoi 25 anni di fedele servizio, senza una ruga, cioè senza subire la minima evoluzione. La sua composizione è definita in modo preciso, esattamente calibrata fin dalla sua nascita. La sua preparazione è calcolata al secondo. Questa vittoria sull'usura sociale e psichica non dipende dall'invenzione di un alimento rivoluzionario, si spiega al contrario con il fatto che McDonald's sia riuscito a «svuotare» ogni componente delle sue abituali caratteristiche: un Big Mac, infatti, in apparenza è composto da pane, carne, insalata, formaggio, cioè da elementi eccessivamente banali. Non vi è quindi alcuna sorpresa né nella scelta delle materie prime, né nella preparazione o nel servizio. Il panino utilizzato è identico, qualunque sia il ristorante o il paese, il suo peso dopo la cottura varia obbligatoriamente tra i 609 e i 638 grammi. Lo spessore della sua forma simmetrica misura esattamente 16 mm. Il suo diametro oscilla tra i 9,5 e i 9,8 cm. La sua altezza totale varia dai 3,5 ai 4,1 cm; viene tostato per 35 secondi esatti. Al suo interno l'hamburger, una volta cotto, fuoriesce un poco, creando così l'illusione che sia ancora più grande. Questo panino speciale non ha quindi nulla di particolare in apparenza, ma diventa speciale se ammettiamo che la sua singolarità stia proprio nel non averne. Non si tratta più di vero pane, per il suo colore sempre marrone chiaro, per la sua pasta morbida e non croccante, per la sua assenza di gusto e di odore; si usano obbligatoriamente 11 grammi di pepe per kg di sale utilizzato. La carne del Big Mac gode di un regime ancora più draconiano a causa dell'importanza della sua carica simbolica: questa carne di «puro bovino» è utilizzata surgelata. Viene fornita da una ditta nei pressi di Orléans, che distribuisce il prodotto sull'intero mercato nazionale francese. Non ci è stato possibile verificare le voci riguardanti l'utilizzo del quinto quarto di animale, cioè ossa, pelle, interiora, sangue, ecc. Le nostre ripetute richieste sono infatti rimaste a lungo lettera morta, poi la direzione della comunicazione ci ha fatto sapere ufficialmente che tali informazioni facevano parte dei «segreti di fabbricazione». Sappiamo tuttavia che la macelleria moderna utilizza su vasta scala questo tipo di prodotti ricostituiti. La triturazione industriale permette infatti di eliminare la durezza di certi componenti come le ossa, poi aromatizza e colora il tutto in base alla domanda di chi utilizza tali componenti. Il segreto intorno a cui è avvolto McDonald's è significativo della sua concezione di comunicazione a senso unico, anche se ciò alimenta dicerie relative ad esempio all'impiego di vermi bianchi, una brutta esperienza che sarebbe in effetti potuta servire da lezione. Riteniamo che la pratica del «segreto» costituisca un elemento essenziale del sistema McDonald's, ci baseremo quindi alle sue norme standard, stabilite certo in funzione delle diverse legislazioni. Le bistecche alla piastra, 100% puro bovino, non subiscono alcuna aggiunta di carne separata meccanicamente (VSM), di grasso o di frattaglie. Il tenore di grassi nella carne varia dal 19,5 al 22,5% negli Stati Uniti e dal 17 al 20% in

Francia. McDonald's ha persino inventato un apparecchio chiamato Fatilyser, per accertarsi che la sua carne non contenga più del 20% di grassi. Una carne troppo grassa si ridurrebbe troppo durante la cottura e ciò non permetterebbe di creare l'illusione di un hamburger tanto grande da non entrare all'interno del panino. La carne viene grigliata per 41 secondi esatti, ad una temperatura di 200°C. Dopo la cottura, raggiunge una temperatura interna di 69°C. Grazie al modo in cui è preparata, si allontana dalla sua simbologia abituale: la macinatura e l'accurata cottura la privano del colore, dei suoi sughi, della resistenza e della sua solita consistenza; diventa così una materia informe, senza sangue, per mangiare la quale non servono più i denti. L'insalata del Big Mac è solo una parvenza di se stessa, poiché la sua varietà, il calore e il condimento la riducono ad una pura funzione decorativa. Il formaggio subisce lo stesso trattamento e diviene un'immagine, una pura sensazione. Questi ingredienti, privati della loro identità, sono poi serviti in modo standard e compongono così un prodotto veramente rivoluzionario.

La fetta di pane è cosparsa dalla famosa salsa Big Mac, poi vengono le cipolle, l'insalata, la fetta di formaggio fuso, la carne grigliata, e si raddoppia il piacere con un'altra fetta di pane, della salsa, delle cipolle, dell'insalata, dei cetriolini, poi arriva la seconda bistecca grigliata e, per finire, la corona di pane.

Campagna di comunicazione McDonald's

Il lettore potrebbe aspettarsi, con la gamma di primizie a disposizione, che almeno le insalate composte siano fresche, ma lo spirito è lo stesso degli hamburger. Le insalate pesano esattamente 175 grammi, le insalate dello Chef raggiungono i 195 grammi, le insalate salmone e gamberetti 190 grammi, le insalate con feta 210 grammi e le macedonie 140 grammi. Un pizzico di follia lo si trova forse nelle 5 differenti salse, anche se sempre standard. Dal 1987 McDonald's vende 4 salse a basso contenuto di lipidi.

Il quartiere generale del gruppo ha lanciato anche la vendita del pollo, prodotto universale per eccellenza. I Chicken

McNuggets (crocchette di pollo) obbediscono naturalmente alle stesse rigide regole (McChicken 186 grammi, Chicken McNuggets 9 pezzi 162 grammi, Chicken McNuggets 20 pezzi, 360 grammi). Il consumatore non deve sperare di trovare maggiori lampi di follia nei dessert (Sundae cioccolato 155 grammi, Sundae caramello 155 grammi, Sundae fragola 150 grammi, Milk shake cioccolato o fragola 219 grammi, Milk shake vaniglia 223 grammi, Brownie 50 grammi, Muffin cioccolato/mirtilli 85 grammi, McCookies 59 grammi, Apple pie 80 grammi, Apple pie ai frutti di stagione 80 grammi). Anche la carta delle bevande calde e fredde rimane all'interno dei ranghi. McDonald's all'inizio vendeva solamente Coca Cola; in seguito ha aggiunto Fanta, Sprite e acqua minerale. Da alcuni anni vende anche Coca Cola Light, ma rifiuta di proporre il vino, perché connotato da una simbologia troppo marcata: la sua carica culturale gli impedirebbe infatti di diventare un prodotto universale. È chiaro quindi che la mondializzazione procede più per selezione che per generalizzazione. Il «villaggio globale» si riduce infatti agli elementi che possiedono in sé le caratteristiche che permettono loro di divenire rapidamente universali, gli altri sono destinati inevitabilmente a scomparire molto presto. La vendita del vino sarebbe inoltre poco compatibile con il rifiuto di utilizzare recipienti di vetro. Solamente la Svizzera fa eccezione, poiché il regolamento locale del cantone di Vaud impone di servire almeno un vino locale. Il menu di McDonald's si è tuttavia aperto alle bevande alcoliche introducendo la birra, bevanda che si vende a livello mondiale, anche se in piccole quantità, meno di 70 bicchieri al giorno per ristorante. Essa sfugge inoltre alle campagne antialcolismo, perché gode di una «buona immagine», pur costituendo la bevanda più consumata dai giovani e dalle donne alcolisti. Dopo questa vittoria sui gusti degli «avinazzati» francesi era necessario affrontare l'eccezione europea in fatto di bicchieri: ogni paese, infatti, possedeva il proprio tipo, senza rispettare le norme universali. McDonald's è quindi intervenuto per razionalizzare questa gamma e per ridurla da 40 a 17 tipi, offrendoci così la possibilità di bere ovunque le stesse bevande nella stessa quantità in bicchieri regolamentari. Un pizzico di follia è concesso, tuttavia, con la possibilità di ordinare una bevanda media o grande: (bevanda gusto cioccolato 20 cl., Coca Cola normale 25 cl., Coca Cola media 40 cl., Coca Cola grande 50 cl., Coca Cola Light 25 cl., succo d'arancia normale 20 cl., succo d'arancia medio 30 cl., latte 20 cl., birra 30 cl.). Una tale cultura culinaria evoca più il passo cadenzato della marcia, uguale in tutti i paesi, piuttosto che quello di un valzer o di una bourrée.

Questa ideologia alimentare costituisce un'autentica religione della misura e della norma; l'ossessione della quantità è rivolta tanto alle materie prime, ai tempi di preparazione, di conservazione e di cottura, quanto alla temperatura o al servizio. Solamente il consumo sfugge ancora (parzialmente) a questa frenesia rigorista: il cliente, certo, è già costretto a mangiare con le mani e a volte in piedi, ma si può immaginare per il futuro l'invenzione di un sistema che garantisca l'ingestione di un hamburger in 4 minuti e 27 secondi, per incrementare la rotazione della clientela e soddisfare il desiderio di perfezione. L'ossessione della misura, oltre ad essere oscena, induce a indentificare la qualità solo con la variazione della quantità. I prodotti (alimenti e bevande) si dividono solo in «piccoli», «medi» e «grandi». Gli uomini di McDonald's si dividono anch'essi – lo vedremo più avanti – in piccoli (i crew), medi (i manager) e grandi (licenziatari); ci allontaniamo quindi dalla varietà culinaria e umana, per tuffarci in un universo sempre più omogeneo. L'esigenza di standardizzazione precede ogni realizzazione. Il sistema McDonald's è alimentato infatti da una logica economica spinta al parossismo, molto vicina ad un'ideologia della purificazione, al punto di non farne più uno strumento, ma una vocazione religiosa.

McMenu

Le nostre nonne ci insegnavano a mangiare ad ore fisse e in modo strutturato. Il pasto tradizionale comprendeva un antipasto, un piatto principale e un dessert. L'uomo moderno mangia sempre più spesso qualunque cosa, in qualunque momento e in modo qualunque; il pasto, quindi, così destrutturato, induce a nutrirsi con un piatto unico o a stuzzicare passando indifferentemente da un cibo all'altro, con sempre maggiore apatia, soprattutto nelle metropoli, dove non si ha più il tempo di mangiare. L'evoluzione è drammatica, tanto a livello fisiologico, poiché non è sano violare i ritmi cronobiologici, quanto sul piano psico-sociologico, visto che spesso si mangia in compagnia. McDonald's, pur essendo sicuramente corresponsabile di questa evoluzione, visto che i suoi prodotti favoriscono la destrutturazione di quei tradizionali punti di riferimento, comunque propone menu (pseudo) completi, per rispondere alle abitudini alimentari (troppo) strutturate di una parte della popolazione. I menu completi sono stati creati per rassicurare, poiché rispettano in apparenza la logica del pasto tradizionale, offrendo così al consumatore la sensazione di mangiare un «vero» pasto strutturato e quindi equilibrato. La formula Happy Meal, giustificando le madri ancor prima di appagare il desiderio dei bambini, è concepita infatti proprio per piacere soprattutto agli adulti. Il menu è venduto a 25 franchi ed è molto attraente: comprende prodotti molto classici, un panino caldo, delle patatine, una bevanda, dei biscotti e un regalo diverso ogni settimana. McDonald's propone altre due formule per gli amanti dei pasti (falsamente) tradizionali, il Menu Best Of, venduto a 30 franchi dal 1993, che comprende un panino caldo, patatine medie e una bibita media e il Best Of Plus a 35 franchi, nel quale le patatine e la bibita sono «grandi». McDonald's ha anche saputo adattarsi alle mutazioni sociali, proponendo a clienti non sposati, frettolosi o di passaggio, un servizio completo di prima colazione. Il servizio è offerto dalle 8 alle 11 di mattina durante la settimana e dalle 9 alle 11 nei fine settimana. Le tre formule del McMorning sono molto simili fra loro: la prima colazione francese comprende 2 croissants, una bevanda calda, marmellata, burro e succo d'arancia Minute maid da 20 cl.; la prima colazione americana è composta da un Egg McMuffin (pane, pancetta cotta, uovo, formaggio fuso), da una bevanda calda, e da succo d'arancia Minute maid da 20 cl.; la prima colazione inglese propone uova strapazzate con pancet-

ta, due toast, 10 gr di burro, una bevanda calda e succo d'a-
rancia Minute maid da 20 cl. Le bevande calde possono essere
scelte tra caffè, tè o bevanda al gusto di cioccolato.

Nell'autunno 1996 McDonald's ha lanciato una campagna di
promozione per i nuovi McMorning, che sembrano ancora più
omogeneizzati, anche se la pubblicità li ha presentati come la
più bella invenzione dopo la «grasse matinée»*. Al consumatore mattutino viene proposto un McMorning dolce: *«ispirate
alle tradizioni americane e inglesi, le nostre gustose ricette
fanno di questa prima colazione una vera profusione di dol-
cezza: un Muffin tostato (pane speciale tostato, croccante all'e-
sterno e morbido all'interno), accompagnato da burro e da
marmellata di fragole, due Pancakes (frittelle spesse zucchera-
te), da bagnare con sciroppo d'acero, del succo d'arancia (20
cl. a base di concentrato) e una bevanda calda a scelta»*. Il
McMorning salato propone *«tutto il sapore e l'energia di una
prima colazione completa che vi farà scoprire una delle nostre
migliori specialità: l'Egg McMuffin (uovo cotto con una fetta
di pancetta cotta e una fetta di formaggio fuso), accompagnato da una bevanda calda e da succo d'arancia»*.

Il prodotto permette di attirare una (nuova?) clientela a ore
insolite e quindi di coprire meglio le spese fisse. La pubblicità
televisiva relativa al lancio della nuova offerta mostra una bella
infermiera che finisce il turno di notte all'alba e incontra il suo
fidanzato. Chi rifiuterebbe, per una somma così modica (17
franchi), di dividere con lei in tutta intimità la prima colazione?
La gioia inonda i volti di questi ed altri personaggi (coppie di
innamorati, impiegati stressati, bambini...), e ci ricorda che la
prima colazione ha il pregio di avvicinare le generazioni, ma
anche di offrire tutto ciò che è necessario alla vita moderna.

L'originalità di McDonald's non si gioca quindi sui prodotti, che sono molto classici, ma nel modo di prepararli, di com-
binarli, di servirli, privandoli delle loro «qualità» per creare un

---

* L'espressione *grasse matinée* si riferisce al mattino dei giorni festivi tra-
scorso poltrendo fino a tarda ora [*N.d.T.*].

prodotto indistinto. Un prodotto omogeneo, infatti, è il solo che possa rivolgersi a milioni di uomini estremamente diversi: si può scegliere di mangiare esotico, ma si mangia sempre McDonald's. I McMenu danno l'illusione di abbondanza a basso costo: la quantità funziona infatti, nell'ideologia americana, come un criterio di qualità. Il cliente sarà indotto allora ad ordinare un Big Mac o una porzione grande di patatine e il McMenu rappresenta paradossalmente un'immagine emblematica della McDonaldizzazione.

McStandard

I prodotti McDonald's costituiscono un unico insieme omogeneo, che risulta da una uniformazione volontaria a tutti gli stadi di fabbricazione. La standardizzazione riguarda anche le situazioni eccezionali, poiché nulla deve sfuggire al calcolo razionale. Sono previste due modalità di produzione, in funzione dell'affluenza della clientela, il «Mode Pull semplice», applicato nei momenti di minore affluenza, che prevede l'invio di una nuova serie di pane solo quando la prima arriva all'imballaggio, e il «Mode Pull continuo», previsto per i momenti di affluenza maggiore, durante il quale si invia la seconda serie nel momento preciso in cui il coperchio del grill della carne viene alzato. Alcuni prodotti meno richiesti, come l'hamburger Royal, sono preparati a richiesta. Sono vent'anni che McDonald's continua ad incrementare questa standardizzazione, indotta più dalla convinzione che dall'efficacia; non si tratta quindi di una malattia di gioventù. Tutto è taylorizzato, dal tempo di cottura, al sorriso e allo sguardo delle hostess. Risulta impossibile adeguare il prodotto alle tradizioni locali: i francesi hanno dovuto imparare ad amare la carne (troppo) cotta. La standardizzazione riguarda anche le forniture: McDonald's limita infatti volontariamente i propri fornitori. All'inizio, era in rapporto con molte piccole aziende locali, e solo alla fine degli anni Cinquanta ha creato il suo primo panificio industriale. Attualmente, lavora con trecento grandi produttori, di cui 75 solo per l'Europa, perfettamente adeguatisi ai suoi metodi. La concentrazione è ancora maggiore per i prodotti a forte valore aggiunto. I panini speciali sono fabbricati da un'unica azienda nei pressi di Parigi, che ogni anno smercia quasi un milione di «buns» standard. Parallelamente, McDonald's ha messo a punto dei capitolati d'appalto estremamente rigorosi, in modo da poter cambiare i propri fornitori senza alterare la standardizzazione. Questa evoluzione è comunque pericolosa: che cosa ne sarebbe della diversità, se questa tendenza dovesse generalizzarsi? Ci si ritroverebbe con prodotti selezionati per il loro rendimento. McDonald's ha scelto tuttavia di andare oltre: grandi fabbriche produrranno hamburger che saranno congelati e poi distribuiti in tutti i paesi. L'industria di Toledo (Spagna) alimenterà una parte dell'Europa. Questa strategia è stata sperimentata con successo per la produzione del McBacon: il prodotto non è più preparato nei ristoranti, ma direttamente in fabbrica. Il petto di maiale arrotolato industrialmente è poi affumicato, tagliato e grigliato in una catena di cottura. Le fette sono sgrassate per fornire un prodotto senza tracce bianche, cioè completamente omogeneo alla vista. La pancetta è congelata e confezionata in una sala sterile di classe 100*, in cui l'aria è filtrata al 99,9%. I sacchetti così preparati contengono venti fette perfettamente identiche. Le fette scongelate in piccola quantità si riscaldano immediatamente al contatto con il pane. Sono stati impiegati due anni per la messa a punto di queste operazioni, di cui uno per test effettuati in una quindicina di ristoranti. L'investimento finanziario è proporzionato alla quantità consumata: 24 milioni di fette, cioè 145.000 suini.

Anche le altre forniture alimentari sono centralizzate, per creare una stabilità totale dei prodotti. Gli ordini vengono fatti in funzione delle previsioni di vendita, possono essere modificati, ma troppi errori portano a sanzioni finanziarie. Le consegne sono effettuate 2 o 3 volte a settimana. Tutto il personale partecipa allo scarico, perché ogni perdita di tempo può portare a sanzioni. Tutti i prodotti, a parte le insalate e la frutta fresca, sono conservati in cella frigorifera e la carne può essere conservata in congelatore per 6 mesi. Tutte le sere i crew preparano, togliendoli dal frigorifero, tutti i prodotti necessari per il giorno seguente e li mettono in contenitori appositi vicini agli apparecchi di cottura. Le perdite calcolate dopo ogni servizio (mezzogiorno e sera) non devono eccedere certi obiettivi: un ristorante di grande capacità non può superare lo 0,6% del giro d'affari, percentuale molto bassa; se la supera, va naturalmente incontro a sanzioni finanziarie. Questa gestione, particolarmente economa, influisce certamente sulla qualità del servizio, infatti, paradossalmente, nelle ore di minore affluenza, le attese sono più lunghe. Gli hamburger invenduti vengono gettati dopo 10 minuti e le patatine dopo soli 7 minuti. I controlli igienici, effettuati da due laboratori indipendenti, avvengono mensilmente; in base al risultato, viene assegnato un voto (soddisfacente, accettabile, inaccettabile). I ristoranti con buoni voti ricevono un premio a fine anno. Gli altri sono multati.

McDonald's impone ad ogni unità le proprie apparecchiature, sempre nell'ottica della standardizzazione.

McDonald's si è dotato di un materiale di cottura sofisticato per garantire la qualità dei prodotti fino all'ultima tappa della produzione. McDonald's utilizza cucine elettroniche che permettono di garantire lo stretto rispetto dei tempi e delle temperature di preparazione del prodotto. L'esempio migliore è quello della macchina che regola i tempi di cottura delle patatine, gestita da un computer, che permette a McDonald's di servire ai suoi clienti patatine di qualità costante.

Campagna di comunicazione McDonald's

Il materiale standard deve essere utilizzato e conservato in modo standard: il dipendente infatti non può assolutamente apportare un tocco personale al suo lavoro. La ditta distribuisce migliaia di schede tecniche, di manuali, libretti di istruzioni e di formazione, eccezionalmente rigorosi e precisi. Tutto è previsto: il peso, i tempi di cottura, la preparazione, le modalità di distribuzione. Ogni operazione è misurata, specificata, precisata, calcolata... esistono infatti libretti di istruzioni per preparare le cipolle, per filettare spatole o palette, per pulire e sterilizzare la shake-sundae... Le istruzioni riguardanti la zona di cottura comprendono ad esempio un planning rigoroso di accensione dei vari apparecchi. Tutti i ristoranti del mondo procedono in modo identico: esattamente un'ora e quindici minuti prima dell'apertura del ristorante, devono essere accese le friggitrici per gli apple pie a 182°C, 45 minuti prima della sistemazione dei prodotti congelati, i congelatori ausiliari vengono posti tra i 18°C e i 23°C; 45 minuti prima dell'apertura, viene accesa la friggitrice del Filet O-Fish a 166°C, la friggitrice McNuggets e McChicken a 182°C e le celle di conservazione McNuggets e McChicken vengono poste tra gli 82°C e gli 88°C; 30 minuti prima dell'apertura, il tostapane viene regolato tra i 213°C e i 218°C; 20 minuti prima dell'apertura viene acceso il grill con il coperchio a 177°C per la piastra inferiore e a 218°C per la piastra superiore; 15 minuti prima dell'apertura, lo scaldavivande a vapore viene regolato tra i 171°C e i 193°C.

Anche il servizio è del tutto standardizzato; l'accoglienza del cliente è stata trasformata in una successione di gesti elementari. Istruzioni precise prevedono lo svolgimento di ogni operazione secondo per secondo, frase per frase, gesto dopo gesto. Il cliente è accolto allo stesso modo in ogni ristorante. Il venditore gli ripete esattamente le stesse frasi, lo guarda negli occhi nello stesso momento, gli propone nello stesso modo i prodotti più cari o complementari:

Rapidità, efficacia, cortesia, sono le regole d'oro del servizio McDonald's e sono oggetto di un'attenzione particolare e della sensibilizzazione di ogni impiegato [...] Sono state messe in atto molte iniziative per rendere più familiare la ristorazione rapida: l'accoglienza dei clienti da parte di hostess, l'ordinazione anticipata nelle ore di maggiore affluenza, il servizio al volante, le casse esterne per la vendita da asporto e le casse rapide McExpress.

Campagna di comunicazione McDonald's

Ogni ristorante trova la propria libertà d'azione solo al momento di stabilire il prezzo di vendita, eccezione alla regola che sottolinea la concezione ultraliberale della società. Il denaro costituisce l'elemento vitale, e per questo deve essere libero. La rivista «The Economist» ha calcolato il prezzo di vendita del Big Mac in tutto il mondo. In Svizzera costa 22,50 franchi francesi, 23,80 in Danimarca, 19,55 in Giappone, 16,50 franchi francesi in Germania, 15,75 franchi francesi in Italia, 13,50 in Inghilterra, 5,40 in Cina e 11,50 franchi francesi negli Stati Uniti. L'hamburger semplice negli Stati Uniti si vende ormai ovunque a un dollaro, circa 5,40 franchi francesi. Il menu classico, un Big Mac, delle patatine e una Coca Cola costa 2,99 dollari, cioè 17 franchi, mentre in Francia ne costa 30. La libertà tariffaria dovrebbe consentire di sviluppare il sistema dei prezzi variabili, contribuendo anche alla guerra dei prezzi tra i grandi gruppi. Dal marzo 1997 McDonald's ha diminuito di quattro volte il prezzo di vendita del Big Mac negli Stati Uniti e continua a moltiplicare offerte promozionali, accettando anche i coupon dei concorrenti; mette in atto il sistema dei premi all'acquisto (bibita offerta, ecc.) e in California sperimenta nuovi metodi di pagamento, con carta di credito (McChange), per puntare sullo zapping commerciale.

McDonald's si difende bene, sicuro di voler standardizzare tutto, pur sostenendo che si può anche uscire dal gregge: una delle sue pubblicità, infatti, mostra una folla omogenea in una megalopoli e gioca sull'opposizione tra «essere come gli altri» e non essere «come gli altri». Solo alcune individualità sfuggono al grigiore generalizzato, forse perché sono innamorati, ma lo spettatore capisce che la pubblicità parla di fatto della gamma Deluxe, ed è quindi costruita sull'identificazione delle persone e dei prodotti, i soli capaci di differenziarle; l'unica soluzione per essere se stessi è ingurgitare dei BigMachins. McDonald's ci immerge così in pieno feticismo, quindi nella forma più potente di regressione.

2. *McDonald's sempre*

La standardizzazione rappresenta un reale pericolo commerciale. L'uomo, a forza di mangiare sempre gli stessi prodotti, finisce per stancarsi a livello gustativo, sociale e persino psichico. McDonald's ha quindi dovuto consentire a ciascuno di mangiare il proprio hamburger o di variare a suo piacimento:

I ristoranti McDonald's propongono alla loro clientela una vasta gamma di offerte. Questa varietà permette così a ogni cliente di comporre il menu di sua scelta a partire da prodotti che appartengono a cinque gruppi di alimenti, dai quali si attinge per ottenere una buona alimentazione.

Campagna di comunicazione McDonald's

La differenziazione rimane tuttavia piuttosto marginale: i prodotti utilizzano sempre le stesse materie prime, sono concepiti, fabbricati, distribuiti e consumati nello stesso modo. La distinzione è quindi imposta dall'esterno, con la scelta di un nuovo nome o di un imballaggio diverso, permette di creare qualcosa di differente con le stesse cose e genera di conseguenza benefici secondari, creando fenomeni di «moda» e di «sciovinismo» alimentare.

1. McSolitudine

I prodotti McDonald's rappresentano «il prodotto» alimentare moderno per eccellenza, raccolgono infatti l'insieme delle evoluzioni socio-economiche e psichiche della modernità. McDonald's diventa quindi uno dei grandi simboli dell'individualismo alimentare, dove si mangia soli o in gruppo, ma in quest'ultimo caso seduti l'uno accanto all'altro. La solitudine moderna è il segno di un isolamento sociale dovuto all'aumento del celibato e al notevole incremento della mobilità professionale, ed è pure la conseguenza di un indebolimento della cultura culinaria, che autorizza ciascuno a comporre «liberamente» il proprio pasto. L'individualizzazione si muove di pari passo con la produzione in grandi quantità, o meglio con la serializzazione, nel senso in cui si mangia in serie omogenee. La maggior parte delle persone si concentra su alcuni prodotti base (Big Mac, Cheeseburger). Tale solitudine è tuttavia mascherata dall'introduzione di una falsa convivialità, che coinvolge sia l'arredo e l'atmosfera del ristorante, sia il prodotto stesso. Come ci si può sentire soli, infatti, se tutti compiono gli stessi gesti, se l'abbondanza crea un senso di libertà, se il flusso continuo di clienti crea un senso di vitalità? La profusione ostentata di beni sostituibili mima il disordine come simbolo di libertà. Questo osceno accumulo evoca l'esistenza di un surplus inesauribile. Ve n'è in abbondanza, anche se ognuno ha dosi estremamente razionate, per mancanza di un servizio al tavolo. La standardizzazione riguarda anche il senso di sazietà, poiché il consumatore deve saziarsi con un prodotto calibrato senza potere accedere ad un surplus, se non lo si ordina di nuovo. Queste mense senza «bis» sembrano molto tristi a coloro che hanno conosciuto la delizia di poter avere un po' più del cibo strettamente dovuto. McDonald's integra così nel cuore stesso del suo sistema il razionamento proprio delle situazioni di carestia. Questa apparente abbondanza suscitata da immagini di dono, di prodigalità, di festa, risulta feconda, poiché basta a se stessa: non c'è bisogno che i prodotti siano veramente differenziati, non vi è neppure bisogno di ordinare un prodotto diverso, perché sappiamo che ci è comunque concessa la scelta. Questa ostentata profusione banalizza e svaluta il prodotto, crea un'alimentazione ripetitiva, omologando i molteplici modi di essere al mondo. McDonald's è quindi costretto a compensare questa povertà con un arricchimento artificiale: i cambiamenti in superficie danno l'illusione di varietà e di regolare rinnovamento. Il consumatore di hamburger diviene così un uomo senza storia, senza memoria, che non mangia più per desiderio o per tradizione, ma per bisogno impulsivo o imitativo. La moltiplicazione dei punti di vista soggettivi dissimula la similitudine di comportamenti: non vi sono infatti più modi di ingurgitare un hamburger: la pubblicità mostra un nonno che scopre guardando alcuni giovani, come mangiare il prodotto con le mani, a grandi morsi: è un'educazione a rovescio: il bambino di un tempo non era forse felice di scoprire, durante le vacanze, la cucina della nonna? E non conserva a lungo il ricordo di quelle feste della vista, del gusto, dell'olfatto? I sapori adulti non sembrano forse molto più insipidi, rispetto a quelli dell'infanzia? Di quale sogno si vogliono privare i giovani di oggi, se un domani possono trovare in un qualsiasi McDonald's i sapori della loro infanzia?

2. A ciascuno il suo hamburger

McDonald's impiega una strategia costante di differenziazione dei prodotti, per non stancare i propri clienti e per trovarne di nuovi. La diversificazione è tuttavia piuttosto superficiale, poiché non viene mai rimessa in gioco l'ideologia del sistema ed anzi viene incrementata la possibilità di scelta tra beni sostituibili senza vera identità; la diversificazione non è quindi un limite apportato al sistema, ma la condizione stessa della sua efficacia.

McNuovo

Il «sistema» McDonald's nega le tradizioni culinarie, imponendo ovunque gli stessi prodotti standard e gli stessi modi di fabbricazione, di distribuzione e di consumo. I francesi si sono dovuti adattare ad una carne troppo cotta e a pasti senza vino.

Alcune particolarità, tuttavia, erano troppo determinanti per essere semplicemente messe da parte e quindi il sistema McDonald's le ha digerite, tanto più facilmente quanto più rinforzavano a volte le sue basi ideologiche (igienismo, ecc.), non certo adeguando i propri prodotti, quanto riciclando i tratti specifici nel quadro della propria logica. McDonald's ha cominciato così a fabbricare McDonald's, con altre cose rispetto al McDonald's tradizionale. La cucina locale si trasforma così in una variante della ristorazione rapida (insalata lionese, ecc.) e diventa possibile persino trasformare alcuni divieti religiosi in nuovi beni industriali. I McDonald's indiani di Bombay o di Nuova Delhi propongono hamburger non prodotti con carne bovina, quelli giapponesi commercializzano bistecche «vegetariane» alla soia (Teriyaki McBurger). La Nuova Zelanda vende un «Kiwi Burger» condito con salsa di barbabietola. I filippini possono mangiare dei McSpaghetti, i mediorientali mangiano dei «Kebab Burger» a base di montone... Mostreremo ora, attraverso due esempi francesi, come ognuno di questi prodotti si iscriva comunque nella logica McDonald's.

Le invitanti insalatiere*

McDonald's, accusato di servire cibo malsano, è stato costretto a reagire proponendo alimenti più dietetici ed ha dovuto anche rispondere all'accusa di essere un'impresa inquinante. L'insalata è sembrata allora l'alimento «verde» e «naturale» per eccellenza, bastava farlo diventare un alimento McDonald's, cioè un alimento «neutro». Per questo, di «naturale» ha conservato solo l'immagine di alimento di stagione e McDonald's se ne è servito per introdurre nella sua gamma una sensazione di movimento, di freschezza e di moda: «*Quando le vostre voglie cambiano, cambiano anche le nostre insalate!*».

* Gioco di parole: *saladier* in francese significa anche imbroglione [*N.d.T.*].

Le insalate sono diversificate giocando semplicemente sulla variazione della quantità servita o sull'aggiunta di un nuovo elemento. Sono composte da 6 a 9 ingredienti e la quantità standard varia dai 75 grammi per l'insalata «normale» ai 125 grammi per le altre. Il cetriolo passa da una a due fette, i ravanelli da due a quattro fette, il pomodoro da uno a due quarti, così come le uova; il formaggio varia da 7 a 28 grammi. Nelle formule più care vengono aggiunti 28 grammi di prosciutto, 28 grammi di tacchino e 64 grammi di gamberetti scongelati. Da un pomodoro si devono ottenere 8 spicchi, l'uovo deve essere tagliato in sei parti, dal ravanello si ottengono da 2 a 4 fette, secondo le formule. La varietà delle insalate golose è quindi principalmente una questione di quantità. La qualità McDonald's si misura come qualunque altro fattore di produzione.

Il compleanno secondo McDonald's

«Tutto è pronto per il divertimento, un'ora e mezzo di pazze risate». I prodotti McDonald's sono per definizione atemporali. Il cliente mangia la stessa cosa d'estate come d'inverno, durante la settimana come nel week end, domani come ieri... Il sistema McDonald's nega così il tempo cronologico, ma anche quello della natura e della società. L'universalità del prodotto si proietta sull'uomo, che diviene un mangiatore senza stagione e che si affranca dal tempo, ottenendo una libertà piuttosto deprimente. Questa banalizzazione deve quindi essere corretta dalla reintroduzione di una temporalità individuale artificiale, il cui miglior esempio è la McDonaldizzazione del compleanno dei nostri bambini:

Perché il suo compleanno sia veramente un successo, bisogna che ci siano tutti i suoi amici. Il vostro ristorante McDonald's mette a disposizione del vostro bambino biglietti d'invito da spedire a tutti gli invitati [...]. Al menu due formule: hamburger, patatine e bibita gassata o bibite gassate e dessert a volontà [...]. McDonald's [...] ha in serbo

43

una super sorpresa per il vostro bambino... e un piccolo regalo per gli invitati. La festa comincia, ma noi abbiamo lasciato il meglio per la fine: la torta di compleanno al cioccolato [...]. I bambini trascorreranno un momento fantastico e voi non dovrete preoccuparvi di nulla. Sarà anche la vostra festa.

Campagna di comunicazione McDonald's

Un documento interno di McDonald's riporta persino i tempi dedicati ad ogni tappa della simpatica festa[1]:

Prima tappa	preparativi	circa 15 minuti
Seconda tappa	accoglienza	circa 10 minuti
Terza tappa	ordinazioni	circa 5 minuti
Quarta tappa	consegna delle ordinazioni	circa 10 minuti
Quinta tappa	piacere di mangiare	circa 15 minuti
Sesta tappa	giochi, «storetour»	circa 15 minuti
Settima tappa	partenza	

Questo nuovo concetto soddisfa molte funzioni: sfrutta al meglio la struttura, riempiendo il ristorante nelle ore vuote, e aumenta la produttività del personale presente, riducendo automaticamente i tempi morti; aiuta inoltre a conquistare nuovi clienti o a renderli più fedeli, plasma l'immagine di McDonald's come ristorante della famiglia e permette infine al bambino di appropriarsi del marchio immaginando di farlo funzionare a suo (quasi) esclusivo piacere. Il lettore potrebbe pensare che il clima festoso possa introdurre una dose d'umanità nell'universo McDonald's, ma la «festa» è troppo meccanizzata perché vi sia imprevisto, gioia. Il protocollo di istruzioni della festa di compleanno è concepito infatti per eliminare ogni tipo di sorpresa. L'hostess deve trattare il bambino come se fosse un suo «invitato», deve fare di tutto perché sia un cliente soddisfatto:

Un compleanno è veramente un momento magico e quando Ronald McDonald se ne occupa, diventa una vera e propria festa. Con l'in-

---

[1] G. WALLRAFF, *Tête de Turc*, La Découverte, Parigi 1986, p. 63; trad. it., *Faccia da turco. Un «infiltrato speciale»*, Pironti, Napoli 1986.

tenzione di stupire vostro figlio, McDonald's ha immaginato un compleanno magico e indimenticabile [...]. Sono tutti lì per divertirsi e l'hostess incaricata dell'accoglienza dei bambini non manca d'immaginazione e organizza i giochi più pazzi e divertenti.

Campagna di comunicazione McDonald's

L'offerta è proposta in Francia seguendo un calendario fisso, il mercoledì e il sabato in due differenti fasce orarie: dalle 14,30 alle 16,30 e dalle 16,30 alle 18,30. Gli invitati possono essere al massimo dieci e il costo ammonta a 30 franchi francesi per bambino. Anche prima dell'arrivo dei bambini ci sono sei tappe obbligatorie da seguire. La torta scongelata un'ora e mezza prima è disposta su un piatto pulito. L'hostess prepara l'area in cui si svolgerà la festa 30 minuti prima, decorandola con bandierine e palloni dai colori di McDonald's, apparecchia la tavola con tovaglioli, piatti, cucchiai, cartellini, ecc. e verifica il contenuto delle scatoline regalo; prepara inoltre il materiale necessario per evitare di doversi assentare una volta cominciata la festa (giochi, regali, polaroid, coltello e paletta per la torta, candeline, accendino). Avverte i responsabili del piano del numero e dell'ora dei compleanni in modo da organizzare il servizio e la pulizia. Il protocollo di istruzioni prevede poi dieci tappe standard per lo svolgimento della festa. L'hostess accoglie gli invitati all'entrata del ristorante, si prodiga per mettere in luce il festeggiato, sorridendogli in modo regolamentare e parlandogli affabilmente, fa accomodare i bambini a tavola e scrive i loro nomi sui cartellini: bisogna ammettere che con i cartellini sul petto, tutti quei bambini biondi assomigliano perfettamente a dei bravi dipendenti ben istruiti. Anche voi avete l'abitudine di attaccare cartellini sul petto dei vostri invitati? L'addetta ai compleanni organizza poi i giochi, scegliendo attività regolamentari, adatte all'età degli invitati e privilegiando il bambino che festeggia il compleanno; in seguito, prende le ordinazioni e le consegna a chi è preposto alla produzione e poi chiede al crew designato di servire i prodotti. L'animazione continua per tutto il «pasto», alla fine del quale l'hostess accende le candeline, canta «Buon compleanno» e serve la torta.

45

Offre poi dei piccoli doni agli invitati e il regalo di compleanno al festeggiato. Insieme al responsabile del piano, incassa il conto e accompagna gli invitati fino all'uscita, li ringrazia e li invita a tornare. La festa è innegabilmente standardizzata e robotizzata. I bambini sono contenuti nello spazio, nel tempo e nelle loro attività e la standardizzazione lascia probabilmente un retrogusto di delusione, per la mancanza di sorprese, imprevisti, vita. Visto che si vuole proprio regolamentare tutto, perché non prevedere la caduta del ragazzo che serve ai tavoli su una buccia di banana sapientemente posta? Gli esperti di McDonald's saprebbero trovare una soluzione «tecnica» anche a questa disfunzione calcolata. I giovani invitati troverebbero forse il senso della festa, senza dover ricorrere al buon clown Ronald. La proposta potrebbe essere generalizzata, per introdurre artificialmente dell'irrazionale, per fabbricare in serie degli «errori». L'errore, così strumentalizzato, potrebbe quindi funzionare come un segno (di successo) senza rimettere in causa l'efficacia della logica del sistema. Se è vero che si fabbricano falsi mobili antichizzati e frutti artificiali imperfetti, allora anche McDonald's saprà introdurre industrialmente questa parte di umanità che si è accanito a distruggere:

Un compleanno che non si dimentica. Siccome Ronald McDonald ha deciso che tutti devono tornare a casa pieni di gioia, offre a ciascuno una sorpresa e a vostro figlio un album speciale per conservare i più bei ricordi del suo «Compleanno dei sogni»: le dediche e la foto di tutti i suoi compagni. Tutti si ricorderanno di un compleanno come quello e soprattutto vostro figlio, al quale avrete regalato un momento veramente unico.

Campagna di comunicazione McDonald's

Nel gennaio 1999 McDonald's ha lanciato *Les P'tits Ateliers*, organizzati per i bambini ogni mercoledì*: per 10 franchi fran-

---

* Giorno in cui i bambini francesi non vanno a scuola [*N.d.T.*].

cesi possono disegnare, costruire tante belle cose e «mangiare».
Dura solo tre quarti d'ora, ma basta perché i bambini ne abbiano fin sopra i capelli.

McCiclico

I prodotti, resi così effimeri, vincono l'atemporalità. Alcuni di essi sono puntualmente proposti per spezzare la sensazione di monotonia. Il periodico rinnovamento rafforza l'autostima dei vari attori. McDonald's crea così, ad un costo minimo, una sensazione di varietà e di novità, giocando sul prodotto stesso e sull'ambiente (arredamento, imballaggio, divisa dei dipendenti, ecc.). Il menu Happy Meal offre ad esempio un gioco diverso ogni settimana.

McDonald's si è anche spinto oltre, inventando alcuni articoli ciclici, (falsamente) temporanei, che «turnano» rinnovandosi secondo un ciclo regolare e rompono la linearità del tempo imposto a priori; si tratta del McTimber, del McExtrême, del McTriple, del McFarmer, dei Chicken Wings e del McRib. L'innovazione è però puramente fittizia, artificiale e quindi controllabile, ma riporta gli stessi effetti psichici e sociali, introducendo un cambiamento che rompe la monotonia della fabbricazione e soprattutto della consumazione. Ha inoltre un interesse commerciale non trascurabile, perché il prodotto, che è (falsamente) nuovo, viene riconosciuto: basta infatti un po' di pubblicità per rilanciare il ritorno del McTimber, che si presenta con le stesse caratteristiche dei vecchi prodotti di stagione e viene atteso con la stessa avidità con cui un tempo si pregustava la prima ciliegia. McDonald's riesce così a reinventare, cioè a ritrovare i vantaggi di ciò che un tempo aveva distrutto. Tuttavia, la stagionalità cambia natura, standardizzandosi. Le stagioni non si susseguono più: i prodotti arrivano sempre in tempo, anche la moda non passa più, perché è chiamata a ripetersi. Questa strategia, inoltre, concentra momentaneamente le vendite di questi articoli, aumentandone così la resa economica. McDonald's integra questo eterno ritorno con prodotti ciclici per vincere la propria perversione.

McQuotidiano

McDonald's si scontra con l'abitudine di consumare pasti ad ore fisse. Tutti mangiano ancora più o meno alla stessa ora anche se le ragioni sono cambiate: i nostri nonni si mettevano a tavola in base al sole e quindi ad ore diverse nei diversi periodi dell'anno, ora invece si mangia ad orari fissi in funzione degli orari di lavoro o dei programmi della televisione, ecc. La concentrazione dei pasti in alcune ore rappresenta una perdita di guadagno rilevante per McDonald's, perché rende l'investimento improduttivo per la maggior parte della giornata. Il fenomeno può essere spiegato con obblighi sociali ben conosciuti (orari di lavoro, ecc.), ma soddisfa anche le necessità cronobiologiche: si sa infatti che mangiare la stessa cosa ad orari diversi, crea effetti diversi. È importante nutrirsi bene, quindi, ma anche farlo al momento giusto. Tuttavia, McDonald's mira ad eliminare ostacoli antieconomici, puntando sulla modernizzazione dei comportamenti alimentari, volta alla destrutturazione dei momenti dedicati al pasto; tenta così di fare funzionare di continuo i ristoranti proponendo nuovi prodotti in altri momenti (prima colazione, merenda di compleanno, ecc.) o vendendo gli stessi articoli in ore di minore affluenza. Potrebbe quindi (un domani?) variare i prezzi in base al tasso di frequentazione previsto. Alcuni vedrebbero sicuramente in questa evoluzione una vittoria della libertà individuale, poiché l'uomo moderno otterrebbe così il diritto di mangiare in qualsiasi momento. Il «nuovo» povero potrebbe ristabilire ritmi biologici sfasati, per nutrirsi a prezzi bassi: spenderebbe molto meno, e ingrasserebbe di più. Poco importano le conseguenze di questa sregolatezza sul proprio metabolismo o sulla propria vita sociale e psichica. L'eccezione alla standardizzazione aumenterebbe le vendite, segmentando il mercato attraverso prezzi variabili, in funzione delle categorie sociali e dei momenti della giornata. Ognuno di noi, ricco o povero che sia, avrà diritto a Mc-Donald's, un domani, ma a condizioni differenti.

McOvunque

L'uomo moderno mangia ovunque, a causa dell'evoluzione del proprio stile di vita. I cambiamenti intervenuti negli spostamenti casa-lavoro, nelle famiglie mononucleari, nel lavoro femminile, impediscono alla famiglia di ritrovarsi a mezzogiorno e a volte anche la sera. La ristorazione fuori casa rappresenta un mercato in piena crescita, con una giro d'affari di più di 5 miliardi. McDonald's non vuole rimanere un ristorante di città come gli altri, ma vuole insediarsi in tutti i luoghi dove già si mangia e dove si mangerà domani, giocando la carta della ristorazione sociale rivolta ad una clientela largamente assoggettata. Tredici università nel mondo, di cui undici negli Stati Uniti, possiedono il loro McDonald's. Il marchio è presente anche in 29 ospedali, in 62 caserme e in 7 aziende. L'Europa sembra voler compensare il proprio ritardo, infatti un ospedale inglese ha da poco affidato la gestione del proprio ristorante al gruppo americano. Le università francesi non sono da meno: McDonald's ha aperto una prima sala, insieme alla società Sega, all'università di Amiens e ha aperto un ristorante accanto alla nuova università Jean Moulin a Lione. Il mercato scolastico è molto proficuo perché le scuole subappaltano sempre più spesso la loro ristorazione, e persino gli spuntini. In numerosi «luoghi di vita» si apriranno in un futuro nuovi esercizi per vendere mini-articoli al momento delle entrate e delle uscite, ma anche durante le pause fra un corso e l'altro o durante la ricreazione. Una tale deriva commerciale è giustificata dal desiderio di dare ai giovani ciò che essi amano spontaneamente. Lo studente del Duemila non avrà più bisogno di protestare, perché troverà sul posto ciò che sogna. McDonald's tenta di introdursi in altri luoghi di passaggio come le zone turistiche e di svago, in stazioni ferroviarie, come quella di Marsiglia o di Lille-Flandres, dove, accanto ad un servizio classico, con 90 posti a sedere, è stato aperto uno sportello in cui i pedoni possono comprare prodotti da asporto. Il transito annuale di 32 milioni di persone dovrebbe rendere redditizio l'affare, grazie all'ampliamento dell'orario di apertura dalle 10 a mezzanotte. McDonald's incrementa inoltre la sua presenza sulle strade e sulle autostrade, realizzando accordi con compagnie petrolifere; un primo punto di ristorazione è stato aperto nel 1992 sull'autostrada del Midi, in prossimità di Valence. Un altro ristorante è stato costruito nel 1994 nell'area di sosta dell'autostrada a Réau, nella periferia di Troyes ed è integrato in una stazione di servizio di 1200 m^2, in cui si trovano tutti i tradizionali servizi (pompe di carburante, docce, nursery, sala relax, televisione, lavanderia automatica, area gioco per bambini, ecc.); è aperto dalle 7 alle 23. La diversificazione delle forme di distribuzione permette di costruire una vera e propria rete sul territorio nazionale, europeo, mondiale, pur non minacciando la completa standardizzazione del prodotto: domani si mangerà infatti lo stesso hamburger, dovunque ci si troverà (reparti maternità, scuola, strada, vacanze, azienda, ospedale, ricovero); di questo passo, le culture culinarie saranno lentamente cancellate, con il pretesto della standardizzazione, diventerà impossibile distinguere ciò che si mangia a casa propria da ciò che si mangia nel ristorante del quartiere, nella mensa dell'azienda o in treno. Il sistema McDonald's porta quindi ad una completa ubiquità dei suoi prodotti.

McGenerazione

McDonald's sembra essere il vettore di un «comunismo» alimentare a base di salsa Ubu, intende infatti sottomettere ogni consumatore alla stessa dieta, in qualsiasi luogo, epoca o situazione sociale. Questa alimentazione uniforme distrugge tutti i sistemi culinari, l'egualitarismo va di pari passo con un cosmopolitismo alimentare caratterizzato da una profusione di (falsi) prodotti esotici o regionali. La cucina si presenta come un patchwork nel quale ognuno pensa di accedere ad una cultura, appropriandosi di uno dei suoi simboli. La cucina «africana» è così ridotta ad una sensazione visuale o gustativa; il Tex-Mex di esotico non conserva che le «bruciature». Questo egualitarismo conduce ad un rafforzamento delle ineguaglianze alimentari, lasciando il bambino alle prese con l'alimentazione del suo ambiente. Bisognerebbe dunque opporre a McDonald's un vero e proprio élitarismo, cioè l'ambizione di lottare contro l'ineguaglianza davanti alla tavola e al gusto. A questo riguardo è scioccante che il sistema scolastico nazionale rinunci alla propria missione favorendo gruppi industriali che nutrano i nostri bambini mirando più alle loro sensazioni immediate, cioè alle più povere; bisognerebbe al contrario creare un'uguaglianza di possibilità davanti alla cultura culinaria. L'annuale celebrazione della «settimana del gusto» non è certo sufficiente a sviluppare nel bambino la cultura del gusto, ma è necessario offrire quotidianamente nelle mense scolastiche pasti degni di questo nome. Bisogna resistere alla banalizzazione del gusto attraverso una politica non demagogica. Tale egualitarismo è infatti ingannevole poiché, rendendo irriconoscibili le differenze tra le culture culinarie, fa dell'alimentazione popolare un semplice sottoprodotto dell'alimentazione borghese. L'uomo moderno mangerà sempre McDonald's, ma sceglierà il suo hamburger o il suo ristorante in base al suo reddito, al suo livello sociale. Al posto delle diverse tradizioni culinarie, si avranno così prodotti di alta, media e bassa qualità, così come si avranno ristoranti di alto, medio e basso livello, quindi non scomparirà la distinzione tra le diverse pratiche alimentari, ma si ritroverà nell'autentico deprezzamento economico e simbolico dell'alimentazione popolare.

3. Se non andrete da McDonald's, McDonald's verrà a voi

Le aziende che fabbricano un prodotto unico hanno bisogno di variare le loro modalità di distribuzione, per modificare i gusti dei clienti. McDonald's può quindi, a causa dell'estrema universalità del suo prodotto, diversificare al massimo le forme di commercializzazione. Queste nuove forme di distribuzione permettono sia d'installarsi in settori geografici e sociali un tempo non redditizi, sia di moltiplicare le sue vecchie tematiche per allargare la domanda e rendere più fedele la clientela. Lo sviluppo dei circuiti complementari o anche sostituibili fa comunque «variare» i piaceri (un giorno un McDonald's «classico», il giorno dopo un McDrive, ecc.), costituendo così una pedina centrale nello scacchiere della differenziazione marginale. McDonald's continuerà a svilupparsi come una forma di ristorazione particolare, ma diventerà sempre più una forma di alimentazione a domicilio estremamente ordinaria.

McAltrimenti

Lo sviluppo di McDonald's non può essere pensato al di fuori del contesto di generalizzazione dello «spuntino», quindi della destrutturazione dei pasti; coinvolge prioritariamente i luoghi più moderni, quelli di passaggio o le installazioni temporanee e, come l'uomo moderno, diventa sempre più nomade.

McDrive

McDonald's ha creato il primo drive-in (servizio in macchina) nel 1975 in Oklahoma (Stati Uniti). Da allora, la formula ha conosciuto un considerevole successo e i drive-in si sono rapidamente moltiplicati. Il primo McDrive francese è stato aperto nel 1986 a Mantes-La Ville. Il gruppo ha lanciato simultaneamente, in collaborazione con il Ministero dei Trasporti, una campagna per l'uso delle cinture di sicurezza. I Drive, legati o meno ad un punto vendita tradizionale, offrono molti vantaggi finanziari, poiché godono di uno sconto sulla tassa IVA (vendita da asporto 5,5%, contro il 20,6% per la ristorazione tradizionale), devono operare un investimento fondiario e immobiliare ridotto, hanno meno personale e la clientela ruota con maggiore frequenza. McDonald's pensa tuttavia di dotare i suoi Drive di terminali video interattivi per aumentare ulteriormente il numero dei clienti al minuto, diminuendo contemporaneamente il personale. La clientela è reclutata soprattutto fra gli abitanti dei paesi limitrofi, che prendono la propria macchina per andare a mangiare al Drive, come altri vanno in un ristorante classico. Il Drive non costituisce una nuova forma di ristorazione stradale, ma una scelta di alimentazione fra le altre, ed ecco che si spiega perché non sia così frequente incontrare un McDonald's sulle strade nazionali o sulle autostrade. Il Drive costituisce un'invenzione straordinaria, perché accumula i vantaggi simbolici del fast-food a quelli dell'automobile, riciclando l'antico piacere della merenda consumata in macchina, in questo spazio ultramoderno, simbolo di libertà e di potere, offre quindi ad un tempo i simboli della prestazione e della protezione. L'aumento del mercato della ristorazione stradale, legato all'aumento del traffico, sta progressivamente banalizzando questo prodotto urbano, che rischia allora di entrare direttamente in concorrenza con la ristorazione stradale tradizionale.

McSatellite

McDonald's non può essere costruito ovunque con le stesse strutture. Un McDonald's di paese non può essere redditizio mantenendo le stesse modalità di fabbricazione e di commercializzazione di un ristorante urbano. Il gruppo deve quindi modificarsi, per rendere redditizio ciò che altrimenti non lo sarebbe, pur ponendo attenzione a non rimettere in causa la propria standardizzazione: per questo motivo, punta sull'apertura di sedi molto piccole costruite nel centro delle città, in periferia o in campagna, ma collegate ai ristoranti tradizionali. Questi satelliti necessiteranno di uno spazio molto minore e di una struttura molto più semplice, poiché utilizzeranno i magazzini di stoccaggio delle grosse unità vicine, saranno riforniti di prodotti finiti, fabbricati industrialmente, ed esisteranno in forma classica o Drive. Questa miniaturizzazione è essenziale perché permette al gruppo di raggiungere tutte le periferie e persino paesi di meno di 20.000 abitanti. Il giovanotto di campagna, o

53

colui che vive nelle periferie potrà avere così lo stesso prodotto del giovane di città.

McMobile

McDonald's vuole essere presente ovunque succeda qualcosa. L'uomo moderno vive al ritmo di migrazioni quotidiane (casa, scuola, lavoro), periodiche (stadio, locali, spettacoli) e stagionali (d'inverno in montagna, d'estate al mare, i fine settimana negli ipermercati). Questi spostamenti di popolazione creano clientele troppo effimere perché gli investimenti fissi siano redditizi. L'invenzione di nuove forme «smontabili» permette di stabilire provvisoriamente un punto vendita in un luogo, rendendo McDonald's «nomade», così come è diventata la popolazione moderna. La Cina costituisce uno dei principali territori di sperimentazione di queste unità mobili (o smontabili), poste in luoghi strategici rispetto alle uscite familiari o agli avvenimenti sportivi. L'uomo del futuro deve essere certo che McDonald's lo seguirà passo dopo passo nei suoi spostamenti e che in ogni luogo e in ogni momento troverà un McDonald's aperto.

McBus, McTreno, Mctraghetto, McAereo

L'uomo moderno si sposta sempre più spesso e sempre più lontano. McDonald's intensifica quindi la sua presenza su tutta la rete di comunicazione. I McTreno, McTraghetto, McBus, McAereo, vanno a cercare il cliente dove già si trova, di mattino in treno, a mezzogiorno davanti alla scuola, di pomeriggio davanti alla piscina, di sera davanti al cinema... Il McBus, ad esempio, assicura gratuitamente navette regolari tra le scuole, il centro della città e il ristorante, permettendo così agli studenti di recarsi a mezzogiorno da McDonald's, invece di frequentare la mensa scolastica. I genitori non hanno nulla da obiettare: il servizio di ritorno è assicurato in modo tale che gli studenti arrivino a scuola puntualmente. Il McBus giunge anche fino ai paesi più distanti e fino alle periferie più abbandonate. L'autobus, dipinto con i colori del gruppo viene anche dato in prestito ai comuni, ad associazioni o a club della terza età, nel quadro della politica di pubbliche relazioni di McDonald's. Le prime carrozze McTreno sono apparse nel 1992 su linee molto frequentate in Svizzera e poi in Germania. McDonald's ha anche creato un'unità marittima, aprendo un ristorante su un traghetto (tra Stoccolma ed Elsinki). Il primo McPlane è decollato a bordo di un McDonell Douglas da 165 posti, dipinto di rosso vivo, recante il nome del marchio americano sui fianchi. L'inimitabile atmosfera è stata ricreata all'interno dell'aereo, grazie alla ricostruzione dell'arredamento di un McDonald's terrestre e al sorriso di una hostess McDonald's. Si può così viaggiare tranquilli, senza avere la sensazione di essere spaesati. Chi può ancora affermare che la società moderna sta perdendo i suoi punti di riferimento?

Il Food Plazza McDonald's

McDonald's inventa continuamente nuove formule che si adattano ad ogni nicchia del mercato della ristorazione. Nell'aeroporto internazionale di Francoforte (Germania), ha aperto da poco il più grande ristorante, su un'area di 2400 m², capace di accogliere 5 milioni di passeggeri all'anno, con 780 posti a sedere, un bancone di 20 metri di lunghezza, 24 casse e 150 dipendenti, investendo per questo 10,5 milioni di marchi. Ha diversificato le sue proposte, offrendo, accanto al tradizionale hamburger, salsicce, prodotti ittici e pasticceria; la diversificazione tuttavia rimane marginale, poiché non rimette in gioco la logica interna del sistema. Il prodotto classico resta l'autentico polo di attrazione.

McDomicilio

L'uomo moderno tenderà a cogliere sempre meno le differenze tra l'alimentazione a domicilio e il cibo consumato fuori casa. La distribuzione dei prodotti a domicilio conosce infatti un boom straordinario da dieci anni a questa parte. In un futuro si mangerà la stessa cosa, nello stesso modo, a casa propria o al ristorante. Questa evoluzione può fare di McDonald's un'alimentazione quotidiana, anche grazie al suo progetto relativo alla vendita da asporto e alla vendita a domicilio. Una tale trasformazione delle nostre abitudini alimentari necessita tuttavia di un profondo cambiamento, in particolare della «dimissione» delle «madri» di fronte al loro «dovere» riguardo all'alimentazione domestica. La rivoluzione sembra però già innescata. McDonald's sa anche aggirare l'ostacolo materno, scendendo a compromessi con i padri, che possono così «condividere» ad un costo minimo i doveri domestici. Basta guardare le pubblicità McDonald's per convincersene: il migliore amico di McDonald's è l'uomo modernizzato.

McAsporto

La vendita da asporto sta crescendo in modo considerevole. Questo tipo di «Drive pedonale», legato in un primo tempo ad una struttura tradizionale, diventa autonomo. In Arizona, ad esempio, questo tipo di vendita viene effettuato in un locale di 270 m²:

Prendete un ristorante McDonald's medio [...] e dividete tutto per due; otterrete otto dipendenti e tre swing manager, 430 veicoli al giorno e certamente la metà del giro d'affari.

Campagna di comunicazione McDonald's

La vendita da asporto è rivolta soprattutto ad una popolazione urbana iperattiva, che non ha neppure più il tempo e il desiderio di sedersi a tavola; coinvolge una clientela che non ha ancora il coraggio di entrare in un ristorante al di fuori delle ore dei pasti, ma accetta di consumare velocemente un hamburger, come fosse uno spuntino qualsiasi. Permette inoltre di avere meno fila al bancone, di liberare posti a sedere e di diminuire l'attesa dei clienti più tradizionali... McDonald's punta inoltre su un altro utilizzo molto più familiare e innovatore, ma altrettanto distruttore dei comportamenti alimentari: nel futuro, gli adulti acquisteranno direttamente hamburger e altri prodotti McDonald's prima di rientrare a casa, ordineranno il pranzo o la cena così come un tempo andavano a fare la spesa. Una soluzione simile è certamente meno colpevolizzante per le madri, rispetto all'acquisto a domicilio, poiché imita, riciclandolo, il «dovere» di fare la spesa, mantenendo un'attività ancora psicologicamente necessaria.

McDonald's ha studiato tutta una serie di «cene complete» facili da trasportare e da riscaldare. La posta in gioco è importante dal punto di vista finanziario, visto che diminuirà considerevolmente i costi, ma anche da un punto di vista simbolico, poiché farebbe di McDonald's la nostra alimentazione quotidiana; McDonald's, quindi, sarebbe, proprio come recita, «molto più di un semplice ristorante». Questa strategia risponde d'altronde all'evoluzione generale delle forme alimentari, caratterizzata dal consumo veloce, dalla destrutturazione dei pasti e dalla loro individualizzazione; coincide inoltre con l'esplosione della vita da single, della costruzione di abitazioni senza angolo cucina e con la crisi della simbologia alimentare. Le pubblicità di McDonald's insegnano già come essere un «buon padre», portando a casa l'hamburger preferito dal proprio figlio. Il messaggio è diretto: «dacci oggi il nostro McDonald's quotidiano», ed è veicolato dalla nuova figura genitoriale rappresentata dal buon McRonald, il quale, meglio di Babbo Natale comprende i desideri dei bambini. La McDonaldizzazione del focolare poggia inoltre sull'immagine del «nuovo padre», sufficientemente «moderno» per occuparsi dell'alimentazione della sua tribù, senza sentirsi tuttavia manchevole nel non preparare egli stesso un pasto. La cosa più importante non è forse la felicità immediata e visibile del bambino? La «madre» troppo colpevolizzata dall'immagine del proprio «disimpegno» domestico, non può ancora costituire un buon bersaglio. McDonald's ha quindi tutto l'interesse a giocare a fondo sulla tematica della (pseudo) «femminizzazione» della società per promuovere con l'inversione delle età, quella dei ruoli. Il Padre riscatta e acquista la sua fallocrazia ancestrale e acquista il titolo di uomo «moderno» grazie a McDonald's, proprio come la Madre si liberava ieri dei doveri domestici grazie a Moulinex e all'invasione degli elettrodomestici.

McConsegna

La consegna a domicilio si sviluppa parallelamente alla vendita da asporto, poiché risponde alla stessa evoluzione. I fattori che spingono ad acquistare allo sportello incitano anche ad utilizzare il telefono per ordinare menu «pronti». Il pericolo principale potrebbe essere quello di sostituire il servizio di consegna al sistema di vendita da asporto, poiché giungerebbe a trasferire una parte del lavoro, compiuto ora, volentieri, dallo stesso cliente, sull'impresa. Il servizio a domicilio dovrebbe rispondere principalmente all'evoluzione della ristorazione d'impresa, poiché spesso diventa penalizzante occupare, cioè perdere, il proprio tempo per alimentarsi. La vendita a domicilio costituisce inoltre un potente fattore di deregolamentazione sociale, perché rende l'alimentazione completamente «virtuale». La casalinga non deve nemmeno più pensare a preparare il pasto, nel fare la spesa, e non deve prepararlo in anticipo, poiché basta scegliere, al momento «desiderato», tra una straordinaria varietà di prodotti che saranno portati a casa molto velocemente. Il pasto perde così la propria temporalità: il tempo della riflessione, degli acquisti, della preparazione scompaiono a favore del tempo dell'intuizione momentanea, del desiderio spontaneo.

Lo Hearth Express di McDonald's

McDonald's ha appena lanciato negli Stati Uniti un nuovo concetto sperimentale, con lo scopo di incrementare la frequentazione dei suoi ristoranti, di sera. La cena rimane infatti ancora troppo legata ai valori tradizionali per rispondere all'offerta della ristorazione rapida. McDonald's è quindi stato costretto ad immaginare un nuovo prodotto per far fronte a queste resistenze ed ha scelto dunque di scommettere tutto sul «pollo grigliato», prodotto che raccoglie in sé molti vantaggi: è infatti universalmente accettato, non subisce divieti religiosi, medici o dietetici. In base ad alcuni studi, è risultato che la carne di pollo è la sola che può essere mangiata facilmente con le dita e succhiare le ossa comporta anche un piacere ludico e sensuale. Gli esperti hanno stabilito inoltre che proprio a fine giornata il consumatore prova meno fastidio ad avere le mani unte. McDonald's propone quindi una scelta di carne fredda, di filetti di tacchino, di cosce e di ali di pollo, e una vasta scelta di insalate. Sono stati stabiliti prezzi abbastanza bassi per mirare prioritariamente ad una clientela familiare e popolare. Si va quindi verso la morte delle culture culinarie popolari, a favore di una alimentazione industriale che di popolare mantiene solo i prezzi.

McGhetto

Il cammino percorso mostra che McDonald's tenta con tutti i mezzi di diversificare (falsamente) i suoi prodotti e (veramente) la sua distribuzione. Questa strategia maschera di fatto una tendenza molto più preoccupante, la moltiplicazione del genere universale e non certo la creazione di una autentica diversità culinaria e culturale. Il consumatore è sempre da McDonald's, che si tratti di un Drive, di un McTrain, di un McExpress o anche a casa propria, con il suo hamburger appena consegnato a domicilio. Una tale espansione è stata in un primo tempo di natura geografica (un McDonald's in ogni quartiere, un McDonald's in ogni paese...), e ora si dimostra sempre più evidentemente un mezzo per ghettizzare socialmente questo tipo di ristoranti. Si va progressivamente verso la creazione di McDonald's per poveri, per ricchi, per giovanissimi, per adolescenti, per famiglie, per donne sole, per bianchi, per neri... La tendenza americana autorizza infatti ad avanzare questa drammatica ipotesi; l'attuale ghettizzazione permette di concedere ad ogni sottogruppo il proprio McDonald's. Il McDonald's di Wall Street rappresenta certamente il non plus ultra dei McDonald's: il suo arredamento è particolarmente curato e lussuoso (candelabri, pareti ricoperte di marmo, fiori freschi...). Un sorridente portiere accoglie i clienti e apre loro le porte del ristorante, hostess affascinanti accompagnano i convitati ai loro tavoli, un pianista si occupa dell'animazione musicale nelle ore di maggiore affluenza (pianoforte a coda e Chopin). L'arredamento ricorda ai clienti che non sono persone qualunque. Un'insegna luminosa indica di continuo l'andamento della borsa. Una hostess porta via i vassoi con euforica premura. Il pubblico è composto da giovani eleganti (golden boys frettolosi...). Il menu prevede alcuni extra (caffè espresso, cappuccino, pasticceria...), ma è essenzialmente uguale a quello di qualsiasi altro McDonald's, solamente i prezzi sono di poco superiori a quelli praticati nei ghetti popolari. McDonald's può dunque dirsi inserito nel settore della ristorazione di lusso (3 e 4 stelle).

Parallelamente, McDonald's ha lanciato una vasta offensiva rivolta alle persone anziane, creando McSeniors per una clientela potenziale di 67 milioni di persone. Il gigante ha messo a punto un «senior program» basato su modifiche dell'architettura e su particolari gusti alimentari e ha persino assunto dipendenti «senior», per facilitare l'identificazione del prodotto da parte del cliente. I McDonald's per ricchi e per persone anziane hanno un notevole successo e raggiungono risultati a volte migliori di quelli dei ristoranti più popolari.

Questa logica porta inevitabilmente ad una vera e propria etnicizzazione dei ristoranti, conducendoci verso un'autentica nuova apartheid. McDonald's, lungi dal correggere questa logica, partecipa al suo rafforzamento, rendendo sempre più specifici i suoi ristoranti, anche attraverso l'arredo e la scelta del personale. Alcuni McDonald's hanno licenziatari neri, personale nero, clientela nera, altri hanno licenziatari latinoamericani, personale latinoamericano, clientela latinoamericana... Una tale evoluzione, giustificata da un dubbio discorso minoritarista, risponde all'evoluzione del movimento nero che, dopo aver rivendicato la propria integrazione, si batte per uno sviluppo separato. Sicuramente, alcuni McDonald's generalisti continueranno a rivolgersi ad una clientela di passaggio, saranno costruiti nel centro delle città o in luoghi molto frequentati (strade pedonali, cinema, centri commerciali, autostrade, stazioni, ospedali, imprese...). L'etnicizzazione dei McDonald's è certo facilitata da uno sviluppo urbano che negli Stati Uniti è in sé segregante, ma tende a diffondersi anche al di fuori dello specifico contesto anglosassone: in Europa, infatti, alcune minoranze etniche hanno già il loro McDonald's di quartiere. L'attuale politica di pacificazione delle periferie o delle scuole attraverso la costruzione di fast-food ci avvicina sensibilmente alla situazione americana, facendoci passare da una tradizione repubblicana ad una concezione comunitaria dell'integrazione.

3. McDonald's: un'alimentazione infraculturale

> *La cultura è minacciata quando tutti gli oggetti e le cose del mondo, prodotti dal presente o dal passato, sono trattati come pure funzioni del processo vitale della società, come se esistessero solo per soddisfare qualcosa.*
>
> Hannah Arendt, *La crisi della cultura*

McDonald's è universale perché si rivolge a tutti, la sua cucina non è nazionale e neppure internazionale, ma cosmopolita e si basa sulla negazione di tutte le culture culinarie preesistenti. Il consumatore occidentale dovrebbe sentirsi meno spaesato in Cina davanti ad un piatto di serpente che nel proprio paese di fronte ad un hamburger; tuttavia, questo esotismo assoluto è presentato come «naturale», quindi è inavvertito. L'uomo occidentale è infatti già notevolmente «modernizzato», non si accorge più di questo tipo di alterità e la considera incontestabile. McDonald's non rappresenta quindi un fenomeno di moda (come *les mistrals gagnants** della nostra infanzia), destinato a tramontare, e non è neppure un fenomeno legato ad una fascia d'età (come i biberon), destinato ad essere accantonato dalla popolazione adolescente: McDonald's è un fatto di società, rappresentativo dell'alimentazione nell'era della mondializzazione e della globalizzazione del mondo.

McMiracolo

McDonald's ha inventato in tutto e per tutto un'alimentazione infraculturale. La cultura, costituita dalla somma delle

---

* Un tipo di caramelle molto diffuso negli anni Settanta, che attualmente non esiste più [*N.d.T.*].

asperità che differenziano gli uomini, frena la loro standardizzazione. È nota l'avversione che gli inglesi hanno per le lumache o per i formaggi francesi, ma è nota anche la repulsione che provano i francesi per la trippa di pecora farcita. L'uomo appartiene tradizionalmente ad un luogo, ad una storia, ad una memoria culinari e può aprirsi autenticamente ad altre culture solo se ha un adeguato controllo della propria. Come si può essere contemporaneamente indù e americani, senza sfiorare la schizofrenia? La dimensione infraculturale dell'alimentazione può essere tuttavia ricercata in una regressione biologica: si risponde allora allo stretto bisogno fisiologico attraverso il puro alimento (riempirsi), e può essere ritrovata anche in una regressione psichica verso un'esperienza (che sarebbe largamente) comune a tutta l'umanità. Questa situazione appare quindi nei due casi come particolarmente regressiva, ed è per questo che McDonald's ha bisogno di una comunicazione molto efficace per spazzare via secoli di storia, autentiche barriere contro l'omogeneizzazione, ed ecco perché il bollito alverniate esiste pur senza marketing, al contrario dell'hamburger di McDonald's, che non può che diffondersi in questo modo. È importante comprendere questo tipo di evoluzione, perché ci permette di passare da una relazione con il prodotto che gli psicanalisti definirebbero anale, poiché fondata sul desiderio d'incorporare l'alimento (e i suoi attributi immaginari) ad una nuova relazione che si potrebbe definire orale, poiché centrata sul discorso. McDonald's ci immerge nell'era dello spettacolo, del linguaggio, ma del linguaggio ridotto al segno, mira allo stretto, preciso significato e non più al simbolo, cioè al senso aperto. L'uomo McDonaldizzato vive la propria libertà solo mescolandosi alla massa di mangiatori di tutti i paesi, esiste solo se negato a priori in quanto essere singolo distinto dal sesso, dall'età, dall'ambiente… Ecco perché McDonald's è cresciuto inizialmente negli Stati Uniti e in Australia: questi sono infatti entrambi paesi nuovi, territori senza passato (accettato da tutti), senza memoria collettiva all'infuori di quella comunitaria; esso sfugge infatti ad ogni nazionalità, usando il «sogno americano» solo per sfruttare il suo sistema d'immagine. Questa (falsa) territorialità è di ordine strettamente semiologico: McDonald's costituisce quindi una specie particolare di non-luogo popolato da mangiatori apatici.

L'hamburger, un segno puro

Il prodotto McDonald's costituisce un alimento infraculturale, quindi omogeneo e disponibile a soddisfare altre funzionalità. Camille, mia figlia, 5 anni, che utilizzavo come copertura durante le mie ricerche, preferiva indubbiamente la sua borsetta regalo al menu Happy Meal; il prodotto alimentare non è quindi più legato ad un bisogno psicologico, diventa «indefinito» o indistinto, cioè «libero» nel senso moderno del termine. Si sperava di avere una relazione molto più attiva con esso, poiché questa libertà sembrava facesse appello ad una maggiore simbolizzazione: non si doveva forse compensare la sua povertà con una maggiore umanità? Pensare a tutto questo però implicava dimenticare che la McDonaldizzazione non riguarda in primo luogo il prodotto, ma l'uomo, autentica appendice del sistema. Mia figlia era illusoriamente libera nel considerare il suo pasto un'attività ludica. Entrata con la ferma intenzione di uscire con il suo regalo, per imitare le sue compagne e la televisione, il suo desiderio è stato avvalorato da una pubblicità particolarmente efficace sul luogo di vendita: nonostante la povertà dell'alimento, si possono trarre molteplici soddisfazioni. La scelta delle denominazioni americane si spiega con il desiderio di realizzare operazioni di tipo magico. Vale la pena tuttavia interrogarsi, di fronte ad una tale polivalenza, poiché la sua natura non è più quella che ci offrivano gli alimenti tradizionali. La fonduta savoiarda era composita e corroborante, piacevole al gusto e contemporaneamente ludica e socializzante, il gesto stesso era ricco di significati multipli e aperti. Anche il prodotto McDonald's raccoglie in sé molteplici funzioni, ma la sua polivalenza risulta da un semplice collage di atti separati e chiusi, il prodotto è «arricchito», ma dall'esterno, in qualche

65

modo, risulta essere polivalente solo perché lo si mangia facendo contemporaneamente altre cose (piscina di palle, osservatorio, altalena, musica...). A Lione è stato aperto, naturalmente, anche un McInternet, affinché questi due indici di modernità siano collegati; il collage di gesti preesistenti non arricchisce però il prodotto, ma costituisce solamente una forma di compensazione alla sua povertà. La sua polivalenza è quindi necessaria a mascherare il suo «vuoto» strutturale. Questo convenience-food è quindi costretto a giocare su tutti i registri (immagine, odore, gesti, parole...) per creare un'illusione, per suscitare la sensazione di festa, di piacere, di umanità. L'hamburger funziona in questo senso come puro significante, cioè come un semplice segno manipolato da esperti di comunicazione. McDonald's ha così creato per le famiglie l'idea del PlayPlace, con aree gioco modulabili in funzione delle diverse fasce d'età, anche per i piccoli con meno di tre anni. Le aree gioco accolgono fino a 40 bambini dalle 8 alle 20.30, sono gestite da bravi «Ronald Rangers» che creano l'ambiente adatto e si occupano della soddisfazione dei loro giovani clienti, mentre i genitori nel frattempo possono consumare tranquillamente il loro hamburger, protetti dalle grida dei loro bambini da pareti di vetro. Queste strutture vogliono essere una risposta alle attese delle famiglie. McDonald's sta inoltre accordandosi con Toysr'us (McDonald's possedeva circa il 20% delle azioni giapponesi del gigante dei giocattoli), per costruire ristoranti nei numerosi magazzini di vendita di giocattoli.

Come non notare, poi, che questo tipo di collage legittima la violazione di molti divieti, quali quello di mangiare in piedi, di mangiare con le mani, di mangiare a qualsiasi ora del giorno o della notte, di mangiare disordinatamente, di mangiare divertendosi? Il pericolo non sta tanto nel mancato rispetto di questi tabù, ma, al contrario, nella possibilità di violarli senza nessun costo sociale o psichico. Il piacere non sta quindi nella dimenticanza delle regole, ma nella loro trasgressione, e in questo modo McDonald's ci getta nell'ordine dell'inganno e non della sovversione.

1. McDonald's o la regressione verso il corpo biologico

McDonald's sembra a volte un semplice fornitore di nutrimenti e, nel quadro di una regressione verso il puro stadio biologico, appaga il bisogno vitale, proprio di ogni essere vivente, di mangiare per vivere. L'hamburger servirebbe solo a riempirsi, quindi. Come riuscire a credere infatti che lavoratori che a mezzogiorno si raccolgono davanti al McExpress cerchino qualcosa di diverso dal puro nutrirsi per lavorare fino a sera? Negli Stati Uniti, alcuni McDonald's sono diventati dei sostituti delle vecchie «mense popolari». La regressione verso il corpo biologico è facilitata dalla dimensione artificiale del prodotto: l'hamburger costituisce infatti un puro artefatto, cioè un prodotto industriale privato di tutti i significati culturali specifici, rappresenta quindi un alimento facilmente fruibile per la sua sola funzione nutritiva; ogni specificità troppo accentuata rappresenterebbe infatti un ostacolo alla soddisfazione di quest'unica funzione biologica. Con il cervo o la lumaca si farebbero pessimi hamburger. Il «prodotto» dimentica dunque le sue origini vegetali o animali per diventare semplicemente «sano», «bello» e «buono». Questa logica potrebbe autorizzare tendenze successive verso un'alimentazione-salute (mangiare McDonald's per essere in forma) e verso un'alimentazione-vitalista (mangiare McDonald's per essere vincente). I ristoranti McDonald's in Illinois (USA) hanno condotto una campagna di promozione dal tema *«Un hamburger al formaggio per un bel voto»*, associando così apertamente il successo scolastico a McDonald's[1].

Una simile alimentazione modernista perde tuttavia, in questa situazione surreale, ogni autentico contatto con la realtà.

[1] G. RITZER, *La McDonalización de la sociedad. Un análisis de la racionalización en la vida cotidiana*, Editorial Ariel, Barcellona 1996, p. 55. Ringrazio la signora Maria Saez per la traduzione dell'opera, il cui titolo è simile al nostro ma il cui argomento è molto diverso in quanto l'autore osserva la McDonaldizzazione dell'insieme delle attività umane a partire da una problematica Weberiana.

L'uomo McDonaldizzato è oppresso da norme, regole, misure, ma non sa più ciò che mangia poiché non comprende la propria alimentazione, si sostenta di fatto con prodotti artificiali, veri artefatti; a volte ottiene qualche ninnolo, per ritrovare piacere, socialità, umanità. Il mangiatore McDonaldizzato non rischierà forse di perdere le proprie radici, come gli erbivori che hanno acquisito le più varie malattie, una volta trasformati (a causa dell'industria) in carnivori? Come si può non citare la frase: «Brillat-Savarin svegliati, sono diventati matti!*».

McIgienista

McDonald's ama far credere che questa industrializzazione dell'alimentazione (dalla fabbrica al consumatore) costituisca la migliore garanzia per ottenere la perfezione assoluta dei suoi prodotti e la esibisce come una garanzia suprema di sicurezza, di pulizia e anche di qualità:

Si usa dire da McDonald's che la pulizia è ciò che non si vede [...]. La pulizia comincia dalla sala del ristorante, con la presenza di crew che sparecchiano le tavole e puliscono il pavimento [...] la pulizia non si ferma alla soglia dei ristoranti: all'esterno e in un perimetro predeterminato, gli imballaggi e la carta sono raccolti da crew più volte al giorno [...] le procedure di fabbricazione e di distribuzione sono controllate da esperti dell'industria alimentare e da microbiologi [...]. McDonald's procede al controllo della merce. Tale controllo è effettuato secondo un protocollo di procedura preciso da parte di dirigenti specificatamente formati. Le attrezzature di cucina sono in acciaio inossidabile su ruote, per facilitare la pulizia e sono sterilizzate ogni giorno [...]. I tempi e le temperature di cottura sono strettamente rispettati grazie al controllo elettronico [...]. McDonald's affida ad un laboratorio analisi indipendente il compito di prelevare, nei suoi ristoranti, prodotti pronti al consumo, per testare la loro qualità batteriologica [...]. Questa rigorosa politica di selezione e di controllo a tutti gli

---

* Brillat-Savarin (Jean) Antelme, 1755-1826, politico, gastronomo e scrittore francese, scrisse *Psychologie du Goût* (1825) [*N.d.T.*].

stadi di fabbricazione permette a McDonald's di garantire ogni giorno ai suoi clienti prodotti di elevata e costante qualità [...]. Ogni prodotto McDonald's è fabbricato a partire da ingredienti di grande qualità: carne 100% puro bovino, filetti bianchi di merluzzo, petto e cosce di pollo disossato, panini, insalate di prima scelta, patate [...]. Tutte le attrezzature di cucina in acciaio inossidabile sono completamente smontabili per facilitare il lavaggio e la disinfezione quotidiana.

Campagna di comunicazione McDonald's

Come non interrogarsi sulla ragione che spinge McDonald's a pubblicare con un tale compiacimento ciò che gli altri tacciono volentieri, come i rischi microbici, la sorveglianza batteriologica...? Non ho mai verificato la pulizia delle batterie da cucina di mia nonna e non esigo che i grandi chef dei ristoranti nei quali prenoto un tavolo, mi informino della periodicità e dei risultati dei controlli, ho sempre pensato che fosse compito dell'amministrazione verificare il rispetto delle norme igieniche e ho sempre ritenuto di poter mangiare senza timore. Il cliente ha veramente bisogno di sapere che il controllo è affidato a due laboratori? Impara veramente qualcosa sapendo che si controllano prioritariamente i prodotti a rischio, come i milk shakes e i succhi d'arancia...? È veramente indispensabile per lui precisare, nel momento in cui si mette a tavola, che questi prelievi sono effettuati senza preavviso per essere ancora più efficaci, più credibili? Non solo McDonald's non tace, ma mostra, esibisce, ribadisce. Che cosa vuole provare, in verità? Che la standardizzazione è il modo migliore per eliminare le brutte sorprese? Che l'impoverimento simbolico ha un rovescio piacevole, l'eliminazione dell'imperfezione? Questa oscena esibizione serve forse a mascherare la disumanizzazione della cucina? Non si giudica però un assassino in base all'efficacia del suo crimine. Il «sistema McDonald's» funziona, senza dubbio, ma bisogna gioirne? Questo igienismo alimentare fa forse riferimento ad un igienismo morale? La regolamentazione tecnologica non si sostituisce forse ad una regolamentazione morale che proibirebbe ad esempio di considerare un bambino un consumatore come gli altri?

McRassicurante

McDonald's non scherza con la sicurezza alimentare dei suoi clienti e non scherza neppure con la sua reputazione. È nota la vivacità con cui ha reagito alle accuse, e la velocità con cui, nel 1996, con la crisi della «mucca pazza», ha inviato «comunicati» per rassicurare i suoi clienti a proposito della qualità della propria carne. Il quartier generale ha reagito ufficialmente assumendo sei impegni Qualità Manzo McDonald's, dai quali emerge che «le carni sono sottoposte ad una selezione che risponde alla sigla d'identificazione Carne Bovina Francese», che «la carne 100% puro bovino deriva esclusivamente da carne di qualità», che «i gruppi di dipendenti assegnati alla cottura delle carni ricevono una formazione teorica e pratica e sono profondamente sensibilizzati alle regole d'igiene». Questa cucina disumanizzata spera di trovare un po' d'umanità nella stessa esacerbazione del suo contrario. Questo terrorismo del codice sembra avere una funzione strutturante precisa. L'oscenità tecnologica rende più umana l'inumanità del sistema, sostituisce un buon genio scientifico al buon genio culinario, Pasteur contro Curnonsky (eletto principe dei gastronomi nel 1927). Essa vuol far credere che l'età dell'oro culinaria sarebbe figlia della standardizzazione assoluta:

Per offrire per tutto l'anno ai suoi clienti prodotti caldi e saporiti, McDonald's limita la loro durata di conservazione dopo la cottura [...]. Gli hamburger non vengono più serviti ai clienti oltre i dieci minuti successivi alla cottura e le patatine non oltre i sette minuti. Le insalate sono preparate molte volte al giorno nei ristoranti, il loro tempo di conservazione nel banco frigo non supera le sei ore.

Campagna di comunicazione McDonald's

Questo pregiudizio igienista comporta una vera e propria svolta sul piano della sicurezza e deve essere sottoposto ad una doppia critica, essendo ad un tempo positivista e tecnicista. Questo positivismo alla McDonald's come quello in voga nella società moderna si basa su un'ipostasi della scienza e diventa l'equivalente di un nuovo credo assoluto, di una nuova fede con sommi sacerdoti (i manager), il proprio dogma (le schede tecniche e i protocolli di lavoro), il suo rituale (il controllo di gestione), i suoi tabù (l'immaginazione, l'autonomia, la cultura culinaria, ecc).

Il tecnicismo consiste nel considerare «onnipotente» questo sapere razionale. L'illusione nutre a sua volta gli ideali di «onnipotenza» dei manager. Il Management tecnico diviene così la nuova Legge alla quale risponde l'impotenza degli uomini. Jacques Jaffelin ha denunciato in questa tentazione modernista per le proposizioni definitive, un nuovo Narciso che cade nella fascinazione del proprio pensiero. Questa ideologia si presenta inoltre senza alternative, in nome del realismo. Per la nostra felicità basta quindi affidarci agli esperti di «nutrizione», di «management», di «marketing», di «microbiologia», ecc. Essa conduce in tutti i settori ad un'oggettivazione estrema, spiega il culto della misura, che si traduce nell'esibizione morbosa delle cifre, priva della dimensione umana l'alimentazione, fa scomparire la cultura come scelta fra sistemi di valori, ereditando al suo posto un pensiero di tipo scientista ipocrita e perverso: come può essere razionale il fatto di mangiare ovunque la stessa cosa, nello stesso modo? Mio padre riservava questo triste destino agli animali, ma di tanto in tanto regalava al proprio cane qualche (buona) sorpresa, nonostante sapesse che lo zucchero gli faceva male. Questa (pseudo)razionalità difesa da quegli stessi esperti ha portato alla creazione della «mucca pazza». In un futuro, rischieremo forse di avere degli uomini «pazzi» per non avere saputo mangiare adeguatamente da un punto di vista fisiologico, psicologico e persino sociologico? La cucina modernista s'impone perché è un sottosistema di un sistema generale nel quale le relazioni uomo-macchina si invertono; essa potrà subire solo disfunzioni «tecniche». La critica del sistema è recuperata come indice di un miglioramento sempre possibile (McDietetico, McScuola, McIntegrazione...). La razionalizzazione scatena una spirale verso un rigore sempre maggiore, nonostante debba essere molto più «modesta», visto che moltiplica le conseguenze dei rischi residui: ogni sistema complesso è infatti un sistema fragile: i T.G.V.* non riescono a viaggiare se fa (molto?) freddo, contrariamente alle vecchie locomotive. La contaminazione in una fabbrica che produce hamburger sarebbe più grave che all'interno di un piccolo stabilimento, poiché i prodotti sono venduti in partite di alcuni milioni di pezzi. La razionalizzazione del sistema non è quindi di ordine «intellettuale», ma prima di tutto di ordine psichico, nel senso in cui Freud la evocava come forma di legittimazione di una situazione di fatto; essa esprime quindi un desiderio di «onnipotenza», che non è che l'ammissione dell'impotenza culturale del sistema. Questo ideale andrà sempre più istituzionalizzandosi: il sistema esige infatti un pensiero, un lavoro, un personale, un mangiatore omogenei. L'alimentazione reificata ha bisogno di uomini reificati, anch'essi sottomessi ad una razionalità calcolata e calcolante; non è possibile far «disfunzionare» il sistema senza rischiare di esserne immediatamente esclusi. Come non pensare alla sorte del primo papa francese degli hamburger, condannato per eresia? Questa repressione strutturale non sconvolge nessuno perché è immediatamente legittimata dal suo carattere scientifico-tecnico e risponde probabilmente anche al desiderio di un mondo senza sorprese avvertito da molti. Una cultura si dimentica, un sistema tecnoscientifico si rispetta.

McDietetico

McDonald's è spesso considerato *junk-food*, cioè «cibo spazzatura»; è accusato infatti da molti detrattori di far ingrassare e di provocare il cancro. Lo stesso esperto di oncologia di McDonald's, il dottor Sydney Amott, avrebbe riconosciuto, secondo il giornale «Libération» del 1° luglio 1995 che «una

---

* T.G.V., Train Grande Vitesse, sono i treni ad alta velocità della società nazionale ferroviaria francese [*N.d.T.*].

dieta composta da molti grassi, zuccheri, sale e prodotti animali e povera di minerali e di vitamine può essere legata all'insorgenza del cancro». Questo luogo comune della critica sembrerebbe quindi fondarsi su molte constatazioni empiriche e su numerose analisi scientifiche. Viaggiando negli Stati Uniti si può quindi stabilire una correlazione «visiva» tra il numero di obesi e l'esplosione di nuove forme di alimentazione (pasti rapidi, spuntini...).

Un classico pasto McDonald's, composto da un Big Mac, da patatine grandi e da un milk shake aromatizzato supererebbe (secondo alcuni specialisti della nutrizione) le 1000 calorie, senza parlare della percentuale di grassi, di zuccheri e di sale contenuti in questi prodotti. Un gruppo militante americano (l'Associazione nazionale per la protezione del cuore) lanciò nel 1990 una violenta campagna stampa contro McDonald's, accusandolo di essere «il veleno dell'America del Nord» («New York Times», 1990). Lo stato maggiore della multinazionale inizialmente negò l'esistenza di un simile rischio, accusando apertamente l'associazione di condurre una «campagna sensazionalista, insensata e ingannevole». Il volume d'affari di alcuni ristoranti cominciò tuttavia a diminuire quando l'associazione rivelò che McDonald's faceva cuocere le patate fritte in grasso di bovino. McDonald's annunciò allora, alla fine del giugno 1991, che avrebbe presto introdotto l'olio vegetale per la cottura delle patatine.

Gli avversari di McDonald's condividono spesso la sua stessa concezione «cosista» dei fatti. L'obesità è tuttavia prima di tutto genetica e sociale, visto che si trovano famiglie obese (senza che il problema abbia alcun legame con l'alimentazione dei singoli individui) e visto che si incontrano più obesi tra i poveri che fra i ricchi, tra chi ha un lavoro manuale piuttosto che tra chi svolge un lavoro intellettuale. La caccia ai chili superflui funziona maggiormente su un terreno culturale, che medico, e si colora talvolta di una forma di razzismo «antigrasso». Una simile forma di intolleranza incoraggia una tendenza paranoica, e si traduce in un'esplosione di diete dimagranti senza alcuna prescrizione o consiglio medico.

I prodotti a basso tenore calorico

McDonald's ha reagito lanciando prodotti specifici a basso tenore calorico che pare permettano «*ad ognuno di comporre il proprio pasto in funzione delle proprie preoccupazioni nutrizionali*», proponendo una vasta gamma di insalate assortite, condite con cinque salse:

Sono tutte più leggere della tradizionale vinaigrette; le salse cocktail e alle erbe aromatiche contengono anche meno grassi della vinaigrette leggera [...]. La salsa Big Mac ha il 55% di materie grasse in meno; ricordiamo che la carne 100% puro bovino è cotta sulla griglia senza aggiunta di grassi [...] il McChicken, primo panino al pollo [...] completa la gamma delle specialità a base di carne bianca.

Campagna di comunicazione McDonald's

McDonald's ha lanciato alla fine del 1990 il primo hamburger dietetico con 10 grammi di grassi e 310 calorie contro i 20 grammi e le 410 calorie che contiene un normale hamburger e ha proseguito poi in questa direzione nel 1991, commercializzando il McLean de Luxe, che contiene solo il 9% di materie grasse. Alcuni specialisti affermano che questi «score» sono ancora troppo alti. Secondo G. Ritzer, McDonald's ha dovuto modificare i procedimenti di lavorazione della propria carne: è stato obbligato ad esempio ad aggiungere additivi (estratti d'alga marina) per aumentare la presenza d'acqua nella carne, con lo scopo di impedire che si asciugasse, e ha dovuto compensare la perdita di sapore (legata alla scomparsa di grassi) con estratti naturali di bovino.

Questa gamma dietetica costituisce tuttavia un doppio pericolo per il sistema McDonald's. Basterebbe che si sviluppassero altre mode – dietetiche, etniche, ecc. – per minacciare l'omogeneizzazione dei prodotti e la standardizzazione dei comportamenti alimentari. Questa «dietizzazione» limitata (re)introduce d'altro canto una «differenza» d'apparenza «qualitativa» tra l'insieme dei prodotti («sani», «non sani», ecc.) e crea quindi una «gerarchia» non più solo psicologica, cioè basata sulla «preferenza» individuale, ma di natura sanitaria, dunque collettiva e quindi istituzionale. Il consumatore riacquisterebbe così il potere di distinguere i prodotti non più in funzione della loro immagine commerciale (McXimum, McWanted, ecc.) o del loro prezzo, ma in quanto soggetto autonomo di una strategia alimentare (anche pseudo) dietetica; avrebbe di nuovo la scelta tra sistemi culinari divergenti («bio», «non bio», dietetico o meno, ecc.). McDonald's ha scelto infine di rivolgere l'accusa a proprio favore, affermando globalmente che tutti i suoi prodotti sono «sani», «equilibrati», quindi «dietetici»: è sufficiente mangiare di tutto, perché un'alimentazione sia «equilibrata». Il rispetto di questa «disciplina» edonista permetterebbe di ritrovare la «verità» del corpo biologico, non attraverso un reapprendimento delle regole del «mangiar bene», ma semplicemente attraverso una restrizione della censura sociale. L'uomo McDonaldizzato deve quindi ascoltare i propri desideri, mangiare ciò che gli piace e non ascoltare più i pedanti. Mangiare con piacere significherebbe mangiare in modo equilibrato e diventare «equilibrati». I precetti di un'alimentazione-piacere si fondono miracolosamente nel sistema McDonald's con le esigenze di un'alimentazione sana.

Nutrirsi bene con McDonald's

McDonald's ha lanciato negli anni Ottanta vaste campagne di comunicazione per (di)mostrare l'importanza di *«Nutrirsi bene»*, che costituiscono anche «efficaci» risposte alle accuse di cui il gruppo si dice vittima, basate su diverse tesi discutibili. McDonald's sceglie prima di tutto – se abbiamo capito bene – d'imputare la responsabilità dell'obesità al prodotto in quanto tale. Questa tesi certamente contiene una parte di verità ma è ancora più interessante per ciò che essa sottintende o per ciò che essa tace. Non è sorprendente constatare che il «cosismo» di McDonald's lo induca naturalmente a imputare la responsabilità dell'obesità agli stessi alimenti e non direttamente agli uomini. La scelta ci sembra tipica di una filosofia più generale. Un volantino espone nel dettaglio la composizione di ciascun prodotto. Il cliente vi scopre che il suo hamburger di 102 grammi contiene 254 kcalorie, 1062 kjoules, 12,3 grammi di proteine, 9,6 grammi di lipidi e 29,6 grammi di glicidi. Una simile presentazione ha dalla sua parte la forza dell'evidenza e dell'esibizione: come opporsi infatti ad una tale dimostrazione di trasparenza? Si è già visto un altro ristorante dichiarare con tanta sincerità gli apporti calorici dei suoi prodotti? Come ci si può opporre ad un tale rigore scientifico? Questo tipo di comunicazione contiene in sé un vero e proprio terrorismo del codice – la magia delle cifre – che dissimula le condizioni reali dell'alimentazione. Questa dimostrazione è elusiva nei confronti di fenomeni probabilmente molto meno quantificabili ma ugualmente molto importanti, come la destrutturazione dei pasti, il non rispetto dei ritmi cronobiologici, la solitudine di colui che mangia. McDonald's glissa sulle vere cause dell'obesità che vanno cercate prima di tutto in disturbi del comportamento alimentare. Può allora compiere un secondo passaggio di responsabilità, trasferendola definitivamente sullo stesso mangiatore, che non mangerebbe «di tutto». McDonald's continua ad affermare infatti che l'equilibrio dei suoi prodotti non può essere messo in causa perché... essi sono perfettamente equilibrati. Ma non basta: afferma pure che in caso contrario, questo disequilibrio non sarebbe grave, poiché ciò che importa, secondo McDonald's, non è l'equilibrio di ciascuno degli alimenti del pasto, ma quello a lungo termine:

l'equilibrio non è importante ad ogni pasto, ma, al contrario, è fondamentale nella giornata, o meglio, nella settimana [...] allora, quando venite da McDonald's, giocate sulla diversità e variate i piaceri.

Campagna di comunicazione McDonald's

McDonald's ci insegna così che il prodotto non è colpevole. Ognuno è «libero» di comporre il proprio pasto, ognuno è responsabile di alimentarsi bene o male. La perversione è propria di individui mal consigliati o indisciplinati: «*Una buona dieta si basa su un'alimentazione varia e deve essere accompagnata da esercizio fisico. Ora tocca a voi equilibrare la vostra alimentazione*».

Ci si scarica così con straordinaria abilità di tutte le responsabilità, appellandosi all'ideologia dei diritti dell'uomo. Che pericolosi liberticidi siete, voi che pretendete che l'individuo mangi seguendo dei codici! Questo trasferimento di responsabilità evoca il tipo d'argomento utilizzato dall'industria pornografica o da quella degli armamenti: non sono le immagini che sono oscene, ma lo sguardo di certi spettatori, non sono le armi ad essere pericolose, ma alcuni loro utilizzatori, non sono i prodotti che sono malsani, ma il comportamento di alcuni clienti. Da buon principe, McDonald's accetta tuttavia di insegnarci a mangiare bene: «*per nutrirsi bene*», basta «*mangiare di tutto*», basta cioè mangiare tutti i prodotti McDonald's. Come non applaudire davanti a questa armonia naturale, costatando con sorpresa che l'interesse dietetico dell'uomo coincide perfettamente con l'interesse commerciale del marchio?

McAccusato

McDonald's, scegliendo di produrre industrialmente i pasti (come tanti altri) e rivendicando apertamente tale evoluzione, ha naturalmente catalizzato contro di sé tutte le angosce legate allo sviluppo della scienza e della tecnica. Il XX secolo si è parzialmente allontanato dalla fede incrollabile nei benefici del progresso scientifico, anche se molti confondono ancora il progresso tecnico con quello umano. Tutto ciò, nel campo dell'alimentazione, assume dimensioni particolari: l'uomo è da sempre convinto di diventare ciò che mangia, il suo consumo infatti permette che il cibo superi la barriera tra l'esterno e l'interno del nostro corpo, trasformando in «me» ciò che è «altro». La paura di una contaminazione, prima di essere batteriologica, è di ordine ontologico, l'uomo, infatti, teme di essere snaturato alimentandosi male. Da più di vent'anni McDonald's riceve una serie di accuse incomprensibili al di fuori di questo contesto generale; esso rappresenta infatti per gli uomini, in quanto laboratorio dell'alimentazione, un formidabile laboratorio del futuro. Distingueremo le dicerie e le campagne che hanno accompagnato la crescita della ditta. Una diceria partita da Atlanta (Stati Uniti) nel 1976, e ancora presente in Francia nel 1996, sosteneva che McDonald's producesse la propria carne con larve e vermi bianchi: naturalmente, gli effetti sulle vendite furono disastrosi. Tali dicerie devono però essere distinte dalle campagne lanciate da alcuni gruppi, ispirati tanto da forze progressiste (negli Stati Uniti), quanto da correnti di estrema destra, in particolare da gruppi neonazisti (in Europa). Una parte della stampa americana nel 1984 ha accusato McDonald's di avvelenare il paese con cibo troppo ricco di grassi; la stessa campagna è stata ripresa in Gran Bretagna da militanti del gruppo London Greenpeace (il quale non ha alcun rapporto con l'associazione che porta lo stesso nome), che all'inizio degli anni Ottanta pubblicarono un trattato nel quale McDonald's era accusato di distruggere le foreste dell'America Centrale per farvi pascolare i bovini utilizzati per la produzione di hamburger, di promuovere cibo che poteva provocare il cancro, di sfruttare i bambini e di essere «crudele» verso gli animali.

Nel 1990 la corporazione americana, seguita dalla sua filiale britannica, minaccia di denunciare il gruppo. Tre attivisti decidono allora di rivolgere le proprie scuse, ma Morris e Steel, che si dichiarano «ambientalisti estremisti», decidono di tenere testa a McDonald's e in pochi mesi ciò che ormai viene chiamato il processo McDonald's sembra trasformarsi in un vero disastro pubblicitario per la compagnia, che conta più di 14.000 filiali nel mondo e raggiunge un volume d'affari globale di quasi 24 miliardi di dollari [...]. Un giorno, l'esperto di oncologia di McDonald's, il dott. Sydney Amott, ha riconosciuto la fondatezza di una delle critiche contenute nel trattato: «Una dieta composta da molti grassi, da zuccheri, da sale e da prodotti animali e povera di vitamine e sali minerali può essere legata all'insorgenza del cancro. Se il trattato è destinato al pubblico, allora è una constatazione ragionevole», ha commentato. Un altro giorno, si è saputo che un ex procuratore del Texas aveva direttamente criticato McDonald's per una campagna pubblicitaria nella quale si affermava che il proprio cibo era «nutriente». Il giudice che si occupava del dossier ha scoperto inoltre che un rappresentante di McDonald's aveva assicurato ai propri clienti giapponesi che «mangiare hamburger avrebbe permesso loro di diventare alti, biondi e bianchi»[2].

McDonald's ha reagito fornendo ai suoi clienti un'analisi nutrizionale dei suoi prodotti e lanciando prodotti più leggeri, ma anche intentando procedimenti giudiziari contro i propri detrattori. L'Europa è stata colpita soprattutto dall'opera del giornalista tedesco Günter Wallraff che in *Faccia da turco* descrive le condizioni di lavoro inumane, la scarsa igiene e la pessima qualità dei prodotti di un McDonald's di Amburgo:

Non per nulla tutto ha lo stesso gusto... ascoltiamo ciò che dice l'Unione dei consumatori di Amburgo a proposito dei prodotti McDonald's: «il loro gusto proviene dai numerosi aromi artificiali che vi si trovano. Per conservare le bevande più a lungo possibile, vengono aggiunti conservanti di ogni sorta». Un milk shake contiene il 22% di zucchero, cioè l'equivalente di 16 zollette, da 40 a 45 grammi di zucchero. Si frulla il tutto per renderlo bevibile. Secondo Edmond Brandt, specialista dell'industria della carne [...] è necessario sottoporre la carne ad un trattamento speciale, a base di «sale di proteine liquide». «Se la carne è troppo fresca – dice Brandt – è troppo acquosa per poter essere utilizzata nella produzione di hamburger. Se è troppo vecchia, perde il colore. Si prendono quindi dei cubetti di ghiaccio e li si getta nel tritatutto perché la carne riacquisti il suo colore rossastro»[3].

La filiale tedesca avrebbe inizialmente intentato un processo all'autore del libro, ma la denuncia è poi stata ritirata per timore di conseguenze giudiziarie – un centinaio di ex dipendenti si dicevano pronti a testimoniare in favore del giornalista – o per timore di un contraccolpo commerciale molto più rilevante. Il libro del reporter tedesco curiosamente non ha trovato nessun editore negli Stati Uniti.

[2] G. ROUSTANG (e altri), *Vers un nouveau contrat social*, Desclée de Brouwer, Parigi 1996, p. 147.
[3] G. WALLRAFF, *op. cit.*, p. 65.

McDifesa

Molti, fra coloro che ci criticano, sono veri esperti della politica dello struzzo. Non si curano di conoscere la verità, non andranno mai a guardare dietro le quinte di McDonald's. Colui che non si premura di verificare non può che cercare la verità alla cieca.

Pubblicità McDonald's

McDonald's gioca la carta della sicurezza alimentare per placare le angosce nutrizionali tradizionali. L'uomo occidentale è passato dal timore della mancanza alla paura dell'eccesso e per la prima volta nella storia, mangia tanto da saziarsi e dispone anche di cibo in più, tanto che è costretto a ridurre la produzione e il consumo. L'America, ansiosa e colpevolizzata, ha ricreato un nuovo sistema centrato su queste immagini di abbondanza; ha inoltre inventato nuovi tabù a base di prescrizioni pseudoscientifiche. Questa deriva tecnoscientifica non è forse un modo di gestire un'alimentazione sfrenata? McDonald's fornisce una soluzione «tecnica» ad un'angoscia filosofica, poiché se l'uomo è ciò che mangia, vale la pena occuparsi della qualità dei suoi pasti. Questo spostamento dal terreno culturale a quello scientifico-tecnico risolve il problema della sicurezza ed è una soluzione «moderna», quindi «semplice» e «diretta», che mira a sostituire la tecnologia all'uomo (necessariamente imperfetto). L'alimento McDonald's consola il mangiatore, perché la tecnoscienza costituisce una risposta obiettiva e immediata alle sue angosce, paragonabile ai fai-da-te mistico-esoterici che si diffondono a causa del declino dei sistemi religiosi monoteisti e alla crisi dei grandi sistemi ideologici utopistici. Questa «tecnica» funziona secondo una logica di immagini paterne, censura il desiderio del mangiatore e ne standardizza il comportamento, imponendo però nuove regole non meno costrittive. La tecnica prende il posto della cultura come figura nuova di una castrazione simbolica, creando così le condizioni di funzionamento del prodotto alimentare secondo una logica di immagini materne. Il mangiatore potrà allora accoppiarsi con il suo alimento nel quadro di una regressione libidinale.

2. McDonald's o la manipolazione del corpo libidinale

Il prodotto McDonald's è destinato ad essere commercializzato ovunque. Questo prodotto universale è, data la sua uniformità, un prodotto disponibile, che non possiede alcun contenuto culturale proprio e può quindi assumerne molti. Nessun prodotto può infatti esistere senza investimento psichico, poiché l'uomo è sempre posseduto dai valori dei propri oggetti. Non si mangiano ad esempio crêpes senza ricordarsi della propria infanzia. Il prodotto McDonald's funzionerà quindi come supporto di investimenti emozionali. Perché infatti mangiare un prodotto che non ci parla? La sua commercializzazione ci apparirà presto molto povera, a meno che non ci accontentiamo di un'alimentazione puramente corroborante. I nostri cosmonauti non hanno apprezzato il cibo in pillole e l'aeronautica spaziale ha dovuto rivolgersi ai migliori chef per cercare di risollevare loro il morale. La dimensione emotiva del prodotto corrisponde al suo modo di rispondere ai desideri del corpo libidinale, risultato dell'investimento psichico del corpo somatico. Il passaggio verso il corpo desiderante del mangiatore è a volte un percorso seminato di ostacoli. Non sempre si sa chi è il vero soggetto in gioco («Dimmi ciò che ti farebbe piacere», «Non so che cosa ho voglia di mangiare»). Ecco perché molto spesso si ricorre alle stesse chiavi (gli alimenti dolci, ad esempio) per «fare piacere», all'immagine della madre che concede la caramella della sera perché il corpo desiderante ha le sue ragioni, che il corpo biologico ignora. McDonald's «cavalca» alcune immagini psichiche che accompagnano la modernizzazione. Questo prodotto universale deve rivolgersi agli individui al di qua di ciò che li distingue, ma essendo infraculturale non può coinvolgerli se non evocando un'esperienza che sia loro comune. McDonald's risolve il dilemma mobilitando alternativamente una simbologia femminile o materna.

McDonna

L'amore è come un BigMac: i due corpi, agitati da un movimento armonioso, si fanno carne. Il delizioso panino allaccia il corpo in un abbraccio pieno di tenerezza. I baci sono come una goccia umida di salsa tartara. I cuori amanti si consumano come cipolle. La speranza, ancora giovane, rinverdisce, come l'insalata. E non si vorrebbe mai smettere di gustare il formaggio e i cetriolini.

Quarterao, giornale di McDonald's a Rio De Janeiro

Il prodotto McDonald's funziona secondo una logica di immagini femminili e si offre anche come sostituto materno, soddisfacendo in ognuno il bisogno di protezione. In questo settore McDonald's beneficia di un'ancestrale predisposizione umana, legata al bisogno che ha il bambino di calmare le proprie angosce succhiandosi il pollice o quello dell'adulto di portarsi qualcosa alla bocca (sigaretta, caramelle...). McDonald's sfrutta sistematicamente questa funzionalità psichica dell'alimentazione, strumentalizzandola per ricavarne benefici secondari. Forniremo due esempi. Il logo ufficiale di McDonald's, composto da un doppio arco, esprime molto bene il sentimento di consolazione, formando due zone protettive, in rilievo. Le curve rafforzano allo stesso modo l'evocazione di questa femminilità. Anche l'hamburger costituisce in sé un sostituto del seno, sia per la forma, il colore, la consistenza, sia perché viene mangiato direttamente con le mani e lo si porta alla bocca. Viviane Bruillon e Marc Majeste hanno dimostrato come il seno sia presente in ogni discorso in quanto segno insuperabile dell'Oggetto primordiale al quale ognuno si riferisce, poiché esprime le funzioni dell'allattamento e della sessualità, ma queste funzioni fisiologiche non smettono d'incontrare il corpo sessuato attraversato dal desiderio. McDonald's fa leva quindi su queste immagini usuali, giocando sui loro significati. L'alimentazione è legata allo stadio orale, poiché coinvolge l'eccitazione della bocca e delle labbra. Lo scopo di questa pulsione è l'incorporazione attraverso lo stabilirsi di una certa relazione con l'oggetto:

La bocca è la cavità atta all'alimentazione. Quest'organo riceve piacere su di sé (da qui la definizione di autoerotismo). Ciò che la bocca assorbe calma un bisogno [...]. Durante l'allattamento, il bambino introduce in sé non solo il nutrimento proveniente dalla madre, ma gli odori, il calore, la tonalità della voce [...]. Il seno materno è percepito sia come oggetto benefico perché dispensatore di nutrimento e, come tale, incorporato come entità positiva, sia come oggetto cattivo, perché rifiutando la soddisfazione [...] la separazione (dalla madre) diventa inevitabile nel periodo della dentizione, quando il cibo non è più solo succhiato, ma anche masticato. È il momento in cui avviene la separazione dell'Io e del non Io[4].

Uno spot pubblicitario del gennaio 1997 mostra una bambina in compagnia di suo fratello maggiore, in casa. Quest'ultimo approfitta dell'assenza dei genitori per far entrare la sua fidanzatina, con la ferma intenzione di chiudersi con lei in camera sua. La piccola naturalmente protesta, non vuole essere abbandonata, lasciata sola, e minaccia di dire tutto ai genitori. La tensione sale. Si sbraneranno per una donna (come succede in *Questo oscuro oggetto del desiderio*), e come accade ovunque nel mondo? La dolce fidanzata interrompe fortunatamente il conflitto familiare (umano), regalando alla sorellina un sacchetto McDonald's. Il miracolo avviene sotto i nostri occhi: la piccola si addolcisce e dichiara che non dirà nulla. L'Happy Meal fa tacere la seccatrice e riconcilia i fratelli. Da quel momento, ognuno di loro vive la propria libido liberamente, il fratello maggiore con la sua fidanzata, la sorellina con il proprio hamburger, autentico sostituto del legame umano, autentico oggetto consolatorio. Il McSitter è introdotto come complemento orale della TV-Sitter.

Lo stadio orale si suddivide in due generi ben distinti: la suzione corrisponde ad uno stadio precoce legato all'ideale di fusione, il morso evoca uno stadio più avanzato nello sviluppo biologico e psichico. Il mangiatore adulto commette così un atto aggressivo e violento perché morde ciò che mangia, mastica i pezzi, strappa con i denti... L'hamburger, invece, blocca la sua crescita, perché appartiene (per le sue caratteristiche fisiche) al

<hr>

[4] L. ROCHE, *Psychanalyse, sexualité et management*, L'Harmattan, Parigi 1995, p. 93.

cosiddetto «baby-food». Questa forma di alimentazione è concepita per impedire l'espressione di qualsiasi forma di aggressività, ma questa censura si rivela pericolosa perché l'incapacità di distruggere equivale a quella di amare. L'amore e l'odio costituiscono una stessa problematica psichica. La diffusione del «baby food» corrisponde alla crescente incapacità di scegliere fra «amare» e «odiare», cioè di scegliere tra diversi sistemi culinari o tra alimenti resi indistinguibili.

McDonald's utilizza abbondantemente la pubblicità televisiva per influire sulle rappresentazioni dei suoi (futuri) clienti.

Presenteremo, di seguito, la lettura di alcuni spot pubblicitari, raccolta presso un pubblico molto differenziato, pur non pretendendo di essere esaustivi nell'interpretazione, poiché intendiamo semplicemente rendere conto di una possibile percezione presso un pubblico più o meno esperto di semiologia[5].

La pubblicità del McTimber manipola una tematica femminile, utilizzando una tecnica classica che consiste nel personificare un prodotto o una marca attraverso un «eroe», per infondergli più calore, più umanità. La pubblicità presenta Jerry Timber scavatore di gallerie nel West americano. L'eroe è un costruttore moderno, perché vorrebbe realizzare un tunnel che colleghi l'America all'Australia: «Avrò davvero bisogno di McTimber. Il formaggio è importante, nel mio mestiere!». Appare poi uno slogan sullo schermo: «Arriva l'inverno! Da McDonald's ritorna McTimber (eterno ritorno delle stagioni) con i suoi famosi formaggi fusi» Il messaggio implica più livelli di lettura: la prima interpretazione viene fornita da Matilde (9 anni): Jerry Timber è un costruttore di tunnel e compie un lavoro erculeo, che necessita di una forza fuori del comune, ha quindi bisogno di un'alimentazione da super eroe. Il McTimber e il suo formaggio fuso (il forte e il debole, composizione di contrari) costituiscono un alimento da «superuomini», quel

---

[5] I testi delle varie pubblicità McDonald's sono forniti a titolo indicativo, poiché non è stato possibile accedere ai documenti ufficiali. Sono stati trascritti dai miei studenti, con l'intento di cogliere la percezione che possono riceverne i telespettatori.

panino è la «pozione magica» degli eroi moderni. I prodotti McDonald's rispondono quindi a tutti i bisogni nutritivi e sono completamente sani. La pubblicità ne fornisce una prova, mettendo in evidenza la velocità con la quale Jerry Timber porta a termine un duro lavoro. La rapidità di esecuzione è sempre un tema centrale nell'ideologia McDonald's. Un secondo livello di lettura ci è stato fornito da un gruppo di studenti di un Master in Gestione Alberghiera, e considera direttamente il «buco» scavato nella terra, inquadrato fin dalla prima immagine, una sorta di tana (tematica del nido protettore, ma anche del radicamento), che diventa un vero e proprio tunnel (emblema della comunicazione) che sbuca in Australia, cioè dall'altra parte del pianeta (un altro paese nuovo, ma alla fine, un solo mondo). Lo spot mostra ciò che c'è di comune nel pianeta (la natura in opposizione alla cultura), e tra gli uomini (i loro bisogni primari, come la fame e la sessualità). Il messaggio è chiaro: rimanendo in contatto con la natura, si è in relazione con i bisogni fondamentali dell'uomo. Troviamo qui l'idea che l'hamburger sia ad un tempo un prodotto omogeneo (lo stesso per tutti), destinato principalmente a nutrire (regressione biologica), ma anche a procurare piacere (regressione verso il corpo libidinale). McDonald's deve quindi porsi al disotto della cultura per superare tutte le culture. Tutta l'azione si struttura dunque intorno al buco scavato per terra (nella Madre nutrice) ed è filmata dal basso con vista sull'inguine dell'uomo vestito come un boscaiolo (tema della natura selvaggia e dei «bassi» istinti). Lo spot si conclude con una ripresa sull'uomo (sostituto del pene) che tiene in mano una zappa (sostituto del sostituto) verticalmente, di fronte all'entrata del buco (enorme vagina), pronto a deflorarlo, a penetrarlo e a passare dall'altra parte (tema della neutralizzazione).

McMaterno

McDonald's fa anche ricorso ad una logica legata ad immagini materne. Tutti i personaggi «deboli» del suo scenario sono circondati da personaggi molto più forti, come ad esempio il manager nei confronti dei crew o Ronald nei confronti dei propri clienti. Il bisogno di protezione rimanda incontestabilmente ad una simbologia materna: nessuno infatti protegge quanto una madre. Questa rappresentazione influisce fortemente sul modo di concepire e di vivere l'alimentazione. McDonald's oppone le immagini di un'alimentazione «colta» ma sobria e bacchettona a quelle di un'alimentazione «selvaggia», ma libera e festante e presenta alcune figure di abolizione della legge del Padre, togliendo così i grandi divieti tradizionali dell'alimentazione occidentale: si può mangiare liberamente, con le mani, in piedi, non importa in che ordine, facendo rumore, rimpinzandosi... McDonald's fa così di ogni mangiatore un figlio della Madre, poco attenta ed esigente sul modo di stare a tavola, ma desiderosa di piacere ai propri figli. Il mangiatore McDonaldizzato regredisce al di qua di un certo numero di figure culturali, ha con il prodotto una relazione materna di tipo fusionale, laddove prima sviluppava una relazione paterna di tipo oggettuale. La funzione paterna è infatti il terzo elemento tra la madre e il bambino e, facendosi supporto del divieto d'incesto, fonda per il bambino la condizione della sua vita sociale (Monique Tricot, Marie Thèrese Fritz). Poco importa che la legge del Padre (l'arte di stare a tavola) fosse generalmente affidata alle donne. L'identificazione del gesto alimentare passava così per un (ri)conoscimento progressivo, si costruiva contro ciò che appariva, al contrario, come una relazione psicologica immediata. Questa fusione materna può essere indifferentemente proposta dai due sessi, si caratterizza prima di tutto attraverso l'incorporazione del soggetto e dell'oggetto, organizza un'esperienza di regressione verso un «io-tutto» che spiega come non sia sempre possibile determinare «chi mangia chi», «chi incorpora che cosa». Il mangiatore oscilla tradizionalmente tra il desiderio di incorporare l'oggetto (e i suoi «buoni» valori) e l'angoscia di essere digerito da lui (cioè dai suoi «cattivi» valori). In effetti, incorpora necessariamente con ogni alimento alcune sue caratteristiche immaginarie. Crea dell'io con del non io. Il mangiatore di hamburger si pensa «grasso» se considera il prodotto

86

malsano, e si crede un uomo «moderno» se associa il prodotto alla modernità. Questa confusione è evidente a Mosca o a Venissieux, nel momento in cui un adolescente pensa di appropriarsi del mito americano ingurgitando un McXimum. La fusione passa anche attraverso altri registri, poiché il cliente incorpora il prodotto attraverso la vista (hamburger), l'udito (i biscotti), l'odore (le patatine), il tatto, ecc. McDonald's sfrutta senza vergogna questa dimensione materna quando fa perdere il senso della realtà (sociale, culturale) e quando dà a ciascuno la possibilità di mangiare apparentemente gli stessi prodotti. L'individuo regredisce allora allo stato di essere biologico o psicologico e questo, senza considerare l'età, il sesso, la religione, la provenienza... McDonald's costituisce quindi un luogo di oblio, in cui si perdono i propri riferimenti, diventa uno spazio senza qualità, se non quella di postulare il diritto all'immediata felicità. Questo legame basato sulla mancata differenziazione crea certo uno stato di euforia.

L'impronta femminile del prodotto McDonald's non deve nulla al caso, visto che è sistematicamente sfruttata e portata in scena dalla pubblicità. Nello spot di McTimber, McDonald's punta all'immaginario sessuale con una scena finale che evoca la deflorazione (della terra, della madre), grazie allo zappatore (o al boscaiolo scavatore di tunnel), ma l'immagine (ri)prodotta non è tuttavia in nessun caso quella della «madre» reale, esprime non una relazione vissuta, ma una semplice pulsione del soggetto verso l'oggetto, crea un clima di protezione, di tenerezza attiva e attenta. Questa relazione materna è simile a quella che si stabilisce tra una «brava mamma» e suo figlio. L'uso della pubblicità non può che rinforzare la fusione dei bisogni e dei desideri del soggetto, perché fa leva in modo esplicito sull'aspetto dell'oralità.

McIntimo

L'impronta femminile del prodotto McDonald's coincide con una vera e propria neutralizzazione dei mangiatori. Il sistema

McDonald's non ammette infatti nessuna differenza, nessuno scarto rispetto alla norma, prende in considerazione solo i mangiatori di hamburger, davanti a lui non ci sono né uomini né donne, né giovani né anziani: tutti i clienti si equivalgono, nel momento in cui rifiutano le immagini paterne (che li differenziavano un tempo, perché portatrici di cultura). Siamo tutti fratelli in McDonald's, da quando Dimitri mangia le stesse cose che mangia Fabien. Questa neutralizzazione è la condizione dell'accoppiamento del mangiatore e del prodotto. Questo egualitarismo colpito da amnesia si offre anche come archetipo della felicità. L'uomo ritroverebbe così la sua metà (perduta) nel prodotto, si colloca bene all'interno di una relazione amorosa perché si sa, come insegna Platone, che essa si esplica nella ricerca della propria metà, dopo la divisione operata da Dio, di ogni essere umano. Il mangiatore moderno diventa di nuovo completo grazie all'accoppiamento mostruoso con McDonald's. Questa (re)incorporazione realizza (ciò che gli esperti di marketing chiamano) «il completamento di sé», cioè l'affermazione della propria identità, del proprio essere... Il «Prodotto» non è più solo liberatore (come Moulinex poteva esserlo per la donna degli anni Cinquanta), diventa con McDonald's letteralmente esistenziale. Si comprende meglio allora il nuovo slogan lanciato nel gennaio 1997: «McDonald's per gli intimi». Ci ricorda ad un tempo la nostra conoscenza del prodotto e la nostra possibilità di fonderci con lui. La bella infermiera di notte, la bella fidanzatina, sono lì semplicemente come rappresentazione del prodotto, ne sono la raffigurazione. L'Oggetto è altrove, nell'hamburger. L'intimità sfortunatamente non è più quella con la donna amante, ma quella con l'hamburger.

4. *La salsa McDonald's*

Il «sistema» McDonald's è universale per potersi imporre a tutti gli uomini. L'universalità del prodotto lo rende molto simile ai suoi concorrenti (Quick, Burger King, ecc.); per distinguersi deve quindi inventare qualcos'altro. I cuochi sanno da sempre variare le salse, per servire lo stesso piatto. Le salse possono essere alimentari o semiologiche. Il prodotto McDonald's non esiste senza questa dimensione di marketing ed è infatti divenuto il decimo sponsor mondiale, con più di 5 miliardi di franchi di budget annuale. Le campagne pubblicitarie, condotte in 16 paesi contemporaneamente, hanno due obiettivi distinti: vendere il prodotto e diffondere l'immagine del marchio.

1. Il marketing del prodotto secondo McDonald's

> *Il nostro scopo: soddisfare al 100% i nostri clienti e fare di tutto per impressionarli.*
>
> Massima McDonald's

Il marketing del prodotto è divenuto una dimensione essenziale della vita delle imprese. McDonald's possiede naturalmente il suo dipartimento marketing, ma lavora anche con agenzie di pubblicità specializzate nella concezione dell'immagine dei prodotti, incaricate di studiare la loro collocazione, il loro nome, insomma responsabili di tutta la creazione pubblicitaria (attraverso i media e sul luogo di vendita). Questo marketing ha un unico obiettivo: indurre il desiderio di andare o tornare da McDonald's:

> Un prodotto è come un essere umano: bisogna dargli vita e dotarlo di una personalità coerente e attraente [...]. I prodotti devono rispondere ad una logica comprensibile da tutti i punti di vista: composizione, prezzo, nome, comunicazione attraverso media e sul luogo di vendita. È molto emozionante vedere le vendite reagire dopo il lancio delle insalate gourmands o di un McFarmer II.
>
> *Messages*, giornale di McDonald's-France, settembre 1995

Il marketing trasforma in maniera fondamentale la relazione del cliente con il prodotto. Organizzando lo spettacolo permanente della sua celebrazione, non rende il prodotto più «umano», ma reifica, al contrario, il consumatore. Il mangiatore vive ormai al ritmo dei prodotti, agisce «funzionalmente», cioè diviene la loro appendice, per essere digerito dalla macchina McDonald's. Il commercio degli uomini diviene allora un semplice sottoprodotto del commercio dei beni.

McVendita

Il «sistema» McDonald's mira a razionalizzare il comportamento del consumatore, per fare in modo che i clienti ordinino di più, mangino più in fretta ed escano velocemente dal ristorante. La razionalizzazione, certo, è discreta, ma non meno efficace e si manifesta ad esempio nel suolo segnato da linee dipinte per orientare il cliente, nella scelta di sedie scomode, ecc. Studenti abituati a frequentare i locali McDonald's hanno immediatamente notato alcuni elementi avvertiti manifestamente come inibitori del desiderio di fermarsi a lungo: il divieto assoluto di fumare, il mobilio scomodo, rumori di sottofondo, l'assenza d'intimità, le luci troppo forti e bianche, la freddezza dell'ambiente, il fatto che i dipendenti tolgano i vassoi non appena il pasto è terminato, il personale che pulisce tra le gambe dei clienti...

La costruzione di un ristorante obbedisce ad una strategia di marketing. La sua struttura architettonica è concepita per dare un'immagine positiva del prodotto, giocando sulle forme, le materie, i colori, l'atmosfera. Il marchio si riconosce molto facilmente grazie all'insegna, ma anche grazie all'uso dei colori standard: il rosso evoca la passione, il dinamismo, il sesso, la carne. Il giallo l'azione, l'intelligenza, l'espansività, il sole, l'oro. Il doppio arco ostenta forme eccessivamente semplici, pure e consolanti; esso evoca per alcuni un disegno infantile, per altri dei seni. Attraverso le sue rotondità, esso gioca sul tema della protezione, ma anche dell'«onnipotenza», è il segno di un «luogo» protetto e protettore. Questa architettura epurata vuole essere nello stesso tempo ipermoderna e vuole trasmettere un senso di pulizia e di rispetto dell'ambiente. Il legno dell'arredamento interno ed esterno e le piante verdi danno la sensazione di vita e di calore. Gli elementi d'arredo sono per la maggior parte in alluminio per ragioni di costo e di mantenimento e danno una sensazione di freddezza poco propizia agli acquisti, per questo sono molto nascosti. Le vaste vetrate permettono di risparmiare energia e soprattutto sono lì a dimostrare che McDonald's non ha nulla da nascondere. Il prato esterno, quando c'è, fa riferimento alla freschezza dei prodotti. L'arredamento interno sembra concepito per procurare una sensazione di intimità, con piccoli tavoli (quadrati o rotondi), ecc. I posti a sedere sono, a detta di tutti, piuttosto scomodi e sembrano destinati a dissuadere il cliente che vuole restare a lungo. La forte intensità della luce e la pessima insonorizzazione dei locali sembrano avere lo stesso scopo. Il rumore diffuso, caratteristico, è accresciuto dal massiccio impiego dell'alluminio e dalle superfici piastrellate. Gli arredi interni sono spesso fissati al pavimento. Le iniziative personali (spostamento dei tavoli, ecc.) potrebbero infatti «falsare» la funzionalità del dispositivo di turn-over, che deve essere molto alto, perché la percentuale di seconde ordinazioni è molto bassa. Le cucine sono organizzate in modo da creare una falsa trasparenza, dando un senso di sicurezza, di franchezza assoluta perché «si vede tutto». Questa sapiente messa in scena nasconde però il lavoro del personale, pur creando l'illusione di mostrarlo: il cliente infatti vede veramente le persone al lavoro, ma di fatto riesce a focalizzare solo le teste, non vede né i prodotti in fase di preparazione, né le mani che si bruciano con l'olio... McDonald's mostra solo ciò che è commercialmente efficace, come la pulizia della sala o il sistema di ordinazione veloce.

McPubblicità

La pubblicità sui luoghi di vendita si rivela molto efficace. Essa comprende l'affissione esterna, che riprende gli spot televisivi e i pannelli di presentazione dei diversi prodotti situati al di sopra delle casse, scritti con caratteri sufficientemente piccoli per costringere il cliente ad avvicinarsi per essere immediatamente interpellato da una hostess; tutto ciò avviene in modo standard, a partire dal terzo cliente della fila.

McCliente

La graziosa hostess che vi accoglie con una frase eccessivamente gentile «Signore, avete scelto?» non è sensibile al vostro fascino, semplicemente recita la sua lezione. La prima tappa della raccolta delle ordinazioni, descritta nel regolamento, le prescrive di sorridervi, di accogliervi con voce gradevole e di guardarvi dritto negli occhi. La stessa hostess, sempre affascinante, cerca di incrementare la vostra spesa iniziale, utilizzando alcune tecniche sapientemente apprese, come quella della vendita «suggestiva» o della vendita «aumentata». La vendita «suggestiva» consiste nel proporvi un prodotto complementare adatto alla vostra ordinazione: l'hostess vi domanderà se non avete dimenticato le patatine o se non vi farebbe piacere una coca cola. Il regolamento raccomanda naturalmente che non diventi semplice automatismo, ma una questione di buon senso e vieta allo stesso modo di effettuare più di una vendita suggestiva per ogni cliente o con i bambini. La vendita «aumentata» consiste nel cercare di vendere un prodotto dello stesso tipo ma di categoria superiore. L'hostess propone così un menu completo per bambini o una porzione di patatine grandi al posto della piccola ordinata. L'offerta iniziale è sempre orientata perché viene proposta oralmente solo la scelta tra una porzione media o grande, senza nominare il formato piccolo. L'hostess non rischia neppure di dimenticare questa vendita «forzata», poiché la proposta appare sullo schermo del registratore di cassa. Sempre sorridente, vi ringrazierà poi con lo stesso tono educato e sincero, consegnandovi il foglio delle ordinazioni da consegnare alla cassa. Conformemente al regolamento, non dimentica neppure di augurarvi buon appetito.

McMangiatore

Gli esperti ritengono che l'uomo sia ancora troppo tradizionalista per soddisfarsi con un'alimentazione completamente robotizzata: egli vuole ancora partecipare all'elaborazione del suo pasto, per appropriarsene davvero. Il sistema McDonald's lascia quindi una ragionevole parte d'iniziativa al cliente, che deve servirsi da solo ai distributori di cannucce e tovaglioli, partecipando così all'organizzazione del proprio pasto. Questi gesti residuali introducono un *Ersatz* (surrogato, sostituto) di umanità in un'attività che altrimenti sarebbe troppo standardizzata per essere soddisfacente: il cliente stesso, quindi, umanizza il proprio pasto. Questo artificio fa parte integrante del prodotto McDonald's, ed è per questo che viene mantenuto, nonostante lo spreco che provoca: i più «giovani» attingono abbondantemente ai tovaglioli, ma soprattutto alle cannucce, sotto lo sguardo comprensivo dei manager, hanno così la sensazione di averne abbastanza, per i soldi che hanno speso e in questo modo reintroducono un elemento irrazionale (molto controllato) in un sistema troppo razionale. Il menu «bambino» possiede un impatto visivo particolarmente forte. Il regalo è spesso una statuetta che rappresenta un personaggio in voga al momento. La scelta di un giocattolo che induce all'acquisto è particolarmente giudiziosa: il bambino ha la sensazione di fare come il suo eroe, comprando un hamburger, e proietta su McDonald's la stessa «buona» immagine di cui già gode Topolino o qualsiasi altro personaggio Disney; ogni cliente diventa così un agente di commercio. Lo scambio di giocattoli è uno dei modi per far parlare gratuitamente del marchio. La presentazione dei prodotti è infine realizzata anche con l'esposizione di set di vassoi (insalate, dessert, merende).

2. Il marketing immagine secondo McDonald's

> *Vi è così tanta grazia nella linea slanciata di un panino con l'hamburger! Bisogna però essere in uno stato d'animo particolare per accorgersene.*
>
> Ray Kroc, fondatore di McDonald's

Il prodotto McDonald's è «neutro» in ragione della sua infraculturalità e questo suo carattere costituisce paradossalmente un asso nella manica, che gli permette di essere caricato di valori emozionali, fino a diventare un sostituto generale della «felicità».

McPsicologico

L'alimentazione tradizionale poteva essere concepita senza nessun marketing. La *choucroute* non si è forse imposta a livello regionale e poi nazionale senza l'intervento di marketing, senza investimenti pubblicitari? Come immaginare invece il successo mondiale dell'hamburger senza una gigantesca impalcatura commerciale? Il marketing universale si rivolge naturalmente a individui generici, senza nessuna appartenenza e li fa regredire ad uno stadio puramente psicologico, nel quale ognuno si ritrova «libero» di «scegliere» tra prodotti resi indifferenti. Perché scegliere un ristorante piuttosto che un altro, se propongono gli stessi piatti? Perché mangiare un piatto piuttosto che un altro, se nulla li distingue più? Il mangiatore McDonaldizzato cade così in una vera e propria apatia esitando crudelmente tra un McTimber e un McXimum, rischiando persino di cadere da un momento all'altro in una fatale depressione, come l'asino di Buridano, che esitò tra un sacco e l'altro, fino a morire; a meno che naturalmente non sia schiacciato da un narcisismo segnato di fatto da un rigido conformismo, che lo indurrà a preferire quel tale prodotto o quella marca («Viva il Mc-Timber!», «Abbasso Quick!», ecc.). Il marketing immagine consiste infatti nel cancellare il prodotto dietro una moltitudine di segni. Il cliente è afferrato, digerito da un dispositivo fatto di colori, di grafismi, di musiche, di parole, compra un Happy Meal per essere felice, mangia un McTimber per identificarsi con il suo eroe, grande consumatore di hamburger. La scomparsa del prodotto è il cuore della strategia di comunicazione di McDonald's. La presenza minima dell'Oggetto genera di fatto la massima efficacia. Questo vuoto crea lo spazio necessario al lavoro dell'immaginario, che può collocarvi tutti i suoi desideri. L'uomo non deve venire da McDonald's per caso, e neppure per necessità, ma per amore:

Il marketing deve operare in base alle attese dei consumatori, consolidando l'immagine di McDonald's. Noi le identifichiamo grazie a studi di mercato mirati alla nostra clientela specifica (le donne per il lancio delle insalate gourmand, i quindici-venticinquenni, grandi frequentatori di McDonald's per la politica 4th flavour). Sviluppiamo poi concetti adeguati che verifichiamo in base ai nostri bersagli sia a livello di gusto (studi organolettici realizzati presso McDonald's) sia a livello dei componenti del prodotto (gruppi di consumatori che discutono delle diverse componenti del prodotto).

Messages, giornale di McDonald's-France, settembre 1995

Il «sistema» McDonald's costituisce un'impresa di limatura delle asperità umane, che assume la forma della generalizzazione di un mercato in cui il soggetto non è più pensato in termini culturali, sociologici o storici, ma solo in termini psicologici. La psicologia è infatti ciò che resta all'individuo quando lo si è spogliato di tutto. Una simile regressione è resa possibile dalla povertà simbolica del prodotto: si faccia attenzione in effetti a non confondere il segno e il simbolo. Il pensiero simbolico non mira a chiudere il reale in una rappresentazione data, ma pone l'esistenza necessaria di un resto, di una mancanza, di un difetto che vuole precisamente mostrare. Il segno, al contrario, vuole contenere la realtà, eliminando ogni difetto, ogni mancanza. La povertà simbolica di McDonald's permette di sovraccaricare il prodotto dei più svariati segni e ciò implica che esso abbia un'«anima» a geometria variabile. L'azienda procede ad un'autentica strumentalizzazione dei valori, mettendo così in scena lo spettacolo ostentato della generosità, dell'amore, della modernità, ecc. McDonald's deve obbligatoriamente gestire questo capitale simbolico, garante del suo capitale di simpatia, perché solo a prezzo di questo utilitarismo estremo, esso vende una superlativa immagine di sé, che lo sorpassa e lo sovradetermina, ed è per questo motivo che il mangiatore di hamburger percepisce se stesso in una relazione di non distinzione con l'Oggetto, dovendo aderire al senso, o più esattamente al significato preciso che gli è stato affidato. Lo spot pubblicitario dei Chicken Wings è a questo proposito davvero esemplare: la scena si svolge negli Stati Uniti, all'interno della comunità nera. Il prodotto è rivolto a tutti, qualunque sia l'età, il sesso e il colore della pelle. I clienti mangiano insieme, in un piatto unico, segno di semplicità, di verità, e non hanno piatti né tovaglioli, segno della violazione dei divieti classici. Mangiano quindi con le mani, autentico indice di convivialità estrema, testimonianza quindi della libertà McDonald's e della sua modernità: «Si mangia quando si vuole e come si vuole». Essi esibiscono una «buona» dimensione selvaggia e si oppongono all'uomo bianco, (troppo) acculturato. La comunità nera (scelta probabilmente per la sua proverbiale propensione a festeggiare) esprime ad un tempo la forza fisica e morale (l'unione di tutti fa la forza), la lotta per la vita (la scena è ambientata nella regione in cui nacque il KKK) e una storia culturale importante, come testimonia il piatto unico e la musica. La scena esprime un certo esotismo, che provoca un sentimento di diversità, e quindi di umanità. McDonald's si appropria così di una memoria particolare, in questo modo dà un'origine e una legittimità al suo nuovo prodotto. Lo spot è accompagnato da una musica coinvolgente, le immagini si susseguono in modo molto ritmato, con molte inquadrature rapide, a ricordare che la modernità è ribollente e dinamica. Un primo piano spezza il ritmo (la Storia con la S maiuscola), per mostrare il famoso piatto unico (senza dubbio rivoluzionario), vuotato molto rapidamente, tanto che un chitarrista arriva troppo tardi. La scena insiste sulla qualità del prodotto (palesemente buono), sul suo carattere effimero (dura davvero poco) e quindi sulla sua rarità (non ne rimane già più). Il messaggio è esplicito: dovete sbrigarvi, perché viviamo in un mondo senza pietà, e non ce n'è per tutti. Sullo schermo appare poi uno slogan: «ho fame, ne voglio, lo sogno», mettendo in evidenza il fatto che il prodotto si rivolge ai tre livelli di coscienza (conscio, preconscio, inconscio). Il telespettatore guarda infine il musicista andarsene tranquillamente per la sua strada, poiché sa (non è forse un uomo di comunicazione?) che dovunque andrà (universalità), troverà ciò che cerca, cioè un McDonald's (assenza di sorpresa). La sicura prevedibilità è una componente essenziale del sistema McDonald's: il prodotto rimane lo stesso, così come la sua distribuzione, identica da un giorno all'altro e da un capo all'altro del pianeta.

McUSA

La cucina servita in tutti i McDonald's sventola i colori del nuovo mondo, pur non essendo più americana di quanto non sia, ad esempio, portoghese. La vera cucina americana è troppo diversificata, per la disparità di risorse naturali e per la varietà di tradizioni culturali delle diverse minoranze del melting pot. Essa è caratterizzata dalla varietà dei suoi prodotti, dei procedimenti di preparazione e di consumo, ma anche dall'eterogeneità della sua simbologia alimentare. McDonald's condivide unicamente la sua venerazione per i dolci e per l'abbondanza delle porzioni, ma respinge il suo puritanesimo: i piaceri della buona tavola non sono mai troppo lontani, infatti, dai peccati della carne. Questa cucina priva di radici non è neppure occidentale, perché ne mina troppo le forme alimentari di base. Pur diffondendo una cucina totalmente nuova, McDonald's sfrutta un sistema di riferimenti simbolici e ideologici particolarmente redditizio perché condiviso ancora da un grande numero di persone. Fuori dagli Stati Uniti utilizza spregiudicatamente il mito americano nei suoi aspetti più logori, ma anche più efficaci. L'America McDonald's mobilita la mitologia del Far West con la conquista di territori vergini, rappresenta il paese della libera iniziativa, in cui ognuno può far fortuna partendo dal nulla. L'America appare così essere la nazione del «self made man» e dell'«American way of life», ma anche la nazione più forte economicamente e ideologicamente. Essa incarna ad un tempo la promessa di soddisfare il bisogno di sognare e quello di avere successo. L'America McDonald's è contemporaneamente un'utopia e una realtà. Questa mitologia è particolarmente strumentalizzata in alcuni spot; uno di essi, girato nel 1995 per il lancio di McWanted utilizza alcuni spezzoni di un film western in bianco e nero (desiderio di autenticità) con John Wayne (il mito dell'eroe) e un sergente (l'antieroe):

Il capo: «Che cosa hai mangiato? Tu mi nascondi qualcosa!».

Il sergente: «Ma no, ho mangiato solo un panino, capo, un McWanted!».

Il capo: «E perché non me ne hai portato uno? Vattene, egoista!».

Il sergente: «Avrei voluto, ma...».

Il capo: «È così, eh, avresti voluto, ma...».

Il sergente: «Oh, sono così buoni, capo!».

Il capo: «Basta così».

Il sergente: «Dentro ci sono la salsa barbecue e la pancetta grigliata!».

Il capo: «Allora, non perdiamo tempo e andiamoci subito!».

Lo spot termina con il seguente slogan: «Fino al 30 novembre, McWanted da McDonald's: ora o mai più». Il cortometraggio opera su diversi registri (onirico, simbolico, umoristico, ecc.), la scena presenta la doppia faccia di McDonald's, ad un tempo «pacificatore», poiché calma la furia del capo (McDonald's come portatore di pace nelle periferie), ma anche «energia vitale», visto che il supereroe trova la forza di combattere (McDonald's come alimentazione dei vincenti). Il prodotto è così buono che non gli si può e soprattutto non gli si vuole resistere (rifiuto di considerarlo un peccato di gola). Bisogna però sbrigarsi, perché tutti ne vogliono (parallelo con la conquista del West, durante la quale si combatteva per i più piccoli fazzoletti di terra, ma anche invocazione del mimetismo alimentare). Il prodotto è effimero (siamo tutti mortali), quindi non ce ne sarà per tutti (ma solo per i «coraggiosi»), John Wayne è sempre il più forte, è lui il capo, colui che sa e che comanda. Il nuovo hamburger gode quindi di un'identità molto forte e sotto questo aspetto è completamente americanizzato. La salsa barbecue e la pancetta fanno di questo panino l'alimento per eccellenza della conquista del West. I cartelloni pubblicitari del McWanted sfruttano sistematicamente tutti questi temi: sagome a grandezza naturale nei ristoranti creano un'atmosfera da saloon del Far West. La strumentalizzazione dei grandi miti dota ogni prodotto di una personalità propria. La loro mancanza d'identità viene così compensata da questa impresa di psicologizzazione:

Il McFarmer è il panino dei contadini del Middle West americano, il McTimber quello dei boscaioli americani, il McXimum mostra la dismisura americana. Le insalate gourmand [...] sono state concepite per veicolare novità, generosità, qualità e festosità.

Campagna di comunicazione McDonald's

Altri spot pubblicitari rafforzano la trasmissione di questa mitologia americana. Alcune scene ritraggono una famiglia tipica dell'«American Way of Life», negli anni Cinquanta (età dell'oro del mito americano, ma anche periodo in cui nacque McDonald's). Le immagini presentano moltissimi segni di ricchezza: le due famiglie (non siete i soli ad amare McDonald's) sono evidentemente benestanti (riuscita economica), possiedono entrambe un'automobile (è un McDrive), una cabriolet, simbolo non certo neutro (libertà e potenza). Ogni famiglia ha due figli (sono quindi famiglie veramente moderne), di sesso diverso (quindi McDonald's si rivolge a tutti). La famiglia ideale è ancora tradizionale. Ciascuno mangia la stessa cosa se tutti mangiano già McDonald's. La scena del picnic si svolge in un'atmosfera campestre: McDonald's non è quindi nemico della «natura» (mito dei grandi spazi, della conquista del West, picnic di famiglia). Naturalmente è presente anche il buon clown Ronald, per rendere visibile la felicità. Le due famiglie sono infatti piene di gioia di vivere (la felicità McDonald's), di salute (la qualità McDonald's), di verità (l'amore McDonald's). Ronald naturalmente non vende nessun prodotto, commercializza direttamente la «felicità» McDonald's, il «sogno» McDonald's. Il messaggio è chiaro: mangiare McDonald's permette ad ognuno (self made man) di «mangiare» il mito americano.

McCultura

La cultura McDonald's è la trasformazione in gadgets di determinati valori (coltiva ad esempio l'«ecologico», perché è più popolare e redditizio dell'«antiecologico»), ma supera la pura logica della seduzione commerciale. L'azienda crede nel contenuto dei suoi valori, ma anche nel suo diritto a trasmetterli. La McCultura costituisce quindi prima di tutto un'impresa di strumentalizzazione di ciò in cui crede, esprimendo il «vero» attraverso il «detto», ma anche attraverso il «non detto», pur funzionando come un semplice accessorio dei valori economici. Essa non crea un qualunque principio antinomico alla logica produttivistica, ma si pone in posizione di autentica controfigura della società. Il principio di identificazione si sposta dal politico (in crisi) verso l'economico (riabilitato), dalla città verso l'impresa. La creazione di norme etiche diventa perciò un aspetto che riguarda solamente l'impresa e attraverso questa autoistituzione, essa può legittimare ciò che esiste; essa mira tuttavia anche a correggere o piuttosto a regolare alcuni eccessi del suo sistema, proibendo al suo personale di utilizzare alcune tecniche di vendita nei confronti dei troppo giovani. La McCultura istituisce alcune figure moralizzatrici a partire da tre grandi logiche:

Logica della compensazione
La McCultura mobilita una figura classica dell'operare psichico che consiste, secondo Freud, nel dotarsi di una spiegazione coerente dal punto di vista logico o accettabile dal punto di vista morale. Questa «razionalizzazione» in McDonald's è abbastanza sistematica: viene detto ad esempio che la vera missione di McDonald's è di permettere ai dipendenti di muovere i primi passi (solamente) nella vita professionale, poiché si rivolge prima di tutto a giovani e a madri di famiglia.

Logica della polemica
La McCultura si costituisce anche attraverso molteplici figure polemiche perché il gruppo si sposta sistematicamente sugli stessi fronti dei suoi detrattori per rivolgere contro di essi le loro stesse armi, le loro stesse tesi: «McDonald's è sano», «McDonald's è pulito», ecc.

Logica del riciclaggio
La McCultura richiama infine una figura classica della storicità, facendo del «nuovo» con del «vecchio», cioè riciclando nella (post)modernità numerosi tratti ereditati dal passato. Un simile assemblaggio viene operato sia sui valori («il lavoro ben fatto», «l'amore per il lavoro») che sulle istituzioni (la famiglia, il paese, la comunità), privati del loro senso primario. La McCultura consiste nell'attribuire loro un nuovo significato, anche contraddittorio, ma sempre dietro ad un'apparente continuità: McDonald's sostiene sempre il proprio amore per l'infanzia, anche se la sua produzione infraculturale sfocia nel diniego di quest'ultima.
La McCultura vuole essere una reazione contro la degenerazione dei comportamenti (violenza urbana o familiare, disoccu-

pazione, ecc.). A questa generosità McDonald's, si potrebbe opporre una vera solidarietà, al sentimentalismo McDonald's la vera responsabilità, ma mancherebbe allora l'essenziale: la McCultura costituisce il marchio di una cultura moderna postoccidentale che sostituisce l'etica dell'efficienza a quella della responsabilità. La (pseudo) violazione dei tabù alimentari s'iscrive così nel movimento di distruzione dei sistemi di valori legato alla mondializzazione e alla globalizzazione. Questi controvalori divengono sistema nella misura in cui fanno vacillare i vecchi sistemi. La McCultura è quindi testimone dei grandi cambiamenti attuali (distruzione della famiglia, negazione dell'infanzia, minaccia ecologica, ecc.) e per questo mima continuamente un ritorno ai valori tradizionali, dotandoli di una superficie mediatica inedita ma priva di corrispondenza con il reale. La McCultura si appropria in modo spettacolare delle sei grandi istituzioni messe in pericolo dalla modernità: la famiglia, l'infanzia, il lavoro, la nutrizione, la politica, l'ecologia e si modella sulla base di grandi inchieste, come quella realizzata nel 1995 dalla SOFRES. Il risultato è drammatico: solo il 29% dei genitori si preoccupa di trasmettere i propri valori ai figli. La maggioranza ritiene che lo scopo di una «buona» educazione stia nel permettere ai bambini di scegliere in un vero e proprio «self service» di valori. È chiaro che McDonald's intende partecipare attivamente a questa edificazione.

McTv

Negli Stati Uniti McDonald's ha creato una sua emittente per diffondere la propria McCultura: MCN (McDonald's Communication Network) è un vero e proprio canale privato, criptato e a pagamento, che per ora trasmette due ore al giorno ed è diretto da proprio personale; diffonde programmi di formazione, ma anche notizie relative al marketing, alle campagne promozionali, messaggi della direzione, ecc. Sono già stati allestiti più di 3000 siti. L'obiettivo a breve termine è di migliorare la rete di comunicazione del marchio e di ridurre i costi e i tempi morti. Come non mirare a lungo termine ad una mondializzazione di questa esperienza e alla sua estensione ad altri tipi di pubblico? Non si comprende ciò che potrebbe trattenere McDonald's dall'approfittare di questo strumento per far condividere meglio la propria concezione del mondo a tutta la popolazione, quando le categorie classiche si confondono: il dipendente McDonald's non riunisce in sé le tre qualità di produttore, cliente e cittadino? Le prime esperienze mostrano la possibilità di trasmettere spettacoli e annunci pubblicitari a 15 milioni di persone.

3. McDonald's, molto più di un semplice ristorante

McDonald's non vuole più essere un semplice ristorante, ma un luogo dove la totalità del proprio essere biologico, sociale, edonista, culturale, psichico viene coinvolta. Esso però prende atto della perdita della sua capacità di essere un fatto sociale totale, non potendo essere che un fast food tra gli altri, cioè un luogo la cui unica pretesa è quella nutritiva, ed è quindi costretto ad inventarsi un'altra complessità, una nuova polivalenza che non può risultare dal solo gesto alimentare in sé, ma da un collage di funzioni autonome. La ricchezza alla quale il prodotto tradizionale rispondeva senza pensarci deve ora essere preceduta da riflessione, deve essere organizzata e costruita. L'alimentazione modernizzata passa da una multifunzionalità naturale e interna ad un'altra artificiale ed esterna e diventa così un passatempo, che gioca sui colori aggressivi, le luci brillanti, le atmosfere animate, i temi ludici, per creare un'atmosfera carnevalesca. La povertà congenita è tuttavia evidente e costringe McDonald's a rifiutare con veemenza l'identità di fast food: «*McDonald's non è ciò che si usa chiamare un "fast food", è un vero e proprio ristorante, con un'accoglienza e un arredo personalizzati, dove il cliente è considerato un autentico ospite*».

McDonald's non può essere un vero ristorante, ma non vuole nemmeno essere un fast food. Dopo essersi autopromosso ristorante delle famiglie e dei bambini, ora si costruisce una nuova identità assumendo ruoli in crisi: «*La nostra volontà è quella di essere più di un semplice ristorante, e ciò significa in particolare assumere impegni costanti nei confronti dei nostri clienti, pensare allo sviluppo degli uomini e delle donne che lavorano nei nostri ristoranti, condividere il nostro successo con la comunità, partecipando ad azioni benefiche nei confronti dell'infanzia, migliorando la qualità della vita e facilitando l'accesso a posti di lavoro che noi creiamo ogni giorno*».

Questa realtà è in sé molto banale, persino triviale. Ogni impresa è ad un tempo un luogo di produzione e di socializzazione. La Renault, ad esempio, è stata a lungo un simbolo nazionale e una vetrina sociale. La rivendicazione di questa situazione appare invece molto più innovativa del fatto in sé. Essa si inserisce all'interno della riabilitazione dell'impresa, mira alla propria (ri)legittimazione, passando dalla tematica dello sfruttamento a quella dello sviluppo sociale e personale.

McFamiglia

McDonald's vuole essere un ristorante per famiglie, difensore di un'istituzione che chiunque sa essere molto malata, quasi moribonda. L'uomo occidentale, infatti, vive più a lungo, ma si sposa meno, e i matrimoni hanno una durata inferiore. Le coppie senza figli si sono moltiplicate, anche all'interno di relazioni stabili. Le coppie sposate o di fatto si formano e si disfano, se non trovano altri modi per risolvere i conflitti. Sappiamo tuttavia che per i figli non esistono divorzi riusciti e le separazioni sono sconfitte affettive che li segneranno per tutta la vita. Il bambino ha bisogno di un padre e di una madre e ha bisogno di partecipare alla coerenza della loro relazione. Il divorzio crea nel bambino insicurezza. Egli diventa il punto fisso di una famiglia in cui tutti gli altri membri possono cambiare; può dirsi fortunato, tuttavia, di aver vissuto nella sua vita momenti felici, visto che i bambini moderni nascono sempre più spesso da padri sconosciuti. I bambini senza padre rappresentano il 15% delle nascite negli Stati Uniti e in alcune comunità nere la percentuale raggiunge addirittura il 50%. Questo cambiamento coinvolge sia i paesi ricchi che quelli del Terzo Mondo. La crisi planetaria dell'istituzione coniugale intacca lo statuto dell'uomo e della donna nella coppia, ma anche quella del bambino di fronte ai suoi genitori e agli altri adulti. McDonald's offre la propria disponibilità a ricucire legami familiari. Uno spot pubblicitario mostra una famiglia che litiga per l'acquisto di un giubbotto. I genitori finiscono per cedere all'insistenza del figlio, che si allontana indossando il giubbotto del colore che ha scelto e fanno pace mangiando da McDonald's. Il messaggio è chiaro: perché vi rifiutate di andare da McDonald's con vostro figlio, visto che la felicità familiare è così poco cara? La vostra testardaggine vale forse un conflitto familiare? Siete così sicuri delle vostre convinzioni da non ascoltare i vostri figli? Alcune persone tuttavia ritengono che McDonald's abbia sbagliato epoca, rivendicando il vessillo di ristorante familiare. La sua strategia di comunicazione sarebbe nel migliore delle ipotesi aberrante e inefficace e nella peggiore, controproducente perché troppo diretta. Questa rivendicazione deve tuttavia essere presa sul serio: se McDonald's si è concentrato su questo settore in crisi non è per prenderci in giro, né per salvare ciò che ancora si può salvare di un modello coniugale, ma perché proprio in questo settore si gioca qualcosa di fondamentale per il futuro. Bisogna quindi porre estrema attenzione a questo discorso, anche correndo il rischio di considerarlo come un'immagine rovesciata. McDonald's non rappresenta il ristorante della famiglia, ma della sua sovversione. L'unione dei genitori (biologici) e dei loro bambini non basta a creare una famiglia, cioè un'istituzione portatrice di senso autentico: «*I ristoranti McDonald's sono frequentati da una vasta clientela: giovani e adolescenti, soli o in gruppo, uomini d'affari, persone anziane [...]. Tuttavia, le famiglie con bambini costituiscono il tipo di clientela principale, rappresentano infatti il 49% dei clienti totali*».

Un'autentica ristorazione familiare offrirebbe ai bambini una cultura culinaria (non importa quale, purché esista). Quali tradizioni e quali regole (sociali, regionali, religiose, ecc.) può trasmettere McDonald's, sapendo che il piccolo Luigi mangia esattamente la stessa cosa dei piccoli Hans, Dimitri e Mohamed? Alla fine, poco importa chi sia il padre, se tutti pare trasmettano gli stessi valori. Genitori e nonni si pongono in ascolto dei loro bambini e dei loro nipoti, quindi di McDonald's. Un nonno, perduto davanti al proprio hamburger (la modernità) scopre, osservando i più giovani (mimetismo) come mangiare con le mani (doppio rito d'inversione). La trasmissione avviene quindi al contrario e diviene alla fine quella del prodotto feticcio. Si potrebbe persino credere che anche solo la sua generalizzazione permetterebbe l'aggregazione. La celebrazione della famiglia McDonald's è basata su un inganno, un enorme lapsus. Il senso dell'istituzione è infatti continuamente negato, deriso, persino ridicolizzato. La famiglia moderna non è più anima né corpo, al limite è sana, sportiva e soprattutto consumatrice. Un'autentica ristorazione familiare instaurerebbe inoltre una ripartizione capace di forgiare un adulto solido sul piano affettivo. Quale relazione psichica ammette McDonald's con la sua produzione contingentata, asettica, disumanizzata? Che ruolo riconosce alla madre, dato che essa compie gli stessi gesti e usa le stesse parole, che si chiami Caterina o Irina? Ci si è davvero resi conto fino a che punto la madre (ultimo bastione della legge del padre?) sia estromessa dall'immaginario McDonald's? Ad essa è innegabilmente preferito l'uomo, atto ad incarnare la nuova figura fusionale dell'alimentazione. Un ragazzino compra da casa propria (violazione dell'intimità domestica) un hamburger con una macchina telecomandata (segno della sua ingegnosità per fuggire dalla prigione familiare). All'improvviso sente i passi della madre (guardiana dell'ordine). Può salvarsi solo nascondendo l'hamburger.

McDonald's veicola infine un concetto di coppia fondato sull'equivalenza culturale dei genitori. Questa famiglia biologica costituisce un'unione d'individui indifferenti e intercambiabili, è persino autorizzata a rappresentare per eccellenza ogni comunità, non è certamente più la famiglia verticale che riuniva le generazioni intorno alla stessa tavola e non è neppure più la famigliola che protegge l'intimità del proprio bozzolo: essa evolve trasformandosi in una famiglia orizzontale, composta da compagni che coabitano per periodi più o meno lunghi e che si ricompone virtualmente sul filo degli spot pubblicitari. La famiglia McDonald's costituisce quindi un corpo flaccido, poco raccolto, come le comunità moderne. La pubblicità mostra nella loro massima espressione dei binomi (il padre e il bambino, più frequentemente). La madre, fuori dal focolare domestico (certamente), ma anche dall'immaginario, è una figura di cui bisogna disfarsi. Troppo colpevolizzata da un ideale dell'Io tradizionale, essa resiste ancora all'invasione della cucina moderna e rifiuta la morte dell'autentica alimentazione familiare.

McBambino

McDonald's si presenta come un grande difensore dei bambini, e per questo si arma di un completo arsenale:

Seggioloni per bambini, gentilmente messi a disposizione, area giochi [...] animazione del clown Ronald McDonald, feste di compleanno tra amici, laboratori per bambini, in particolare il mercoledì e durante le vacanze scolastiche [...]. McDonald's propone ai suoi piccoli clienti un menu adatto alla loro età e ai loro bisogni (Happy Meal), composto da un panino caldo, patatine, una bibita, «cookies», e rallegrato da un regalo diverso ogni settimana.

Campagna di comunicazione McDonald's

L'impegno in favore dei bambini può essere spiegato tenendo conto di tre fattori, primo dei quali il ruolo occupato dal bambino nella famiglia attuale; esso infatti è la figura migliore per rappresentarla, proprio quando quest'ultima non smette di (ri)comporsi attorno alla propria progenitura, divenuta unico punto fisso. Un tale impegno traduce anche il fatto che il bambino costituisce ormai il principale prescrittore alimentare, visto che sceglie circa il 70% della propria alimentazione e di quella dei suoi genitori. L'impegno in favore dei bambini si spiega infine considerando la posizione centrale che occupano in tutta la simbologia della ristorazione rapida. L'infanzia costituisce infatti non solo un segmento di clientela privilegiata, ma anche un modello di comportamento per tutti, piccoli e grandi. Non si può considerare il bambino un consumatore come gli altri: egli è infatti, per la sua età, un essere eccessivamente debole, estremamente condizionabile: non sa ad esempio discernere la realtà dalla fantasia, uno spot pubblicitario da un film o da un documentario. La sua estrema suggestionabilità è sfruttata dalle società di marketing che tentano d'influenzare i bambini, fin dai primi mesi, utilizzando ad esempio i personaggi del mondo dell'infanzia (Paperino, Topolino, Tintin, ecc.) per incrementare la confusione tra realtà e finzione, e inducono a credere che l'esperienza desiderante del bambino aspiri al prodotto, mentre si rapporta alle figure umane messe in scena, le quali introducono dei sostituti genitoriali nella creazione e nel mantenimento del desiderio. Questo amalgama ha bisogno chiaramente della negazione (del ruolo) dei genitori reali, che intervengono solo in quanto agenti economici dispensatori di denaro. Papà e mamma danno i soldi, e la loro missione si ferma qui, sono semplici mediatori tra i figli (i loro bambini) e la Madre (l'hamburger) o il Padre (il pagliaccio McRonald). Ogni altra missione genitoriale sarebbe superflua, se non pericolosa, perché metterebbe in discussione l'uguaglianza di ciascun figlio davanti a McDonald's. Un simile egualitarismo alimentare è infatti possibile solamente davanti al prodotto, che annulla ogni differenza, ogni piccola o grande particolarità. L'infanzia perde, da questo punto di vista, il suo carattere di periodo specifico della vita. McDonald's, certo, intende proteggere il bambino da determinati abusi, proibendo ai dipendenti di praticare nei loro confronti una vendita «forzata», ma è una protezione illusoria: o il bambino è un essere da proteggere e tutto il marketing rivolto a lui diviene immorale, o è un consumatore come gli altri e non si capisce più perché dovrebbe beneficiare di un trattamento di favore, a meno che non si ritenga che una tale sordida manipolazione sia da riservare solo agli adulti. Bisognerebbe allora essere maggiorenni per godere di tutte le belle tecniche commerciali, mostrando alla cassiera la carta d'identità, come si fa alla biglietteria dei cinema in cui vengono proiettati film pornografici. Questa cultura McDonald's segna quindi la scomparsa del mondo reale dell'infanzia e il passaggio dal bambino-re al bambino-vittima, interessante solo in quanto attore economico equivalente agli altri. McDonald's gli riconosce lo stesso statuto degli adulti:

L'interesse per il bambino, in aumento, non si rivolge più all'età del bambino-re, ma all'«adulto in miniatura», vittima ormai della negazione dell'infanzia [...]. Il bambino adulto in miniatura è oggi la vittima di una profonda mancanza di rispetto [...]. Il rifiuto dell'infanzia si manifesta soprattutto all'interno di attività che si interessano direttamente al bambino: nel caso del mercato, dell'insegnamento o della psicologia, si nota che l'interesse per il bambino contribuisce a rendere normativa l'infanzia al punto da distruggerne il tessuto psichico e affettivo [...]. Il bambino è vittima di un interesse incrementato, la cui ambizione nascosta è di standardizzarlo, di trattarlo al più presto come un vero attore, a scapito dell'infanzia[1].

McDonald's bombarda il suo pargoletto di messaggi pubblicitari, per suscitare in lui bisogni nuovi ed imperiosi, che lo raggiungono ovunque si trovi, a casa, per strada e persino direttamente sui banchi di scuola. Come può un'impresa che manifesta un tale amore per i bambini tollerare che un solo adolescente americano sia punito per aver rifiutato di subire le sue pubblicità scandalosamente obbligatorie in alcuni licei? Come può accettare che si possa imparare a leggere e a contare con materiale pedagogico pubblicitario? «Ho tanti dollari, un hamburger costa tanto, posso comprarne tanti». «Bisogna essere bravi a scuola e a casa, lo dice il pagliaccio Ronald». Come può ammettere che si confonda in questo modo pedagogia e manipolazione, educazione e marketing? Come ci si può prestare a questa sinistra farsa, quando ognuno sa (basta essere genitori) che un bambino è per definizione debole e irrazionale? Come si può anche moralmente sconvolgere nel loro senso profondo nozioni quali la protezione, la famiglia, così fondamentali per l'equilibrio psichico di un bambino? Con quale diritto si osa manipolare immagini genitoriali semplicemente per vendere di

[1] O. MONGIN, *Esprit*, gennaio 1991, pp. 66-68.

più, proprio quando l'istituzione entra in crisi? Questa ideologia non blocca forse lo sviluppo normale del bambino, il suo apprendimento dei comportamenti sociali?

McDonald's non cerca solamente di conquistare giovani clienti, vuole anche e soprattutto risvegliare in ciascun consumatore reazioni di tipo giovanile. L'infanzia è caratterizzata in effetti dall'immaturità dei comportamenti (acquisto impulsivo, mimetismo, ecc.). Questo periodo, necessario alla formazione psichica di ogni individuo, normalmente è transitorio, tuttavia alcuni meccanismi sociali possono prolungarlo attraverso una soggettività superficiale, in modo che l'adulto rimanga o regredisca ad uno stadio di comportamento immaturo. Questa regressione è particolarmente visibile nella preferenza accordata alle pulsioni, agli umori, insomma a tutto ciò che caratterizza l'individuo psicologizzato. L'ideologia McDonald's rende il bambino specchio di coloro che sono più grandi di lui, e cerca di ritrovarlo in ciascuno di noi. La regressione non è negativa o pericolosa in sé, se non diviene il modo normale di relazionarsi alle altre persone o agli oggetti. Gli adulti a volte hanno bisogno di regredire, facendo l'amore o mangiando in modo immaturo. Il mangiatore McDonaldizzato, al contrario, è iscritto in una logica di costante immaturità, non mangia più per tradizione o in funzione del suo autodeterminismo, ma per semplice mimetismo. Il cliente tipo è quindi il bambino dominato dal suo gruppo d'età, piuttosto che l'adulto responsabile e autodeterminato. Ma in che modo uno stesso alimento può soddisfare in maniera durevole mangiatori che agiscono secondo il modello infantile e adulto?

McRonald

L'amore della Multinazionale per i bambini necessitava di un vettore umano: nel 1963, quindi, è stato creato un personaggio dai tratti imbonitori del buon pagliaccio McRonald. Secondo un'inchiesta realizzata nel 1986, il 96% dei bambini americani in età scolare, tra i nomi di vari personaggi, riconoscono quello del pagliaccio Ronald, che è in seconda posizione, subito dopo Santa Klaus e davanti a Babbo Natale. Il pagliaccio, dalle sembianze molto classiche, non solo fa ridere, ma risponde ad altre quattro funzioni molto più prosaiche e molto più redditizie:

1) Il pagliaccio induce all'immediata identificazione del ristorante. Anche se il bambino non sa leggere o parlare, grazie a Ronald sa che cos'è un McDonald's e sa che è per bambini. Il pagliaccio rende memorizzabile l'identità del marchio, giocando sui colori di McDonald's per ricordare la sua filiazione, colori contrastanti, vivi, aggressivi e infantili. Il giallo evoca l'oro, il sole, l'azione, l'intelligenza. Il rosso simbolizza la vita, la passione, il fuoco. Sul costume del pagliaccio c'è il logo di McDonald's, per sovradeterminare il personaggio: vedendolo, i bambini grideranno «È Ronald», ma intendono in realtà «È McDonald's».

2) Il pagliaccio funziona come un'autentica incarnazione dell'insieme dei prodotti, costituisce McDonald's sotto forma di concretizzazione del desiderio. McDonald's rappresenta un vero e proprio sostituto generale della felicità: un bambino gioca sull'altalena a casa propria, ride quando sale e piange quando scende. Si capisce subito che vede il logo McDonald's dalla finestra della sua camera, il pagliaccio non vende nessun prodotto, ma vende molto di più, visto che offre direttamente la «felicità McDonald's». È incontestabile – che dire contro il sorriso dei bambini? – quindi McDonald's è incontestabile. Il marchio si appropria così, apertamente, della legittimità e dell'efficacia di un segno universale. Il personaggio esiste per essere amato, perché ci ama, ama i bambini e ricorda ad ognuno la propria infanzia, avvicinando così piccoli e grandi attraverso la stessa emozione.

3) Il buon Ronald, rispetto agli adulti, è un personaggio che ad un tempo induce a sentirsi colpevoli e innocenti: la sua magrezza prova prima di tutto che i prodotti sono buoni e molto sani, che mangiare McDonald's è mangiare correttamente, essere e diventare sani fisicamente ed anche moralmente. L'adulto può quindi consumare ed anche offrire ai propri figli prodotti McDonald's in tutta tranquillità. Il pagliaccio è alto, pacifico,

quindi rassicurante, è irreprensibile, non fuma, non beve, non si arrabbia mai. La sua condotta fisica e morale è sempre impeccabile, è l'immagine del genitore «perfetto» che non sempre noi riusciamo ad essere. McRonald colpevolizza quindi i genitori, comprendendo molto meglio i loro figli. L'identificazione di ognuno con il pagliaccio, tuttavia, è semplice, perché basta offrire un Happy Meal per essere amati – di riflesso – come si ama un pagliaccio. Un recente spot pubblicitario presenta una bambina apparentemente sola in casa, seduta sui primi gradini di una scala (dove porta? Verso quale luogo vietato? È in punizione? Aspetta semplicemente che tornino i suoi genitori?). Si annoia, nonostante siano molti, i giochi che possiede, e così va a cercare compagnia telefonando a Ronald. Viviamo nell'era della comunicazione e McDonald's ha la virtù di far comunicare a modo suo tutte le culture culinarie. La brava bambina si diverte da sola, aspettando il ritorno del padre, mentre la madre la trascura. La pubblicità trae spunto anche da tematiche molto forti, quali la solitudine, la gelosia, l'infanzia, ecc. La bambina cerca in modo evidente conforto nell'alimentazione: «Pronto, Ronald? Vorrei un Happy Meal e il tuo nuovo dolce, la Ronaldise».

Il prodotto McDonald's la consola nell'attesa del ritorno del Padre e per l'assenza della Madre (condivisa con il fratellino). Esso costituisce quindi la parte mancante di ogni essere umano. L'unico legame con l'esterno (Il mondo libero? Il mondo adulto?) è un telefono, il cui colore rosso evoca chiaramente il logo di McDonald's, ma anche il sistema che collegava il Cremlino e la Casa Bianca in piena guerra fredda. Il telefono di emergenza è in costante e diretto contatto con Ronald, che è sempre disponibile e pronto ad ascoltare i bambini, contrariamente ai genitori, assenti e dunque completamente manchevoli. Non si telefona forse ad un amico, quando ci si sente soli o tristi? La familiarità con il pagliaccio è confermata dal fatto che la bambina gli da del Tu, perché conosce bene sia Ronald, che i prodotti McDonald's. Il pagliaccio è poi identificato come «Il» vero «Babbo Natale» perché esaudisce tutti i desideri, basta infatti che la bambina domandi un Happy Meal perché il «Babbo» varchi la soglia con il prodotto desiderato: «Oh, oh!

Ho una sorpresa per la mia piccola! Il suo menu preferito! L'Happy Meal!». La bambina vede solo la scatola con lo slogan: «Il menu Happy Meal, con il nuovo dessert, costa sempre 25 franchi». Ciò significa quindi che la bambina conosce già l'imballaggio del prodotto e che lo spettatore dovrà imparare a riconoscerlo. L'assenza del prodotto ricorda che l'Happy Meal vive di due realtà: il prodotto è prima di tutto un giocattolo che cambia tutte le settimane e solo in seconda istanza è un alimento. Ronald è più forte di Babbo Natale perché esiste tutto l'anno ed esaudisce sempre i desideri dei bambini, compensa tutti i loro bisogni (amore e regali, alimentazione e ascolto). Non è necessario, quindi, aspettare Natale (è sempre Natale, grazie a McDonald's). La bambina scopre che «funziona» sempre con McDonald's, chiede al buon Ronald di portarle una bicicletta rossa (la bicicletta, simbolo di libertà) e soprattutto di cambiarle fratellino: «Vorrei una bicicletta rossa, un cagnolino e poi, per favore... mio fratello, potresti cambiarmelo?». L'unico elemento stabile intorno alla bambina è il buon pagliaccio Ronald, McDonald's quindi, mentre tutto il resto può o deve cambiare; il padre infatti è solo di passaggio, la madre è assente e il fratello è sostituibile. La scena si svolge in una casa piuttosto grande, a due piani: si tratta quindi di una famiglia agiata, ma anche moderna (la madre è assente e il padre si occupa della spesa). L'identificazione con questo modello di successo è dunque molto facile, basta acquistare prodotti McDonald's, che diventa una «fabbrica di felicità», poiché, alla fine, la felicità è semplice come una telefonata a... Ronald. Lo spot accompagna lo sviluppo dei McDrive e della vendita da asporto e prova che si può raggiungere la felicità «chiavi in mano» a casa. McRonald incarna il modo di vivere moderno, sano, allegro, e incarna il sogno americano di un mondo nel quale basta essere «buoni» e «ottimisti» per riuscire ad essere felici.

4) Il pagliaccio assolve ad un'ultima funzione ricordando che McDonald's contribuisce anche alla salute morale dei bambini. Non è mai associato, infatti, alla vendita di nessun prodotto e ha molti pochi contatti con essi. È lì, «semplicemente», per sostituirsi ai genitori assenti (che trascurano il loro ruolo

educativo). Funziona in apparenza secondo una logica genito- riale proponendosi di educare i nostri bambini in nostra vece.

Un altro spot mostra un gruppo di bambini che passeggia per strada (segno di pericolo) in fila indiana, tenendosi per mano (istituzione umana). L'ultimo bambino della fila si stac- ca all'improvviso dal gruppo (con tutto ciò che questo sottin- tende). Si trova improvvisamente solo, quindi, isolato in un mondo ostile, senza pietà, nel quale non potrà sopravvivere a lungo, ma come un salvatore, il pagliaccio, più esattamente il suo braccio, molto riconoscibile, lo riporta sulla retta via. La pubblicità si conclude con un messaggio relativo alla fondazio- ne McDonald's per l'infanzia. Ronald, in questo caso, colma le manchevolezze delle istituzioni educative, solleva un problema sociale e s'impegna per risolverlo. Il messaggio dice in sostan- za: «Non preoccupatevi, faremo dei vostri figli persone per bene». Il messaggio evidenzia la crisi delle istituzioni genito- riali, in particolare della paternità, in una società in cui la «libe- razione» della donna è avvenuta contro la legge del «Padre», cioè contro il richiamo alle norme, in un contesto in cui il pro- dotto McDonald's discolpa «come una madre» inducendo alla regressione verso il corpo biologico o libidinale. Questo allon- tanamento costante dalla «Legge del Padre» è eccessivamente pericoloso, poiché impedisce al bambino di sviluppare un'altra cultura del prodotto. Il sistema costruisce la società McDonal- dizzata sull'esempio della società dei «figli della madre», cioè di soli fratelli, rischiando, in mancanza di norme, di bloccare ogni tipo di socializzazione. Non sarebbe necessario forse un sostituto del Padre, per non cadere nell'indifferenza? Non può essere tutto possibile. Quali saranno le nuove frontiere? Bisogna (re)inventare una nuova figura di Padre, di colui che designa (prescrive o vieta), cioè socializza il bambino. Il messaggio pubblicitario fornisce agli adulti un'immagine di Padre; tutta- via, nei confronti dei bambini, quest'ultima non può sostituirsi a lui, non può prendersi carico della loro maturazione cultura- le e psichica. Le nostre nonne hanno infatti avuto bisogno di tutto il peso della tradizione per insegnarci a stare a tavola. La figura del Padre è, in questo caso, incarnata dal buon pagliaccio. Il bambino McDonaldizzato non può avere che un solo, autentico dio: Ronald. Il padre, in qualità di colui che designa, è per principio idealizzato e detestato (amore e odio) e ciò permette al bambino, che si trova tra le due figure genitoriali complementari, di crescere e di diventare autonomo. Il bambino McDonaldizzato, tradito dall'alleanza del Padre (Ronald) e della Madre (McDonald's) è mantenuto in una posizione infantile definitiva. Nascerà, crescerà e morirà rimanendo sempre un bambino grande. Questo buon pagliaccio sovverte l'educazione, ponendola sul piano del moralismo. Le culture si scambiano sulla base di un discorso sciocco, ma universale. Il mangiatore è libero di alimentarsi non importa come, ma deve essere educato, pulito e ottimista, deve amare i bambini e non fare loro del male. Questi ultimi devono essere bravi e belli, per rendere felici i loro genitori. Ronald non scioccherà nessuno, è colui che dà il via con un colpo di pistola alle «Foulées de Bourges»*, è colui che anima le gite scolastiche:

Quando (si) vuole organizzare uno spettacolo con Ronald, ci si accorge presto che per molti, lo spettacolo organizzato da McDonald's = pubblicità. Allora, come ha fatto Ronald ad attirare, il 4 aprile, 2000 bambini in gita scolastica? Per convincere i direttori delle scuole e il direttore del centro culturale, che ha offerto di sua iniziativa il grande salone, si sono svolti alcuni incontri. Nel tentativo di una mediazione con gli interessati, è stato spiegato il valore educativo delle attività che McDonald's intende svolgere con i bambini… ed è stata ottenuta l'adesione unanime del corpo insegnante e degli esponenti del mondo socio-culturale della città.

Planète-Mac, giornale dei dipendenti McDonald's-France

Gli spettacoli durano 45 minuti e affrontano vari argomenti, fra cui la sicurezza in città o all'interno delle case, la salute, l'ambiente, ecc. Queste iniziative sono organizzate con la collaborazione di educatori, medici, professionisti del circo. Gli

* Foulées de Bourges: corse podistiche su strada di 10 e 20 Km che si svolgono ogni primavera a Bourges [N.d.T.].

esperti non sono scelti a caso: il loro professionismo dà infatti valore morale al progetto. Il prodotto McDonald's, in sé povero culturalmente, acquisisce ricchezza esternamente con la pubblicità (McDonald's made in USA) o attraverso attività connesse (McPlay). Il sistema McDonald's può quindi presentarsi con un'anima bella e generosa.

McProvvidenza

McDonald's si pone anche come difensore della vedova e dell'orfano. Un recente spot pubblicitario esibisce questa pretesa sostituendo la «M» di McDonald's alla «M» della parola «insieme», usando la stessa immagine grafica. Lo Stato sociale, ormai in crisi, infatti, non sa più come risolvere il problema della disoccupazione e le conseguenti miserie economiche, sociali, psichiche. I deficit sociali aumentano e impediscono di ritessere legami, ormai sfilacciati al punto da minacciare la convivenza e la pace nelle città. Cinque milioni di francesi, quaranta milioni di europei e un americano su quattro si trovano in condizioni di povertà.

McInsieme e McProvvidenza costituiranno un valido rimedio di fronte alla crisi delle istituzioni sociali; McDonald's intende entrare nella vita della collettività, contribuendo, innanzitutto, a correggere alcune disfunzioni nelle città in cui è presente:

Speriamo di restituire alla società ciò che essa ci dà [...]. I ristoranti McDonald's dal 1986 organizzano campagne di informazione e di sensibilizzazione rivolte alla clientela giovane, riguardanti la sicurezza stradale (1986), la sicurezza domestica (1987-1990), l'igiene orale (1988), la prevenzione antincendio (1989), la pratica di uno sport come il VTT* (1992-1993) e l'ambiente (1994). Queste campagne ad ampio raggio sono sempre condotte in collaborazione con l'organismo

---

* VTT: *Vélo Tout Terrain*, sport ciclistico praticato con mountain bike, diviso in diverse specialità (discesa, trial, ecc.) [*N.d.T.*].

ufficiale coinvolto e sono presentate, in ambienti scolastici, attraverso spettacoli ludici e pedagogici del pagliaccio Ronald McDonald.

Campagna di comunicazione McDonald's

McDonald's privilegia operazioni molto spettacolari: ha finanziato nel 1984 la costruzione della piscina olimpica di Los Angeles (Stati Uniti), ha firmato un contratto con il comitato per l'organizzazione dei Giochi Olimpici di Atlanta e con il canale NBC, per avere l'esclusiva degli annunci pubblicitari nella sua categoria dal 6 luglio al 7 agosto 1996; in cambio, sei ristoranti hanno nutrito gratuitamente 15.000 persone al giorno per tutta la durata delle Olimpiadi. McDonald's patrocina anche molte opere di beneficenza, come il Galà tenutosi in favore dell'organizzazione umanitaria Handicap International. Anima le divisioni pediatriche di alcuni ospedali in occasione di feste di fine anno, fornisce gratuitamente pasti senza sale per bambini in dialisi, allestisce sale giochi o da pranzo negli ospedali, ecc. La prima grande causa per la quale McDonald's ha messo a disposizione la sua organizzazione è stato Telethon. Il «Big Mac Don» si basa su un principio molto semplice: ogni ristorante versa, per ogni Big Mac venduto al suo prezzo normale, una somma di 10 franchi all'Associazione Francese per la lotta contro le Miopatie (AFM). McDonald's vanta la cifra di 7,5 milioni di franchi raccolti in cinque anni, nei ristoranti che partecipano all'operazione (53 nel 1987, 188 nel 1991). Perché McDonald's non ha scelto una causa difficile, meno spettacolare, più discutibile? Soprattutto, perché ha legato il suo aiuto alla vendita dei prodotti? Questa politica caritatevole, forse anche generosa e disinteressata, implica comunque una buona dose di narcisismo d'impresa. McDonald's cerca di guadagnare tutto ciò che può da questo sentimentalismo superficiale, per autocongratularsi, autocelebrarsi. Questa politica è ancora più condannabile poiché mira a far tacere gli avversari squalificandoli: la scelta dei principali bersagli umanitari è legata infatti alle accuse avanzate dai suoi oppositori, in modo così miracoloso da non poter essere completamente innocente. Sembra quindi legittimo domandarsi se queste iniziative non costituiscano dei veri e propri controattacchi. McDonald's, accusato di essere responsabile della cattiva alimentazione e dell'obesità dei giovani americani, reagisce immediatamente presentandosi come il migliore amico dei bambini. McDonald's, accusato di «violare» i contratti di lavoro si fa paladino della lotta all'integrazione a tutti i livelli. McDonald's, accusato di servire cibi cancerogeni, finanzia case per i bambini colpiti da tumori. McDonald's, accusato di non rispettare le norme igieniche alimentari, si fa paladino della sicurezza attraverso grandi campagne nazionali per indurre ad usare la cintura di sicurezza, per l'igiene orale, per la prevenzione degli incidenti domestici. Si può forse dimenticare, però, che questo spirito umanitario è manifestato da un'impresa il cui unico obiettivo legittimo rimane l'esclusiva ricerca del profitto? McDonald's ha tutto l'interesse a far girare a pieno ritmo la macchina delle emozioni, poiché in questo modo guadagna un supplemento d'immagine, offrendo inoltre buone ragioni per scegliere i suoi ristoranti piuttosto che quelli della concorrenza.

La fondazione Ronald McDonald

McDonald's è stato più volte accusato di nuocere alla gioventù alimentandola male, manipolandola sul piano commerciale e affettivo, distogliendola dalla scuola per sfruttarla. L'azienda ha reagito puntualmente ad ogni argomento sostenuto dai suoi detrattori. McDonald's France ha così finanziato più di 500 associazioni benefiche per una cifra superiore a 10 milioni di franchi. Il Quartiere Generale del gruppo porta avanti già da tempo una politica sistematica attraverso la sua *Fondazione per il benessere dei bambini*, operando sul terreno dei suoi avversari, ed è in vantaggio, perché gode del patrocinio ufficiale della *Fondation de France* per la sua azione in favore dei bambini ammalati, quindi doppiamente innocenti.

La Fondazione nasce nel 1969 sotto la presidenza del fratello di Ray Kroc, Robert, che in quell'occasione si trasferisce con tutta la sua famiglia nel ranch di Ray in California. La Fondazione interviene nel campo della sanità e della ricerca medica, ma anche all'interno di programmi di solidarietà, di educazione e di promozione dell'arte. Annualmente riceve da 400 ristoranti, circa 3,5 milioni di franchi. Essa permette di «raccontare delle belle storie d'infanzia e di solidarietà», contenute nella raccolta *Donne la main*, pubblicata da McDonald's France.

Le case Ronald McDonald

L'azienda ha creato nel mondo 150 case Ronald McDonald, approfittando ancora una volta del disinteresse dei governi di fronte al bisogno di strutture che permettano ai genitori di stare vicini ai loro figli malati durante l'ospedalizzazione. La prima struttura francese è quella dell'Istituto Gustave-Roussy a Villejuif, un centro specializzato nella cura dei tumori, gestito dall'associazione «una casa nel cuore della vita», che riunisce l'Istituto Gustave-Roussy, l'associazione dei genitori e naturalmente McDonald's. Inaugurata il 12 settembre 1991, dispone di 20 camere che possono ospitare famiglie di 4 membri ciascuna, accolte da uno staff composto quasi esclusivamente da volontari:

Piccoli e grandi condividono una vita familiare «come a casa» in stanze spaziose e illuminate. Autentico luogo di vita che facilita l'aiuto reciproco e gli scambi fra genitori, la casa rispetta la vita familiare di ognuno. Si sta insieme nella sala giochi o davanti alla TV, ma ci si può anche isolare in spazi più tranquilli, delimitati da piante verdi [...]. Il nostro ruolo è anche quello di ascoltare e di rispondere alle richieste, esplicite o implicite. Il personale è volontario e noi chiediamo ai nostri dipendenti di dedicare qualche ora del loro tempo ai bambini, alle pulizie...».

Campagna di comunicazione McDonald's

McIntegrazione

McDonald's si fa paladino della lotta contro la disoccupazione e la povertà, alimentando la «bella immagine» di sé che vuole offrire per distinguersi dai propri concorrenti e per provare che in fondo non è un «padrone» così cattivo come si dice. McDonald's è riuscito a liberarsi di questa cattiva reputazione sfruttando la dilagante disoccupazione a proprio beneficio per generalizzare la precarietà. Ormai appare come un autentico modello d'integrazione. La sua sensibilità nei confronti di questi problemi è cresciuta da quando la comunità nera di Cleveland (Ohio), nel 1986, ha boicottato il marchio per protestare contro l'assenza di manager neri nei McDonald's del ghetto. La società ha offerto crediti a licenziatari afro-americani e attualmente 200 ristoranti appartengono a membri della comunità nera. McDonald's ha tratto una fruttuosa lezione da questa esperienza: si presenta ormai come una vera e propria impresa meritoria, che offre migliaia di posti di lavoro a giovani in situazioni difficili, creando così, sulle ceneri dello stato sociale, una nuova forma di ammortizzazione sociale fondata sul (re)apprendimento dei comportamenti economici e sociali. I politici (soprattutto di sinistra) a corto di immaginazione si attaccano a questa boa e appoggiano l'apertura di McDonald's in tutti i quartieri difficili, sperando in questo modo di «pacificare» le città nei lunghi mesi estivi. L'esperienza di Los Angeles ha infatti provato che i rivoltosi rispettano questi templi dell'alimentazione. Stiamo attenti però, prima di copiare troppo pedissequamente questo modello «comunitarista» anglosassone, non inganniamoci riguardo alla realtà attuale delle periferie francesi, dove non esiste la socializzazione del ghetto, perché sono ancora universi diseredati, immersi in una situazione stagnante. Questa politica si basa inoltre su una visione strumentale e meccanica della socializzazione, dimenticando che essa stessa rappresenta la posta in gioco. La sua costruzione si inscrive in conflitti fra gruppi per la «giusta» definizione dell'uso di un territorio o di un prodotto qualunque. Si tratta di un'evoluzione particolarmente visibile negli Stati Uniti o in Gran Bretagna, dove alcune minoranze si appropriano del «loro» McDonald's, integrandolo così nella loro simbologia dello spazio. Si vogliono forse offrire anche in Francia, alle diverse minoranze, modi inediti di appropriazione detentiva dello spazio pubblico, che non occuperebbero altrimenti. Il rischio è che le minoranze dominanti utilizzino queste tecniche di esclusione per emarginare ulteriormente altre minoranze dominate. L'apertura di McDonald's nei ghetti potrebbe ottenere un effetto contrario a quello desiderato. Cosa determinerà il desiderio insoddisfatto in questo contesto di povertà e di carenza? Si è proprio certi che la frustrazione non aumenti e non si rafforzi? Si è certi che il semplice incontrarsi in un McDonald's possa favorire l'integrazione? Questa vicinanza artificiale che rende più visibili le disuguaglianze non rischia, al contrario, di aumentare la distanza sociale? Cosa succederà tra Omar, che comprerà il proprio hamburger quotidiano, e il suo giovane vicino che dovrà restare fuori perché non ha diritto al sussidio di disoccupazione? Come si può pensare che la densità dei McDonald's possa essere sufficiente per permettere la loro distribuzione etnica o sociale? L'esperienza americana prova che il cosmopolitismo del prodotto si presta bene a questa deriva comunitaria. Non si rischia allora di scatenare comportamenti di emarginazione e persino di ostilità?

McDonald's ANPE: la stessa lotta

Nel 1993, McDonald's, accusato di sfruttamento nei confronti dei propri giovani dipendenti, ha reagito stipulando un accordo con l'ANPE (Agence Nationale pour l'Emploi, Agenzia Nazionale per il Lavoro), che prevede il deposito prioritario delle proprie offerte di lavoro all'agenzia. In cambio, le filiali locali propongono aiuto e assistenza ai concessionari per l'assunzione dei nuovi dipendenti. McDonald's si vanta apertamente del successo di questa operazione, poiché: «*Su quasi 4000 posti di lavoro, a tempo pieno e part time creati ogni anno, il 70% di essi viene assegnato grazie ad una stretta collaborazione tra gli A.L.E. e i licenziatari McDonald's*».

Questo grido di soddisfazione non esprime però una vittoria ideologica: non va dimenticato infatti che ricorrere all'A.N.P.E. non costituisce per nulla una «concessione», ma è semplicemente la normale applicazione del diritto francese (Articolo

L 311-2), non è il caso quindi di rallegrarsi per un contratto stipulato applicando gli obblighi di legge. Viene il sospetto allora che McDonald's sia giunto non solo ad ottenere la legittimazione, ma anche l'applicazione da parte dell'amministrazione francese della propria politica dei «piccoli impieghi».

McEcologico

McDonald's vuole essere un'azienda ecologica, in tutte le fasi della sua produzione. Dopo essere stato accusato a lungo di deturpare lo spazio urbano (Italia, Francia, ecc.) dei luoghi in cui installava i propri ristoranti, cerca ora di integrare le nuove sedi nell'architettura dei quartieri in cui sorgono. Esistono già, infatti, McDonald's a forma di haciendas, taverne, case coloniali, ecc. Certamente questa strategia incrementa ulteriormente la ghettizzazione del gruppo.

La scelta ecologica si ritrova anche nella gestione degli imballaggi «recuperati, riciclati e riutilizzati» (le 3 R di McDonald's), realizzati con carta riciclata al 100%, sulla quale è stampata la pubblicità per la difesa dell'ambiente. Questa stessa scelta motiva poi la «Carta di qualità», che stabilisce un perimetro di pulizia intorno ai ristoranti, e appare evidente anche negli spot pubblicitari, girati in gran parte in ambienti naturali. McDonald's ha firmato con il Ministero dell'Ambiente un «piano Ambiente Impresa», in base al quale si impegna a sviluppare l'utilizzo di materiali riciclati, ad economizzare l'energia e le risorse naturali, a controllare gli effetti della propria attività sull'ambiente, a valorizzare gli scarti e a sensibilizzare piccoli e grandi alla protezione dell'ambiente:

Da alcuni mesi molti imballaggi e confezioni dei prodotti sono costituiti da materiali riciclati [...]. È il caso ad esempio dei sacchetti di patatine, delle scatole di Chicken McNuggets, degli imballaggi dell'apple pie, delle scatole di Happy Meal, della carta da imballaggio degli hamburger. Alcuni imballaggi di trasporto, i cesti per il «pane», ad esempio, sono recuperati, sterilizzati e riutilizzati. La raccolta e il riciclaggio dell'olio di frittura sono assicurati a livello locale [...]. Ogni ristorante stabilisce un percorso e degli orari di raccolta degli imballaggi e della carta, in un perimetro intorno al ristorante [...]. Il piano pulizia è generalmente assicurato dal personale del ristorante; a volte è affidato a società specializzate (nel Jardin du Luxembourg a Parigi, ad esempio). Può essere completato con l'installazione di contenitori per la spazzatura, in collaborazione con i comuni [...]. In alcuni ristoranti, gli scatoloni per il trasporto sono raccolti e riciclati. I rifiuti non riciclati sono affidati a società appaltatrici che li inceneriscono, secondo disposizioni locali [...]. Il funzionamento dei nostri macchinari viene adeguato ai bisogni energetici del ristorante, grazie ad un programma di accensione progressiva e grazie a sistemi a tempo [...]. La protezione dell'ambiente è anche una questione di convinzione. McDonald's s'impegna a formare i propri dipendenti a questi principi, in Francia e nel resto del mondo [...]. L'utilizzo di materiali riciclati è una pratica corrente da McDonald's: i sacchi e i cesti dei rifiuti, gli imballaggi di trasporto e la maggior parte delle confezioni dei nostri prodotti, come le scatole degli Happy Meal dal 1990 [...]. Ogni ristorante McDonald's stabilisce un piano di pulizia: alcuni crew spazzano regolarmente tutti i rifiuti nei dintorni del ristorante, secondo un itinerario deciso in funzione del luogo e della stagione. McDonald's partecipa anche all'installazione e alla gestione dei raccoglitori di rifiuti all'esterno del ristorante in collaborazione con i comuni [...].

Campagna di comunicazione McDonald's

McDonald's è stato naturalmente partner ufficiale e punto di informazione dell'operazione «1000 sfide per il mio pianeta» condotta congiuntamente ai Ministeri dell'Ambiente, della Pubblica Istruzione, dello Sport e dell'Agricoltura e Pesca, volta ad esortare i giovani dagli 8 ai 21 anni a condurre azioni sul territorio in favore dell'ambiente. Il gruppo, in quell'occasione, ha creato un nuovo gioco, intitolato «I piccoli ecologisti», i cui protagonisti sono 7 famiglie che proteggono il pianeta. Il quartiere generale della multinazionale ha condotto questa campagna di comunicazione perché pare fosse convinto che i giovani dovessero essere guidati nell'affrontare un tema così importante e potenzialmente pericoloso. Ha ritenuto inoltre che potesse costituire un asso nella manica se il gruppo avesse saputo appropriarsene. Ecco perché McDonald's continua ad affermare che «*Agire in favore dell'ambiente è un impegno di McDonald's, in Francia come nel resto del mondo. Vogliamo assumerci la responsabilità dell'ambiente a tutti gli stadi della nostra attività, nel rispetto delle nostre esigenze in materia di qualità e di servizio al cliente. Ogni giorno agiamo concretamente in questo senso*».

Questa comunicazione sfugge certamente alla magia delle cifre, abituale per McDonald's. Esortando i propri clienti alla pulizia, il quartiere generale ha trovato il modo di renderli direttamente partecipi alla propria politica, e li ha indotti ad aderire agli obiettivi dell'impresa sino al punto di dover renderne conto ad essa, di sentirsi debitori nei suoi confronti e di riconoscersi suoi figli.

Come non confrontare questo discorso «ecologista» con la realtà del prodotto? Il sistema McDonald's, infatti, già in sé sembra antiecologista, tanto per la sua concezione, il suo modo di produzione, di commercializzazione, quanto per la sua distribuzione. Il concetto stesso di prodotto può essere considerato «antiecologico», poiché si basa su un pregiudizio tecnologico e sul rifiuto delle diverse culture. Il suo stesso funzionamento è «antiecologista», poiché poggia su una razionalità strettamente produttivista. McDonald's compra 600.000 tonnellate di carne all'anno, dello stesso tipo, cioè circa 6 milioni di animali, un terzo circa del patrimonio bovino francese. Il sistema induce in sé alla scelta di alcune rare varietà selezionate per le loro sole caratteristiche industriali: ha infatti imposto al mondo intero la «Burbanck», una varietà di patata che esisteva solo in America del Nord, ed ha selezionato la Iceberg Lettuce, una varietà d'insalata originaria della California, che ha la proprietà di rimanere croccante anche a contatto con fonti di calore. La generalizzazione di una simile politica provocherebbe un impoverimento del pool genetico. L'utilizzo sistematico di prodotti congelati costituisce inoltre una scelta «antiecologista» poiché favorisce le tecnologie pesanti e pericolose (consumo di energia, produzione su vasta scala, rischio di rottura della catena del freddo, ecc.). Questa strategia, incrementando il traffico su gomme, contribuisce all'aumento dell'inquinamento dell'aria. L'impatto delle industrie di hamburger è da questo punto di vista molto dannoso, visto che distribuiscono i propri prodotti in tutta Europa, a partire da pochi punti di fabbricazione (utilizzando camion?). Nel sistema, inoltre, è previsto un largo utilizzo di materiale usa e getta (imballaggi, bicchieri, tovaglioli, sacchi, ecc.). McDonald's consuma così ogni anno centinaia (migliaia?) di ettari di bosco per gli imballaggi di carta. Accusato di saccheggiare la natura, il gruppo in un primo tempo ha reagito sostituendo, all'inizio degli anni Ottanta, alcuni imballaggi di carta con imballaggi di polistirene, e proprio in quel periodo molti ecologisti hanno chiesto ai clienti di McDonald's di rispedire quegli imballaggi alla sede del gruppo; di fronte alla polemica suscitata dall'uso di materie non biodegradabili, la multinazionale è dovuta tornare (sembra, almeno, negli Stati Uniti) alle vecchie confezioni di carta. La stessa commercializzazione del prodotto appare profondamente «antiecologica»: McDonald's, infatti, non esisterebbe senza un marketing particolarmente forte e aggressivo: la sua pubblicità accende i desideri, distruggendo le regole che controllano altrimenti quei bisogni. McDonald's riduce, così facendo, la sfera delle attività autonome, trasformandole progressivamente in attività commerciali (la merenda, lo spuntino, il compleanno), è quindi «antiecologista» perché incrementa prima di ogni altra cosa la rarità e il malcontento.

McDonald's ha da poco inventato una scatola superecologica, fabbricata con materiale a base di semola, biodegradabile al 100%, in grado di sciogliersi sotto la pioggia, e pare che sia anche commestibile: se si ha ancora fame, si potrà mangiare anche la confezione.

5. McManagement

*Dovete imparare a conoscere
la gioia di lavorare e di lasciarvi
guidare nel vostro lavoro.*

Ray Kroc, fondatore di McDonald's

McDonald's, in quanto laboratorio dell'alimentazione del futuro, costituisce anche un prototipo dell'impresa modernista. Gli stili di management sono evoluti nei secoli, grazie ai progressi tecnologici, ma anche grazie al ruolo dell'uomo nell'impresa e nella società. Nabil Rafai ha dimostrato che le imprese sono, come le altre organizzazioni, sistemi complessi guidati tanto dall'elemento razionale, quanto dall'elemento passionale e sono attraversate da logiche economiche, sociali, politiche, dell'immaginario, ecc. Il «sistema» di management McDonald's ci immerge nel cuore stesso del XXI secolo; sotto molti aspetti sembra essere costituito ad immagine e somiglianza del tipo di prodotto fabbricato e si basa sull'esistenza di tre grandi anelli concentrici legati fra loro da relazioni completamente standard. La gerarchia moderna, infatti, si è liberata dei suoi attributi personali, diventando molto più semplice e «razionale», fino a ridursi a poche grandi funzioni universali:

La tendenza punta all'élite e alla competenza. Le vecchie prebende, diabolicamente complicate, dovevano, costrette dal progresso, subire una razionalizzazione e tendere verso una sola categoria socio-professionale, quella dei capi e dei vicecapi[1].

---

[1] P. FORGET e G. POLYCARPE, *L'homme machinal*, Syros-Alternatives, Parigi 1990, p. 41.

McDonald's distingue i grandi, medi e piccoli capi, così come distingue le porzioni grandi, medie e piccole. Di primo acchito, questa gerarchia appare un semplice espediente del processo produttivo, mentre in realtà è studiata e manipolata ideologicamente. Il «sistema McDonald's» deve essere infatti trasferibile da un capo all'altro del pianeta, senza tenere in considerazione le culture professionali e le tradizioni sociali o nazionali preesistenti, perciò deve annullare le diverse professionalità nel campo della ristorazione (cuoco, caporeparto, cameriere, ecc.). Il modello universale non è né quello europeo, né asiatico, né quello degli Stati Uniti, nonostante da questi ultimi desuma gli aspetti principali. Il primo anello del «sistema» McDonald's raggruppa i fedeli tra i fedeli, eroi dei tempi moderni incaricati del management, cioè della funzione che consiste nel gestire razionalmente l'irrazionale. Il secondo anello è composto da centinaia di migliaia di piccoli dipendenti che transitano nell'impresa passando da un ruolo all'altro nella speranza (vana) di entrare un giorno a fare parte dell'élite. McDonald's offre loro, in cambio, alcune figure di identificazione, sostituisce le immagini tradizionali della professione con una «funzione-madre», ricoperta dalla società stessa e da una «funzione-padre» soddisfatta dal sistema del Management Tecnico. L'impresa-madre è quella che nutre economicamente (stipendio, ecc.) e moralmente (motivazioni, ecc.), è quindi colei che permette di vivere. Il pericolo sta certamente nel creare una relazione ambivalente che potrebbe far percepire questa madre non come una «buona madre», ma come una «cattiva madre» che divora i suoi figli. Il cannibalismo manageriale sta tanto nell'eliminazione programmata dei crew, quanto nella fusione degli uomini, che finiscono per farsi «divorare» dall'impresa: è possibile infatti rifiutare l'altro, sia respingendo la sua alterità, sia assorbendola per negarla. La sopravvivenza socioeconomica e psichica è in questo caso nell'identificazione (vera o finta) con l'impresa, che consiste nel rinunciare ad ogni identità personale per adottare quella della propria madre, all'interno di una relazione qualificabile come incestuosa. I manager oscillano continuamente fra questi due sistemi di immagini genitoriali, attraverso tutta una serie di personalizzazioni. Il vero potere del licenziatario sembra al contrario molto più lontano. Questo terzo circolo sembra estraneo, ma è necessariamente incluso dalla logica finanziaria del sistema, pur essendo contemporaneamente e obbligatoriamente negato dall'immaginario relazionale che feconda e struttura l'organizzazione. Il «sistema» McDonald's cerca di costruire così un nuovo compromesso sociale a partire da una psicologizzazione della relazione lavorativa molto meno favorevole al personale rispetto al vecchio compromesso fordista.

McDollari

Il management americano è molto diverso dal management europeo, poiché fa del personale un fattore di produzione come gli altri. Il dipendente fa parte dell'impresa non più delle patatine fritte surgelate che prepara, o della scopa che usa per pulire la sala, rappresenta quindi una risorsa flessibile da assumere e poi eliminare a piacere. Il manager americano, tuttavia, non è più crudele del suo consimile europeo, è semplicemente più moderno, nella misura in cui la globalizzazione segna la vittoria assoluta della «razionalità» economica, ed è guidato da questa logica ristretta in tutte le altre dimensioni umane. Il dominio di questa forma di razionalità ha impiegato secoli per affermarsi. L'economia si è prima liberata dell'aspetto religioso che ostacolava il suo sviluppo (religioni animiste, che vedevano un'anima in ogni cosa, religioni monoteiste che condannavano l'usura e imponevano giorni festivi, ecc.). Essa si sbarazza attualmente del sociale in nome dell'efficienza e degli imperativi legati alla concorrenza dei paesi poveri; si sbarazzerà un domani dell'Etica con la generalizzazione di tecniche commerciali sempre più sofisticate. Le decisioni dei manager McDonald's non si giustificano attribuendo loro maligne tendenze psichiche, ma attraverso la loro sottomissione ad una logica economica centrata sulla sola ricerca del massimo profitto. Questa logica, tuttavia, diventa molto più vergognosa nel momento in cui trionfa; spesso infatti è negata, o meglio, camuffata sotto altre vesti (umanitarie, psicologiche, ecc.) o idealizzata al punto da funzionare come il «dover essere» di tutta l'umanità. È opportuno invece individuare e riconoscere questo principio del profitto per evitare che contamini tutta la vita sociale o psichica. Questa individuazione, quindi, costituisce a tutt'oggi la sola definizione umanamente accettabile dell'impresa poiché è la sola in grado di bloccare l'estensione generalizzata della sua logica a tutta la vita umana. Lo scopo dell'impresa non è di farsi amare o di amarci, non si mette al servizio della crescita personale dei suoi membri, ma intende produrre beni e servizi nella prospettiva di un profitto. Non le si potrebbe riconoscere nessun'altra funzione, senza cadere in errore, fintanto che essa rimarrà nei principi che la guidano un'istituzione non democratica.

McDonald's rivendica il titolo d'«impresa cittadina», con l'intenzione di spedire il profitto al museo delle antichità. I suoi utili serviranno a finanziare operazioni benefiche per la collettività. Rivendica il suo ruolo nella lotta contro l'emarginazione, la disoccupazione, l'inquinamento.

Nel 1995 abbiamo creato McDonald's come «marchio americano e impresa francese». Una volta affermato questo dualismo, dovremo precisare in seguito che tipo di impresa siamo, che tipo di impresa vogliamo essere: e dall'«impresa cittadina» al «fenomeno di società», la strada è lunga.

J.P. Petit, Responsabile delle Risorse Umane di McDonald's France

Questa confusione di generi (economici, sociali, politici, ecc.) permette a McDonald's di entrare in concorrenza con alcune istituzioni in crisi, quali la famiglia e la scuola. L'impresa straripa di fatto dal suo alveo «naturale» per invadere tutta la società, interessandosi certamente agli utili, da cui deriva la sua capacità a far passare i propri interessi specifici per l'interesse generale. Il grado superiore di perversione a questo punto sarebbe la presa in carico da parte della nazione degli interessi di McDonald's. Ci si chiede tuttavia come faccia un'impresa capitalista ad operare nell'interesse generale, al di là dell'evidenza che ogni creazione di posti di lavoro o di ricchezza contribuisce a diminuire statisticamente il tasso di disoccupazione e ad accrescere il prodotto nazionale.

Questa logica economica è nello stesso tempo idealizzata, nella misura in cui viene presentata come una sottomissione al principio di necessità, facendo quindi funzionare le norme della produttività come principio di Realtà e riducendo di conseguenza la diversità delle situazioni ad una semplice misura numerica. Essa diventa allora «irrazionale» poiché non serve più all'espressione piena dell'uomo, il quale diviene lui stesso unifunzionale (Marcuse). Le leggi dell'economia (dunque, i mezzi) si sostituiscono ai fini (individuali o collettivi). Questa evoluzione non può che sfociare in una situazione psicosociale regressiva. Essa sostituisce infatti il principio di Piacere con quello di una realtà «falsa» poiché degenerata in cieco produttivismo. Il manager certamente può mentire a se stesso e credere di diventare «onnipotente» rispetto alla macchina che usa, ma ne diventa un semplice organo e perde in questo modo l'uso delle sue potenzialità creatrici. Si concorderà allora con la tesi di Loick Roche, secondo il quale se l'obiettivo delle risorse umane è di rispondere alla logica dell'impresa, essa non può contemporaneamente rispondere alla logica dell'uomo. Questa contraddizione appare evidente nell'opposizione tra l'«onnipotenza» rivendicata dai manager di fronte alla produttività e l'«impotenza» manifestata di fronte alla difesa della qualità della vita nel lavoro. Sembra persino possibile andare oltre e sostenere che McDonald's sia «impotente» nel creare vere e proprie professioni, cioè individualità caratterizzate da qualificazione e cultura. Il personale, non inserito, è privato di uno status sociale degno di questo nome, poiché da una collocazione professionale è spinto verso una semplice relazione psicologica. Le sue attese, da quel momento, non possono che essere determinate dai bisogni dell'impresa, poiché non possiede più nulla di proprio. I crew si differenziano solo in termini di aggressività, di combattività, si distinguono per il grado di fiducia nell'impresa. Questa relazione psicologica, però, genera frustrazione, poiché lascia l'uomo senza futuro e lo lega alla semplice ripetizione del presente. Essa nega ogni aspirazione ad un autentico senso, cioè ad una prospettiva che superi il momento. Non c'è più nulla da sperare, ma solo da fare. La logica del disincanto (economico e sociale) nega il desiderio stesso dell'uomo, impedisce infatti che i dipendenti abbiano futuro, se non negandosi essi stessi come dipendenti, licenziandosi, o diventando sommi sacerdoti di questo sistema antropofago. La distruzione delle professioni richiama di riflesso l'invenzione di una cultura d'impresa fondata sull'adesione ad un sistema di valori autoreferenziali. Il lavoratore sarà allora assunto in base ai suoi aspetti psicologici e non più in base alle sue qualità, cioè alla sua identità professionale; egli dovrà persino negarsi in quanto individuo, per essere ridotto alla sua funzione. Il crew McDonald's, quindi, non si definisce in se stesso o attraverso di sé, non assume più il nome della professione (cuoco o cameriere), che un tempo gli sarebbe appartenuto, è qualificato semplicemente dalla sua momentanea appartenenza all'impresa, quindi da qualcosa che gli rimane comunque estraneo. La forza di questo «sistema» sta nella sua capacità di presentarsi come un autentico vettore di «sviluppo personale»; non si è mai tenuta tanto in considerazione la figura del dipendente se non da quando egli è negato come lavoratore concreto (dequalificazione) e in quanto individuo (squalificazione). La valorizzazione della dimensione psicologica della relazione ha quindi una funzione ingannevole, tanto più in quanto permette al «sistema» di equilibrarsi e di funzionare efficacemente. Da questo punto di vista, quindi, McDonald's è un laboratorio dell'impresa «psicologica» modernista. Certamente, non è l'unico «luogo» in cui si inventa la società del domani, tuttavia esso beneficia del «ritardo» dello sviluppo del settore della ristorazione, che gli permette di realizzare una modernizzazione più sistematica perché non ostacolata da forme passate di tipo fordista. Esso crea un tipo di management che articola la gestione «scientifica» di ciò che classicamente è considerato «razionalizzabile» dalla matematica e la gestione «scientifica» di ciò che tradizionalmente è considerato «irrazionalizzabile». Per questo motivo, attinge al «governo delle parole d'ordine», la cui migliore illustrazione fu *Il prezzo dell'eccellenza*, vero e proprio best seller del management californiano, a gloria in particolare di McDonald's.

McSegreto

McDonald's è senza dubbio un'impresa molto efficiente. Rappresenta un sistema ottimale per la produzione di milioni di pasti a costo minimo, saziando milioni di mangiatori, ma questa constatazione non basta per capire quali siano i fattori decisivi che gli permettono di coprire progressivamente tutto il pianeta con prodotti in apparenza così «semplici». L'efficacia del «sistema» McDonald's è di fatto «qualcosa» di molto poco tangibile. Seguendo Harvay Leibenstein, la si potrebbe definire efficacia «X», in opposizione ai fattori tradizionalmente identificati come il capitale o il lavoro. Philippe Lorino ottiene per estrapolazione questo fattore «X», che corrisponderebbe alla qualità dell'organizzazione: «*Il «fattore organizzazione» è strettamente legato alla base tecnologica [...]. I dati tecnologici condizionano la scelta organizzativa, ma non la determinano*»[2].

L'economista recupera in questo modo l'intuizione marxista, secondo la quale la sostanza non sarebbe che l'espansione della forma. Il «segreto» di McDonald's non risiederebbe quindi nei suoi fattori di produzione, ma nel suo modo particolare di articolare determinati dati tecnologici e socio-umani, per farne un sistema coerente. Questo grande «segreto» consisterebbe così nel modo di far funzionare ideologicamente il «Management tecnico» e l'«Impresa» in quanto tale, per farne due poli genitoriali che strutturano la «psicologizzazione» della relazione di lavoro.

---

[2] P. LORINO, *L'économiste et le manager*, La Découverte, Parigi 1989, p. 28.

1. McOccupazione

La McDonaldizzazione della ristorazione ha fatto passare in pochi decenni questo settore, molto in ritardo, da un'era economica ad un'altra. Le culture e le strutture dei mestieri tradizionali scompaiono all'interno di una nuova organizzazione del lavoro. La tendenza della ristorazione moderna ricicla così il dispositivo tradizionale del lavoro alla catena di montaggio, tanto per il produttore, quanto per il consumatore. Il personale è ridotto al rango di operaio specializzato, mentre il consumatore circola lungo la catena di montaggio come un volgare prodotto. Questa modernizzazione unisce alcuni elementi ereditati dal taylorismo dell'inizio del secolo ad altri legati al post-fordismo di questa fine secolo.

– Il taylorismo rappresenta una fonte importante di incremento della produttività grazie alla scomposizione delle operazioni in compiti semplici e riproducibili. Il crew specializzato nella cottura delle patatine sarà necessariamente molto più produttivo, riuscirà infatti ad eseguire fedelmente le istruzioni dei protocolli di produzione, ottenendo una produzione di massa di articoli standardizzati. Non è facile immaginare una simile «taylorizzazione» nel settore della grande ristorazione: la crisi dei mercati degli anni Venti ha infatti dimostrato che questo tipo di produzione non era autoregolato.

– Il fordismo costituisce quindi una risposta alla crisi del taylorismo. Esso inventa un sistema fondato sul consumo di massa. Il lavoratore accetta la trasformazione permanente delle sue condizioni di lavoro in cambio di un migliore livello di vita. Il contratto sociale ha funzionato bene durante i «gloriosi anni Trenta», grazie allo sviluppo del diritto del lavoro, in particolare dei contratti nazionali. Questo meccanismo ha favorito l'aumento dei consumi da parte delle fasce popolari, incrementando quindi la produzione. Questo circolo virtuoso, però, si è interrotto all'inizio degli anni Settanta.

– La crisi del fordismo è stata causata dalla saturazione di alcuni mercati, ma soprattutto dalla rottura del sistema di regolazione socio-economico. Questo modello implica infatti che la

134

sostituzione del capitale al lavoro sia sempre compensata da un aumento sufficiente della produttività del lavoro, per correggere i suoi effetti negativi sul tasso medio di profitto. La crescita simultanea del costo del lavoro e dei consumi intermedi hanno causato un brutale ribasso dei profitti. La causa determinante starebbe nell'erosione dell'efficacia del sistema produttivo tayloriano (perdita di efficacia tecnica), ma anche in quella del sistema sociale fordiano (perdita di efficacia sociale: aumento dell'assenteismo, spreco, turn-over, scioperi, ecc.).

– Il post-fordismo è alla ricerca di un nuovo contratto sociale. L'alternativa «socialista» consisterebbe nella trasformazione di questo rapporto di lavoro nella prospettiva di un'autentica democrazia salariale. I diritti del cittadino nell'impresa trionferebbero rispetto a quelli dell'«Impresa cittadina», oggi vincenti. Il capitalismo è tuttavia parallelamente dotato di una grande capacità di adattamento. Il fordismo ieri fu, così come il fascismo, una delle grandi «trovate storiche» (Alain Liepietz) e ciò gli permise di sfuggire alla rivoluzione. Oggi, tenta di inventare la propria gloriosa uscita dalla crisi attraverso la psicologizzazione della relazione salariale, la sola in grado di preservare gli interessi del sistema produttivo capitalista. McDonald's costituisce in questo contesto un laboratorio sperimentale, poiché gode dei benefici di una industrializzazione più tardiva rispetto a quella di altri settori industriali. La sua modernizzazione, quindi, non è «congelata» nelle sue forme dall'esistenza di forze sociali (sindacati, ecc.) o di strutture (professioni) ereditate da un solido passato fordista, può quindi saltare questo periodo storico progressista per cogliere dal tronco secco del taylorismo dell'inizio del secolo i frutti allettanti di un management post-fordista. Baratta così la squalificazione del lavoro con un basso salario, senza suscitare tuttavia reazioni sociali, poiché offre al suo posto una retribuzione «psicologica». McDonald's, infatti, non propone al crew o al manager di arricchirsi finanziariamente, ma promette loro un «sviluppo personale». La crescita personale prende quindi ufficialmente il posto dello sviluppo socio-economico (condizioni di lavoro e di salario), e dello sviluppo culturale (acquisizione di una professionalità, soddisfazione nel lavoro). McDonald's mantiene quindi la dequalificazione tayloriana, ma la prolunga attraverso una squalificazione californiana. Il processo di disumanizzazione si trova paradossalmente compiuto sotto le spoglie della psicologizzazione della relazione di lavoro. Le catene della schiavitù industriale non saranno meno pesanti, ma saranno desiderate.

Crew polivalente: un'occupazione, non una professione

McDonald's è diventato uno dei maggiori creatori di posti di lavoro del pianeta. Esso dà lavoro a 800.000 dipendenti nel mondo, 25.000 solo in Francia, dove assume ogni anno quasi 4000 persone. Questi dati naturalmente non tengono conto del turn-over: nove milioni di americani, cioè il 10% della popolazione attiva, ha già lavorato da McDonald's. La Francia conosce la stessa evoluzione: con la previsione di 2237 ristoranti, nei quali lavorerebbero in media 50 dipendenti che cambiano circa ogni 18 mesi, ogni 20 anni un milione cinquecentomila francesi passerebbero da McDonald's. Con la prevista apertura di 20.000 unità, sarebbero impiegati 13 milioni di dipendenti. Le prospettive sono davvero inquietanti, poiché fanno del passaggio da McDonald's una delle tappe fondamentali della modernizzazione planetaria; esse non sono però sostenibili economicamente: il gruppo dovrà quindi trovare velocemente una diversa organizzazione del lavoro per accrescere la propria produttività riducendo il numero dei dipendenti, a rischio di rinunciare all'immagine di grande creatore di posti di lavoro. La posta in gioco rimane comunque abbastanza importante a corto e a medio termine, tanto da giustificare il tentativo di concentrarsi sul modo in cui una parte della gioventù subisce questa McDonaldizzazione.

McMinette, McJeunot

McDonald's recluta deliberatamente personale giovane e femminile. Questa politica gli permette di assumere individui molto più fragili e instabili. L'impresa mantiene il mistero intorno al suo bilancio sociale, considerato «top secret». Sembra quindi utile fornire alcune informazioni a partire da un'inchiesta realizzata nella zona di Lione. Ogni ristorante assume in media 54 persone, di cui 49 crew e 5 membri della gestione. I dipendenti sono assunti con contratto a tempo indeterminato, il 14% a tempo pieno e l'86% part time. 1084 persone sono così passate in un anno nei 20 ristoranti della zona. L'età media dei crew è di 22 anni, il 66% di loro è donna. L'età media dei manager è di 26 anni, con una percentuale di uomini dell'81%. Questo campione può essere considerato rappresentativo, data la standardizzazione della sua politica delle risorse umane e delle sue possibilità di azione: McDonald's riceve circa 1000 candidature prima di ogni apertura e ne prende in considerazione solo il 5%, le più conformi.

Questa situazione mette in luce una politica apertamente sessista. Il personale di servizio è composto da giovani donne, quello di gestione invece comprende soprattutto uomini. Il lavoro è quindi essenzialmente femminile e il potere è maschile. La scelta di personale femminile offre incontestabilmente numerosi vantaggi commerciali, corrisponde già all'immagine tradizionale del servizio che McDonald's intende riciclare nella modernità, permette inoltre che il prodotto alimentare assuma meglio la sua funzione materna. Così come il personale giovane caratterizza il dinamismo di McDonald's, allo stesso modo quello femminile caratterizza il sesso dell'hamburger, oltre ad essere probabilmente molto più sensibile alla «psicologizzazione» della relazione di lavoro. L'implicazione professionale di una donna non può infatti essere completamente liberata dalle peculiarità della sua educazione. Essa è infine molto più fragile socialmente: di solito è sottopagata, sottostimata, svalutata; sarà inoltre più incline a lasciare un posto di lavoro incompatibile con le esigenze della famiglia. I particolari turni di lavoro ne fanno un impiego temporaneo, per ragazze senza figli e non certo per madri di famiglia.

La scelta di personale giovane offre allo stesso modo diversi vantaggi per l'impresa: esso infatti è molto più disponibile perché meno coinvolto in altri «gruppi», generalmente ha meno legami sociali, economici, psichici, rispetto ad un adulto «coinvolto» nella vita. Questa scelta costituirebbe la soluzione alla principale debolezza di qualsiasi «psicologizzazione» dell'impresa, che starebbe, secondo Georges Friedman:

nel considerare quest'ultima come una struttura sociale arrotondata, chiusa, una sorta di entità collettiva che persegue la sua evoluzione indipendentemente da tutti gli altri gruppi sociali [...] ogni operaio, è membro di diverse collettività interne alla fabbrica e contemporaneamente è membro di collettività esterne, più vaste, quali il sindacato, la classe sociale, la nazione[3].

Il personale giovane è anche molto meno vendicativo, per mancanza di esperienza e di un durevole coinvolgimento all'interno dell'azienda; è inoltre più suscettibile a rispondere favorevolmente ad una sollecitazione psicologica, gli appartengono infatti un'affettività esacerbata e la romantica ricerca dei valori. Adeguandosi al prodotto, inoltre, riesce a comunicare meglio l'immagine di un'impresa giovane e moderna. Il rapido rinnovamento del personale offre l'illusione di un'impresa che elargisce posti di lavoro in abbondanza. Le campagne di comunicazione del tipo «E vai, un lavoro» hanno innegabilmente contribuito a forgiare l'identità del gruppo. McDonald's recluta giovani di soli 16 anni sulla base di un curriculum vitae standard da riempire in modo sommario, distribuito direttamente nei ristoranti come un volgare volantino. Nel curriculum si deve obbligatoriamente precisare la disponibilità di lavoro scegliendo tra due turni. Il volantino di assunzione si conclude con la famosa frase: «Succede solo da McDonald's».

Il personale assunto appartiene spesso alle categorie degli studenti o dei giovani disoccupati, coloro cioè che si trovano in una situazione provvisoria. I contratti possono essere quindi a tempo indeterminato, senza rischiare di rimettere in causa il

---

[3] G. FRIEDMAN, *Problèmes humains du machinisme industriel*, PUF, Parigi 1946, p. 316.

principio di un rinnovamento molto rapido dei crew. L'80% lavora tra le 18 e le 30 ore a settimana. Questo tipo di contratto è molto vantaggioso per McDonald's, poiché gli permette di pagare solo il personale necessario in funzione del tasso di frequentazione del ristorante: il 70% del volume d'affari si realizza infatti in 4 ore, dalle 12 alle 14 e dalle 19 alle 21. Il contratto part-time offre allo stesso modo la possibilità di fare eseguire ore di straordinario pagate come tutte le altre. L'orario è stabilito al momento dell'assunzione, ma può essere modificato secondo la volontà dell'impresa, esponendolo almeno sette giorni prima della sua entrata in vigore. Il dipendente firma semplicemente il nuovo orario, per dichiarare il suo consenso. Questa precarietà serve a creare una dipendenza fisica maggiore: il crew è virtualmente a disposizione del suo datore di lavoro 7 giorni su 7 e quasi 24 ore su 24; questa condizione rafforza allo stesso modo la sua insicurezza psichica e lo rimette completamente alla volontà dell'impresa.

McMiraggio dell'organico

McDonald's vuole apparire come una «impresa sociale», almeno per quello che riguarda la propria politica di occupazione. Questa rivendicazione si basa però su un vero e proprio inganno statistico: McDonald's infatti non è creatore, ma distruttore di posti di lavoro. L'affermazione può sembrare provocatoria, ma basta confrontare il numero di pasti serviti con il numero di dipendenti per constatare come ogni crew serva molti più clienti di qualsiasi altro cameriere. Il rapporto cliente/cameriere è di 1 a 5 nell'alta ristorazione e di 1 a 10 nella ristorazione classica: un cameriere serve cioè da 5 a 10 clienti all'ora, mentre nella neoristorazione si passa a 7 clienti al minuto, cioè 420 clienti all'ora. Si può quindi ritenere che un «cameriere» McDonald's sostituisca circa 150 camerieri tradizionali. Con un sistema di ristorazione classico, sarebbero necessari circa 75 milioni di dipendenti per effettuare il lavoro dei 500.000 crew esistenti attualmente. McDonald's in questo modo ha eliminato quasi 75 milioni di posti di lavoro nel mondo, 4 milioni dei quali in Francia. Certo, il calcolo è assurdo, visto che mette a confronto situazioni incomparabili, tuttavia mette in luce i limiti di questo tipo di ragionamento alla McDonald's. La constatazione, d'altronde, non ha nulla di rivoluzionario in sé, poiché traduce l'obiettivo di «razionalizzazione» delle risorse umane, quindi dell'economia del lavoro.

Il culto della velocità è evidente nella scelta del primo nome «McDonald's Speedee Service drive-in. Il suo fondatore, Ray Kroc, cercava continuamente di aumentare la velocità del servizio. Il suo primo obiettivo fu infatti di vendere un hamburger, un milk shake e delle patatine in cinquanta secondi. Riuscì comunque nel 1959 a vendere 36 hamburger in 110 secondi.

Il rapido aumento dell'organico di McDonald's è quindi semplicemente la conseguenza di uno spostamento del mercato tradizionale del settore verso la ristorazione rapida, che comunque è destinato ad esaurirsi: McDonald's infatti va allineando i suoi fattori di produzione ai livelli medi degli altri settori industriali. La costruzione di industrie produttrici di hamburger ne costituisce un'eccellente immagine anticipatrice. I profitti di produttività non possono più essere ottenuti con un aumento dei rendimenti. Il «sistema» McDonald's deve quindi evolvere per dotarsi di una nuova struttura molto più competitiva. In Spagna giungerà a produrre fino a sette hamburger al secondo. I crew si occuperanno unicamente della commercializzazione – aspettando, un domani, la diffusione dei distributori automatici? – mentre la produzione sarà concentrata in pochi giganteschi centri di produzione.

McLavoro

Il «sistema» McDonald's applica le ricette del taylorismo dell'inizio del secolo al settore della ristorazione e le estende anche alla gestione del servizio. L'organizzazione del lavoro si basa quindi su una parcellizzazione e su una standardizzazione massime di tutte le operazioni dei dipendenti, rendendo così possibile la produttività di ogni operazione privilegiando sistematicamente l'economia in costi diretti (manodopera diretta e materie prime). Con queste parole, Ray Kroc, fondatore di McDonald's, esprime la propria ammirazione per la taylorizzazione dell'alimentazione: «*Ero affascinato dalla semplicità e dall'efficacia del sistema [...] non solo il menu era limitato, ma ogni tappa della produzione era ridotta alla sua più semplice espressione, ed era eseguita con il minimo sforzo. Vendevano solo hamburger e cheeseburger. La carne grigliata, cotta tutta nello stesso modo, pesava un decimo di libbra e si vendeva a quindici centesimi, poi aggiungevano un pezzo di formaggio [...]. Immaginavo già dei ristoranti McDonald in tutti gli angoli del paese. In ogni ristorante, naturalmente, vi erano otto tritacarne roboanti, da cui usciva, costante, un flusso di soldi che finiva nelle mie tasche*».

McFantoccio

L'organizzazione del lavoro di McDonald's è in apparenza fin troppo semplice. La macchina McDonald's, tuttavia, ha incessantemente bisogno di nuovo sangue. Essa produce uomini corrispondenti ai bisogni, cioè alle esigenze del sistema, non si limita a divorare chiunque: «*L'organizzazione McDonald's è abbastanza rodata, ora basta solo trovare gli uomini e le donne adatti alla situazione*».

Dietro la sorridente facciata, si nasconde una spaventosa macchina che squalifica e dequalifica gli uomini. La dequalificazione e la squalificazione sono la condizione dell'efficacia del sistema. La squalificazione è la tappa seguente della dequalificazione tayloriana, e non riguarda più «l'uomo al lavoro» ma la persona stessa. McDonald's può essere definito come un'impresa che mira a privare il dipendente di tutte le qualità umane per farne, secondo Jean Baudrillard, un semplice «fantoccio da lavoro». L'uomo, privato della propria carne, cioè del proprio essere sociologico, ritrova l'identità immergendosi nell'impresa in cui lavora. Questa organizzazione del lavoro è strutturalmente distruttrice rispetto a qualsiasi cultura, non permette di vivere di un'attività che abbia in sé un valore e un senso. La monotonia dei compiti, la dipendenza nella creazione e nella realizzazione sono modi di non rispondere ai bisogni fondamentali dell'uomo, che non gli permettono di costituirsi come soggetto, cioè di affermarsi come individuo attraverso il suo lavoro e nel suo lavoro. McDonald's tuttavia compie il miracolo di riconciliare il costante disprezzo dell'attività umana con la sua glorificazione. Il disprezzo per il lavoro non è nuovo. Henri Lefebvre, nella ricostruzione dell'evoluzione della parola, esordiva constatando che da quando esiste l'uomo, il lavoro non ha smesso di riempire la vita della maggior parte dell'umanità, ma il termine implica sofferenza, umiliazione, sfruttamento. Il concetto di animale «laborans» sottolinea questa dimensione dolorosa dell'uomo. Il lavoro moderno ha conservato questo carattere di fatica penosa, ma parallelamente ha conquistato una dimensione liberatrice, diventando un modo per affermare la propria umanità. Non sorprende, quindi, che esso sia stato vissuto come una condizione per l'emancipazione dei popoli e per la liberazione delle donne. La stessa idea di una «liberazione» dei bambini (del terzo mondo) attraverso il riconoscimento del loro «diritto al lavoro» sembra mostruosamente avanzare. Un sondaggio dimostra che quasi la metà della popolazione tedesca considera già come normale un lavoro «leggero» per gli adolescenti. Come non accorgersi che McDonald's rientra perfettamente in quest'ottica?

La McDonaldizzazione del lavoro si basa sulla polivalenza e sulla sua esecuzione in squadra. Le «parole-contenitore» hanno in sé la propria legittimazione: smonteremo le due nozioni per scoprire il loro reale significato.

McTaylor

Il dipendente polivalente è un vero e proprio operaio specializzato. Lavora alla catena di montaggio, inserito in una divisione del lavoro che nulla ha da invidiare alle fabbriche descritte da Charlie Chaplin in *Tempi Moderni* o da Friedman in *Il lavoro in briciole.* La polivalenza in apparenza è contraria alla stessa nozione di specializzazione. Il termine evoca infatti l'arricchimento del lavoro, quindi dell'uomo: un'attività polivalente dovrebbe essere più valorizzante, più umana perché meno monotona e robotizzata. Il crew polivalente è universale nella misura in cui può effettuare tutta una serie di mansioni elementari senza che sia considerata la sua età, il suo sesso, la sua formazione. Deve essere capace di lavorare in tutte le unità del gruppo. Il crew di Parigi è quindi uguale a quello di Mosca o di Berlino. Persino le sue competenze sono fissate in alcuni, immutabili gesti elementari.

Nel contratto di lavoro figura una lista di mansioni:

- Gestire i registratori di cassa
- Gestire le macchine friggitrici
- Gestire il grill
- Preparare i condimenti
- Pulire la sala
- Svolgere i lavori relativi all'apertura del ristorante
- Svolgere i lavori relativi alla chiusura del ristorante
- Trasferire gli alimenti dal deposito alla cucina
- Risistemare la cucina
- Raccogliere i rifiuti che si trovano all'esterno
- Prendere e servire le ordinazioni
- Gestire le macchine delle bevande
- Preparare i panini
- Preparare le insalate
- Pulire le postazioni di lavoro
- Scaricare i camion che consegnano le merci
- Vuotare e pulire i contenitori di rifiuti

Il contratto di lavoro precisa che il crew deve accettare di eseguire ogni altra mansione necessaria alla buona conduzione del ristorante, istituendo in questo modo giuridicamente l'«astrazione» stessa della sua condizione professionale. Il crew McDonaldizzato non possiede nessuna qualifica, deve essere omogeneo come gli alimenti che prepara e vende. Esiste così un adeguamento tra il tipo di personale e la produzione stessa.

McDonald's utilizza una forza lavoro nei confronti della quale l'unica misura di valutazione è quantitativa, non tiene più conto delle differenze culturali o sociali e in questo modo crea un vero e proprio dipendente universale. Jean Baudrillard ha evocato proprio questa situazione, in cui il lavoratore moderno, prima di ridursi ad una qualsiasi funzione concreta, diviene esso stesso il simbolo dell'indeterminazione della sua forza di lavoro:

Il lavoratore non è più uomo, non è più neppure maschio o femmina, ha un sesso a sé, dato dalla forza di lavoro che lo assegna ad un fine, ed è definito da quest'ultima come la donna lo è dal proprio sesso (la sua definizione sessuale), come il Nero è contraddistinto dal colore della sua pelle[4].

Il crew è un elemento intercambiabile di una massa informe. Dieci minuti della sua attività equivalgono a dieci minuti di attività di qualsiasi altro. La logica dell'indistinto si basa su un principio d'irrealtà del lavoro, nel senso in cui

ciò che caratterizza questo agente produttivo non è più solo il suo sfruttamento, non è più il fatto di essere materia prima in un processo di lavoro, ma è la sua mobilità, la sua interscambiabilità, il suo carattere di desinenza inutile del capitale fisso[5].

Questa dequalificazione tradizionale del taylorismo non basta, però, per fondare lo spostamento della problematica all'interno dell'impresa. L'operaio specializzato della fabbrica fordista rimane, malgrado tutto, ancora un lavoratore concreto che può esigere il riconoscimento delle proprie competenze e sperare di diventare un giorno un operaio professionale; per convincersene, basta ricordare le lotte degli anni Settanta, dettate dall'esasperazione degli operai specializzati costretti ad un

---

[4] J. BAUDRILLARD, L'échange symbolique et la mort, Gallimard, Parigi 1976, p. 26; trad. it.: Lo scambio simbolico e la morte, Feltrinelli 1990.
[5] J. BAUDRILLARD, op. cit., p. 35.

lavoro disumanizzante. La possibilità di fare leva sul rapporto di lavoro farà della CFDT il sindacato degli operai specializzati, opposto alla CGT, sindacato poco sensibile alle famose rivendicazioni «qualitative». Il crew McDonald's si trova in una situazione inedita, poiché è negato in quanto lavoratore concreto, ma è considerato oggetto nel quadro di una relazione psicologizzata. Mentre l'operaio specializzato cercava una promozione professionale, egli trova, nella sua stessa negazione, la sua nuova qualificazione. La psicologizzazione si estende naturalmente anche ai prodotti infraculturali. Essa rinvia ad un lavoro «morto», in cui l'uomo continua ad essere la vittima principale. Il dipendente è necessariamente in lutto per qualcosa, per la sua identità, per la sua cultura, per la sua formazione. Porterà il lutto anche per la riduzione del lavoro concreto a lavoro astratto, per l'aumento dei turni, quindi per il deterioramento della qualità delle condizioni di lavoro. Dopo le dimissioni sarà in lutto anche per il proprio lavoro, per il suo amore deluso. Il «sistema» McDonald's poggia quindi completamente su un concetto di lavoro «morto». Sostituisce progressivamente il lavoro dell'uomo con quello della macchina. Il distributore di bevande si ferma automaticamente quando il bicchiere è pieno, la friggitrice emette un segnale sonoro quando le patatine sono pronte, il registratore di cassa è programmato per escludere quasi completamente l'intervento umano.

Le sperimentate ricette del taylorismo

Una tale organizzazione del lavoro porta McDonald's a godere dei benefici delle sperimentate ricette del taylorismo, rendendo il suo personale più produttivo, tendendo a sopprimere i tempi morti. Un «bravo» crew avrà sempre qualcosa (d'altro) da fare, potrà in ogni momento essere assegnato ad un'altra mansione. Questa divisione del lavoro incrementa notevolmente l'interdipendenza fra le persone, che in questo modo si sorvegliano reciprocamente e crea pressione, poiché ciò che non viene svolto da una persona, lo sarà da un'altra. Il sistema esclude strutturalmente i più deboli, che non godono del sostegno esistente abitualmente nelle comunità tradizionali (Denis Segrestin). La polivalenza induce infine alla confusione dei ruoli – quindi anche delle persone – e finisce per creare un autentico senso di frustrazione; ma l'insoddisfazione è una «buona» cosa, poiché induce alle dimissioni, indispensabili al funzionamento del sistema. I crew tentano di resistere a questa squalificazione appropriandosi di una precisa mansione (anche dequalificante), per assumere un ruolo ed identificarsi con esso; ciò tuttavia è in contrasto con la logica del sistema e finisce per fallire: il crew può infatti «riuscire» nel proprio intento solo se recuperato nel quadro di uno scambio affettivo: il dipendente ama McDonald's, che lo ricompensa (affettivamente) attribuendogli un «buona» mansione. Tale ricatto affettivo rende desiderabile ciò che altrimenti sarebbe considerato svalutante, insopportabile.

I vantaggi secondari della polivalenza

La polivalenza offre molteplici vantaggi secondari per McDonald's, modifica infatti il modo in cui il dipendente percepisce la propria relazione salariale, percezione, questa, più o meno favorevole al sistema. La polivalenza rafforza la relazione di potere nella misura in cui il crew universale si trova direttamente dipendente dal proprio manager e rappresenta quindi un'azione atta a renderlo più fragile e insicuro. Ognuno può in ogni momento essere sostituito da chiunque, senza conseguenze sulla qualità del prodotto o sull'andamento del ristorante. Nessuno quindi possiede conoscenze il cui possesso individuale o collettivo potrebbe rappresentare un pericolo per l'impresa. Di conseguenza, il personale diviene totalmente aleatorio, persino «virtuale». La polivalenza rende dunque più fragile il crew, poiché, invece di aiutarlo a creare un proprio bagaglio di competenze reali, essa nega tutte le sue identità, rendendolo inferiore non solo nella sua posizione di subordinato gerarchico, ma anche in quanto lavoratore concreto. Questa universalità induce inoltre una confusione di ruoli che evolve come fattore di deresponsabilizzazione e quindi di perdita d'identità, generando un sentimento di frustrazione e gelosia. Questa polivalenza ufficiale nasconde tuttavia una vergognosa specializzazione: il crew universale infatti non riceve una formazione relativa a tutti i ruoli professionali, ma apprende solo ciò che è strettamente necessario all'esecuzione di un compito. La polivalenza si limita quindi ai bisogni dell'impresa. I ruoli non godono, d'altronde, di una stessa immagine di marchio: i nuovi assunti vengono spesso assegnati a compiti di pulizia e non di produzione, così come avviene nelle tradizionali gerarchie della ristorazione. Alcuni manager utilizzano inoltre il ventaglio di mansioni per «retribuire» i dipendenti secondo le loro preferenze, attribuendo compiti diversi sotto forma di regalo o di sanzione, agendo in base ad una logica essenziale nel management condotto secondo regole affettive. La preparazione delle patatine fritte è spesso affidata al dipendente considerato peggiore, poiché la persistenza dell'odore costituisce una sorta di marchio indelebile. Questa specializzazione «selvaggia» dei compiti presenta tuttavia diversi vantaggi: prima di tutto aumenta la varietà delle forme di retribuzione simbolica; tale politica risulta molto efficace, visto che l'affidamento di un «buon» ruolo è considerato un premio maggiore dell'elezione a «miglior dipendente del mese». L'ingerenza dell'umano nella distribuzione dei posti è sistematicamente repressa dal management internazionale, che aspira a gestire uniformemente i posti di lavoro e il personale. Il rifiuto ufficiale sarà confermato dalla prossima introduzione del «segnapunti intelligente», che ogni mattina affiderà un ruolo ad ogni dipendente. Questo sistema cancellerà ogni traccia di intervento umano, come testimonianza di giustizia sociale.

McSorriso

Da molto tempo l'impresa sa organizzare scientificamente il lavoro produttivo. Essa scompone l'attività in mansioni semplici e ripetitive, attribuendole poi ad operai specializzati. I

147

sociologi hanno dimostrato il carattere disumanizzante di questo lavoro. Tuttavia, le imprese moderniste intendono andare oltre: coscienti dell'importanza della qualità della relazione umana, sia nel quadro produttivo che commerciale, hanno voluto rispondere a modo loro a questa nuova sfida concorrenziale, sviluppando tutta una serie di «psicotecniche» per «razionalizzare» la seduzione del loro personale, in modo da rendere possibile la produzione di generosità, così come si producono scatole di conserva. Il cliente McDonald's ha diritto al suo sorriso, convenuto, misurato, controllato. Il dipendente ha a disposizione una serie di complimenti regolamentari. L'impresa «psicologica» intende quindi gestire tutto, fino ai minimi gesti. La strumentalizzazione della dimensione affettiva delle relazioni salariali o commerciali è apertamente manifestata e rivendicata. Il giornale di McDonald's ama particolarmente pubblicare lettere di clienti «vittime» di questo artificio:

Abbiamo avuto la piacevole sorpresa di essere accolti con un sorriso [...]. Un ragazzo ha saputo consigliarci nelle scelte con molta pazienza e cortesia, sempre con lo stesso sorriso.

Messages, «De la vertu d'un sourire», novembre 1994

La strumentalizzazione degli affetti rientra nella categoria di ciò che Pierre Eiglier definisce «servuction»*. Alcuni anni fa, Eric Mayer si domandava, nel numero della rivista «Autrement» dedicato al culto dell'impresa[6] come sarebbe possibile produrre artificialmente sorrisi, come sarebbe possibile fabbricare in serie la generosità, come sarebbe possibile standardizzare la gentilezza, al fine di controllarne non solo l'efficacia, ma anche i costi. La risposta è giunta contemporaneamente da diverse società (Hypopotamus, Accor, ecc). Naturalmente, McDonald's non ha fatto eccezione, ha saputo infatti selezionare, formalizzare e poi imporre alcuni segni esteriori di affetto per soddi-

---

* Si tratta di un neologismo che potremmo tradurre: «asservimento seduttivo» [*N.d.T.*].

[6] «Autrement», *Le culte de l'entreprise*.

sfare emotivamente i suoi clienti; non solo, ha esteso questo artificio ai rapporti tra dipendenti. Il crew deve sempre mostrare «riconoscenza», cioè incoraggiare gli altri membri del personale e complimentarsi con loro. Ognuno di loro è «valutato» in base alla sua capacità di sorridere. La loro carriera dipende principalmente dalla manifestazione di questa buona volontà. Ognuno, quindi, ha diritto alla sua parte di affetto a tariffa; poco importa se il ghigno o la carezza sono automatismi dettati dalla gestione della produzione, dal management degli affetti, poco importa che lo sguardo concesso o scambiato sia identico per tutti, scomposto, pianificato, formalizzato nel protocollo delle mansioni. Questi comportamenti sono i valori rifugio delle imprese «psicologiche», il cui obiettivo è di sedurre il cliente o il lavoratore a costo minimo. Il crew vende al «suo» ospite un segno di riconoscimento appagante anche se robotizzato e riceve dal suo superiore lo stesso segno ugualmente efficace. L'hostess deve sempre avere una parola buona o un gesto gentile. Il protocollo per l'organizzazione della merenda di compleanno spiega nel dettaglio come valorizzare artificialmente il bambino festeggiato fin dal suo arrivo e per tutta la durata dei giochi. L'obiettivo è anche quello di standardizzare l'atteggiamento di ogni lavoratore. Nulla sfugge al controllo del management «psicologico», neanche gli aspetti più intimi: il crew non può vestirsi, profumarsi, truccarsi liberamente, non può neppure sorridere, guardare o parlare liberamente. Questa taylorizzazione dell'intimità è l'espressione di una mostruosa disumanizzazione rampante. Come non sperare che finisca per avere degli effetti iatrogeni? Che m'importa infatti del sorriso della cameriera se non posso credere che sia per me solo, che rifletta un'emozione autentica, nata dall'incontro di due individui? La standardizzazione dell'accoglienza è presentata tuttavia come segno di gioia e di efficienza, spingendoci un po' più avanti verso l'era del simulacro, della menzogna. La felicità McDonald's è non solo obbligatoria, ma deve essere esibita in modo regolamentare. La taylorizzazione dell'intimità non rappresenta neppure una relazione più umana partorita forzatamente, questo artificio non si sostituisce infatti ad una cattiveria «naturale». Il sorriso standardizzato non nasconde una smorfia, la gentilezza regolamentare non blocca lo scatenarsi della violenza o una manifestazione di indifferenza, non è quindi un modo di umanizzare i rapporti commerciali, ma al contrario è un modo di incrementare la reificazione dell'uomo; essa sostituisce un artefatto di umanità ad ogni autentica relazione, non deve quindi essere concepita come un elemento in più, ma come una sottrazione operata volontariamente per i suoi effetti perversi. Come stabilire infatti una relazione «vera» a partire da una situazione falsa? Come guardare l'ospite se non come un cliente, visto che questo primo atto falso vi impegna nei suoi confronti? Come ci si può unire in un movimento sindacale, partendo dal disprezzo condiviso? Questa perversione impedisce ogni autentica intimità, più esigente in tempi e più problematica, creando al contrario una situazione facilmente controllabile, utile e redditizia all'impresa. Essa richiama le tecniche di manipolazione del consenso analizzate dai sociologi. Il crew universale è preso nella rete tessuta dal suo primo gesto fraudolento: se egli accetta di sorridere artificialmente, non può più tornare indietro e cercare di creare una relazione autentica. Questa relazione perversa costringe infine ogni persona a cancellare se stessa dietro la propria funzione, nello sforzo di compiere quei gesti particolarmente intimi (sorridere, guardare negli occhi, parlare gentilmente, fare complimenti, ecc.) che non necessariamente desidera compiere o eseguire in quel modo. Questo comportamento costituisce quindi una forma particolare di prostituzione che genera la violazione manifesta dell'intimità ed è colpevolizzante perché reprime l'interiorità, che tende così ad un oggetto ideale (la bocca per la prostituta, il denaro per il dipendente). Da esso nasce un sentimento di disprezzo per l'«altro», percepito come colui che violenta e che si desidera distruggere. Abbiamo constatato che moltissimi crew demonizzano questo «commensale» che dà loro del tu e li chiama per nome: «Si ha voglia di dirgli che non abbiamo pascolato maiali insieme». La violazione dell'intimità è il mezzo più sicuro per legittimare agli occhi del personale l'uso delle tecniche di gestione commerciale, oltre ad essere il percorso più breve per fare del collega una persona indifferente, un concorrente o addirittura un avversario.

McEquipe

Il gruppo diventa l'oggetto libidinale [...]. Esiste una
correlazione inversa tra l'investimento di gruppo della
realtà e l'investimento narcisista del gruppo.

Didier Anzieu, *Le Groupe et l'inconscient*

Il lavoro di squadra costituisce il secondo strumento della McDonaldizzazione del lavoro. Il dipendente universale ritrova così nel gruppo una nuova identità individuale e collettiva. Questo dispositivo centrale deve essere analizzato nelle sue basi ideologiche, come nei suoi effetti psico-sociologici. Esso rappresenta il lato visibile del management, e si oppone, almeno in apparenza, ad una eccessiva individualizzazione degli uomini, promettendo loro un ambiente valorizzante e rassicurante. Il termine è stato scelto perché mascherava la dimensione gerarchica illegittima di McDonald's. La battaglia delle risorse umane si vince anche a colpi di semantica; la squadra è un termine molto più valorizzante: si è squadra quando si partecipa ad un progetto collettivo la cui riuscita dipende dall'apporto di ognuno, esso rimanda quindi direttamente alla nozione di ruolo e di responsabilità, definendo ciascuno nella sua relazione di inclusione. Il dipendente non esiste al di fuori o senza la sua squadra, non possiede in proprio nessuna qualità che possa offrire all'impresa. Il termine è collocabile nella categoria delle parole performative (Jean Louis Austin) poiché ha la capacità di far fare, non solo di dire, agisce sulla dimensione ideologica del dipendente conformemente agli scopi collettivi. La squadra McDonald's costituisce quindi un'entità collettiva particolare, da esaminare alla luce della sua coerenza con il «sistema» McDonald's. Innanzitutto è definita ufficialmente attraverso l'interscambiabilità dei suoi membri, polivalenza che tuttavia sembra essere soltanto una maschera. La squadra deve condividere d'altronde un progetto comune, che per McDonald's è la soddisfazione del cliente, scopo psicologico universale che la caratterizza. La squadra McDonald's deve creare felicità, vendere gioia. Questo progetto «psicologico» richiede la creazione

151

di una squadra necessariamente astratta. Come vendere infatti felicità universale attraverso uomini concreti? Il personale deve essere negato in quanto insieme di esseri sessuati, appartenenti ad una generazione, acculturati, per essere digeriti dal sistema e strumentalizzati. Come non stabilire un parallelo con la prostituzione, attività in cui la donna può vendere amore solo se negata nella propria singolarità e strumentalizzata, nel quadro di una relazione feticista al servizio dei desideri del cliente? La squadra si basa quindi sul rifiuto delle differenze e non sull'uguaglianza dei suoi membri. Questa universalità, tuttavia, è selettiva perché solo alcune qualità sono direttamente «psicologizzabili», quindi «universalizzabili». Il crew, dunque, molto spesso è donna, giovane e bella. Il sistema tende ad eliminare tutto ciò che potrebbe essere d'ostacolo al livellamento, come l'età, il sovrappeso, la bruttezza, ecc., caratteristiche troppo vistose sono escluse, se non per essere strumentalizzate a vantaggio dell'immagine commerciale (l'immigrato o il «senior», la «bella» crew). Il rifiuto delle differenze è idealizzato, perché la squadra ripropone divisioni che rispondano a distinzioni tra profili psicologici. Il «bravo» dipendente è secondo McDonald's «il tipo giusto» per «essere al top», un individuo disponibile, fisicamente, temporalmente, psicologicamente, pronto a dedicarsi completamente al lavoro, cioè alla causa McDonald's. La squadra McDonald's è anch'essa strutturalmente effimera, per essere ancora più astratta, si (ri)compone attraverso un rapido rinnovamento del personale e dipende dal «benvolere» dei manager che la creano e la disfano in funzione di valutazioni psicologiche: essa infatti è organizzata e influenzata in modo da presentare un profilo psicologico sempre standard che tiene conto delle caratteristiche psicologiche dei dipendenti. Il management favorisce così la presenza di un leader incaricato di motivare gli altri, che al momento giusto sappia anche sciogliere una squadra in cui le relazioni personali prendessero il sopravvento sulla dimensione psicologica. Un sistema di questo tipo, pur se involontario, costituisce una vera e propria forma di castrazione, poiché mira ad impedire qualsiasi relazione «autentica» fra dipendenti. Le squadre sono organizzate così in maniera inumana, senza tenere conto dei desideri degli individui. Anche la psicologizzazione è un modo per creare un legame meccanico tra individui, per evitare la nascita di una relazione qualitativa. Ammettere questo tipo di relazioni significherebbe infatti riconoscere l'esistenza di un uomo concreto che non può lavorare con chiunque, fare squadra indifferentemente. Si può forse ritenere questa psicologizzazione come la condizione di un potere che gestisce non solo il lavoro, ma la stessa individualità del dipendente: «*Il manager [...] distrugge ogni legame che possa unire tra loro i dipendenti. La distruzione del legame legittimo permette che si crei l'unico legame accettabile ai suoi occhi, la dipendenza dei lavoratori nei suoi confronti*»[7].

Il «sistema» McDonald's ha bisogno della squadra come supporto di identificazione individuale, di una microsocietà omogenea, priva di individualità. Non c'è alcun bisogno di esterni (delegato del personale o ispettore del lavoro) per gestire la relazione, perché ogni attività militante costituisce un'ingerenza anormale negli affari di famiglia. La squadra McDonald's intende essere trasparente, senza nessun conflitto al suo interno; le eventuali difficoltà non sarebbero certo legate a logiche di interessi in gioco, sarebbero solo di ordine psicologico: basta quindi imparare a volersi bene da subito perché tutto funzioni correttamente; l'eventuale mancanza di affetto può essere compensata dai protocolli tecnici, che impongono di essere «riconoscenti», cioè di bombardare l'altro di segni d'amore. Perché tutto funzioni bene, basta che ognuno si identifichi pienamente con la sua funzione e rispetti le norme psicotecniche. L'«io» di ogni dipendente si unirà in questo caso all'«io» di tutti gli altri. Ci si può certo domandare se tutto questo basti per ottenere un vero «noi». La squadra non sembra superare lo stadio di aggregazione funzionale, ma questa situazione probabilmente è preferibile ad una socializzazione troppo forte, che rischierebbe di sfuggire al controllo manageriale. Bisogna quin-

---

[7] L. ROCHE, *op. cit.*, p. 214.

153

di bloccare questa eventualità e non dare alcuno spazio all'espressione di conflitti strutturali, di competenze o sociali. Ciò naturalmente non basta ad evitarli del tutto, ma certo ne modifica la forma e la natura, favorendo lo sviluppo di psicodrammi tra individui che rivestono ruoli uguali o diversi. Questa forma ibrida di risoluzione dei conflitti è giudicata forse preferibile all'arsenale classico degli strumenti della militanza. La preferenza per forme di regolazione anglosassoni non significa certo che McDonald's non sia obbligato ad avere a che fare con meccanismi istituzionali francesi: il 2 ottobre 1996 è stato firmato infatti un accordo sull'esercizio del diritto sindacale e della rappresentanza eletta del personale tra la Direzione McDonald's France e la CFDT (la principale organizzazione sindacale dell'impresa), ponendo termine (?) a lunghi anni di polemiche e di azioni giudiziarie sull'esercizio di questo diritto sindacale. L'accordo, concluso per un periodo di due anni, instaura un finanziamento dei sindacati da parte di McDonald's France sulla base di un credito annuale dello 0,075% della massa salariale, accorda ai rappresentanti sindacali un credito di trenta ore al mese, che aumentano nei periodi di negoziazione. La convenzione implica, come controparte, la riaffermazione del diritto dei dipendenti all'espressione diretta e collettiva, e precisa allo stesso modo che i volantini devono essere distribuiti solo in alcuni locali. L'accordo naturalmente è valido solo per quei ristoranti di cui McDonald's è il diretto proprietario.

2. La McDonaldizzazione dei crew

McDonald's svolge un'importante attività di regolamentazione del proprio personale. Il crew non impara un mestiere, ma impara a forgiarsi in uno stampo: la McDonaldizzazione si basa infatti sul livellamento di tutte le peculiarità umane. Questo sistema di management «disumanizzato» viene giustificato dalla necessità di efficienza produttiva. Lo scrupoloso rispetto delle norme serve ad evitare quella parte di irrazionale che esiste in ogni impresa umana, per raggiungere una forma

di asetticità del management attraverso l'espulsione dei sentimenti. Tale asetticità è tuttavia illusoria, perché nasconde un
disegno molto più perverso, in quanto si mettono in gioco gli
affetti ad esclusivo profitto di McDonald's. Ernest Boesch ricorda che qualsiasi lavoro di simbolizzazione può giocarsi sulle
relazioni tra l'uomo e la sua cultura solo se questi si appropria
degli oggetti e dei settori di conoscenza più vari.

McNovizio

La McDonaldizzazione degli uomini assume forme molto
varie. L'integrazione di nuovi dipendenti costituisce un buon
terreno di osservazione, in cui si realizza un lavoro di standardizzazione che sembra corrispondere a ciò che L. Roche ha
definito logica omosessuale e sadica.

La relazione può essere definita omosessuale nella misura in
cui si tratta di «fare del diverso l'uguale», si tratta cioè di negare le differenze di sesso, di età, di condizioni, di cultura. Il rifiuto dell'alterità sembra uno dei mezzi per bloccare lo scambio
conflittuale, imponendo un'equivalenza sistematica tra l'insieme dei soggetti; ciò autorizza quindi a parlare di una castrazione identitaria, in particolare per l'uso di una dinamica di
gruppo negatrice di ogni individualità. Questo spirito di corpo
fondato su una logica dell'indistinzione – sono tutti identici –
favorisce l'odio, ma anche, paradossalmente, la gelosia rispetto a tutto ciò che distingue e scatena inoltre una logica incestuosa, poiché il crew e il manager non possono più uscire dai
confini di questo circolo vizioso.

La relazione presenta inoltre un contenuto sadico, nella
misura in cui si tratta di mettere l'altro nell'impossibilità di
difendersi e di essere se stesso. Il crew deve essere castrato per
far parte del sistema, e non ha altra scelta: o accetta o si ritira
dall'impresa.

Di fronte a condizioni salariali minimaliste, alla formazione inesi-
stente, alle difficili condizioni di lavoro, i dipendenti, per esistere,

155

spesso non hanno altra scelta che sviluppare un malcontento che si manifesta poi nell'assenteismo. Per affrontarlo, il manager [...] elegge un sistema di repressione i cui strumenti principali sono [...] articolati su uno stesso discorso, su uno stesso pensiero inespresso: se non sei contento, puoi andartene. Così, inizialmente velata, appare la minaccia del licenziamento. Il manager fallico disprezza i dipendenti perché si lasciano castrare, e disprezza se stesso perché è solo l'ombra di suo padre [...]. Obbligando i dipendenti a dare le dimissioni, il manager [...] li castra. Rende loro impossibile agire in altro modo, e non possono che ritirarsi[8].

La McDonaldizzazione del pensiero: la formazione dei crew

McDonald's ama presentarsi come un'impresa di formazione, e per questo esibisce il monte salari che mette a disposizione a tal fine. Il gruppo francese nel 1993 ha dedicato 22.000 ore alla formazione nella sola regione di Lione, cioè il 3,70% della massa salariale. La formazione vuole essere ad un tempo teorica e pratica, quindi diversa da quella fornita nelle scuole e nelle università; vuole essere anche efficace, sia sul piano professionale che su quello morale. McDonald's, quindi, non forma solo bravi dipendenti, ma «veri» uomini:

Le nostre università sono sovraffollate di gente che studia le arti liberali e non impara praticamente nulla su come guadagnarsi da vivere. Ci sono troppi laureati e troppo pochi macellai. Il viso degli educatori si allunga, quando parlo loro di tutto questo e mi accusano di essere un anti-intellettuale, ma non è affatto vero, io sono un anti-falso-intellettuale, e molti, fra di loro, lo sono. Non sono contro l'educazione, ma la mia filosofia relativa a ciò che l'educazione dovrebbe essere è espressa molto bene all'Università e alla Scuola Secondaria degli hamburger. Educazione alle professioni, è ciò di cui il paese ha bisogno.   Ray Kroc, *L'impero McDonald*

---

[8] L. ROCHE, *op. cit.*, p. 213.

156

Questa formazione ha come obiettivo il collocamento nelle varie mansioni. L'insegnamento di base viene impartito direttamente in sede e si svolge generalmente in un'unica giornata. L'apprendistato avviene in effetti soprattutto sul campo. L'apprendista può essere affidato ad un tutore che lo segue durante i primi giorni di lavoro. La formazione è identica per tutti i 500.000 dipendenti del mondo che dovunque agiranno con gli stessi gesti, allo stesso modo, è universale e quindi infraculturale. Essa fa della taylorizzazione massima la condizione stessa del sapere, insegna a Pierre come ad Hans a scomporre ogni gesto in operazioni standardizzate. Un video di dieci minuti dedicato alla superdisinfezione, mostra ad esempio come lavarsi le mani nel modo giusto. Ogni crew segue in teoria un piano di formazione che accompagna il suo cammino all'interno dell'impresa. La maggior parte dei crew incontrati, tuttavia, è stata formata solo per alcuni ruoli. Il crew di alcuni paesi, al termine di ogni corso riceve delle «stelle» per ornare il suo cartellino. Un centro nazionale McDonald's riceve ogni anno 2000 manager per una formazione complementare sulla gestione delle risorse umane, per lo sviluppo del marketing e delle tecniche di vendita. I dirigenti devono effettuare un viaggio a Oak Brook (sede della ditta, ad un'ora circa da Chicago), in cui si trova l'università dell'hamburger, fondata da Ray Kroc nel 1961, la quale ha già formato 45.000 manager laureati, che ricevono il loro titolo durante una cerimonia in pieno stile anglosassone. 3000 licenziatari e direttori di ristoranti trascorrono ad Oak Brook (solamente) due settimane. La formazione è totalmente standard, è impartita in dieci lingue ed è naturalmente tecnica (management, marketing, motivazione del personale, ecc.), ma non trascura la filosofia del gruppo, riassunta dal quadrato magico (Quality, Service, Cleanliness e Value: qualità, servizio, pulizia e valore). Questa Mecca della tecnologia insegna infatti il vero «segreto» del successo. I sacrosanti metodi McDonald's sono dati naturalmente come universali. Il viaggio negli Stati Uniti costituisce un rito d'iniziazione che distingue i «veri» manager, al di là della nazionalità. Si rimane però sconcertati di fronte a questa fede nella qualità della formazione «casalinga», se pensiamo alla sua brevità e al suo contenuto limitato:

L'esperienza sul campo è la base della formazione McDonald's, ed è completata da un insegnamento teorico a Parigi e negli Stati Uniti. Dopo una settimana introduttiva (BOC, Basic Operation Course), si giunge allo IOC (International Operation Course) e il corso si fa più impegnativo [...]. Ultima tappa dell'insegnamento teorico, lo AOC (Advanced Operation Course), che consiste nel trascorrere due settimane alla Hamburger University di Chicago.

Comunicato McDonald's

Tutti si ricorderanno la pubblicità di Quick, nella quale studenti dell'Università dell'hamburger – probabilmente quella McDonald's – boicottavano i corsi perché l'insegnante rifiutava di parlare dell'ultimo prodotto Quick.

Questo discorso ditirambico induce a tre grandi considerazioni: il volume globale del budget di formazione è la conseguenza del turn over desiderato: McDonald's preferisce formare nuovi dipendenti, piuttosto che mantenere quelli già assunti, non compie quindi un particolare sforzo in favore degli uomini, ma gestisce le logiche conseguenze delle proprie scelte strategiche: spenderebbe molto meno in formazione, infatti, se accettasse di infondere sicurezza nel proprio personale, «offrendogli» in massa la possibilità di fare carriera. Il volume del budget, quindi, non è il segno di un investimento sugli uomini, ma, al contrario, è segno di un disinvestimento radicale. Il budget, poi, non è superiore a quello di altri gruppi, ma McDonald's fa della qualità della sua formazione un argomento di legittimazione: non trattiene il suo personale, ma lo prepara per sempre alla vita. Ci chiediamo allora quale sia la natura stessa di questa formazione: essa prepara infatti un personale capace di eseguire un lavoro omogeneo, offre una «competenza» la cui principale particolarità sembra stia nel rinchiudere ogni uomo nella propria funzione. L'individuo è efficiente universalmente, quindi puntualmente:

Il concetto arbitrario di «competenza» crea una doppia mistificazione: unisce le competenze specifiche in un concetto unico [...] la competenza è la qualità di un lavoratore che sa trarre il massimo dalla sua funzione produttiva, sa allinearsi senza perdere tempo ai ritmi degli strumenti che utilizza [...] La competenza veicola una logica da insetto, che assorbe ciascuno nella propria funzione e ordina alla società di ripetere continuamente le stesse modalità di esistenza (...) La competenza non è un sapere relativo ad un settore, il possesso spirituale o culturale di una dimensione dell'uomo, ma la capacità meccanica di saper fare, rivolta alle prestazioni di un dato strumento e al potenziamento di un settore[9].

La formazione McDonaldizzata non è una conoscenza aperta su altro, un sapere fecondante, non si tratta che di una stretta conoscenza tecnica, quindi un sapere prosciugato e prosciugante, costituisce il terreno di un agire esclusivamente funzionale, confonde la ricerca dell'adattamento (e il suo apprendimento attraverso l'esperienza) con quella di una formazione continua definita in Giappone da Kaizen «miglioramento continuo nel quadro di un processo cumulativo». Il crew McDonald's (per quanto sia fantasioso) non modificherà mai le condizioni standard del proprio lavoro, non può che correggere «puntualmente» una disfunzione passeggera di un sistema chiuso. Si trova di fronte ad un adattamento non cumulativo, il cui obiettivo è di rendere di volta in volta funzionale questo schema unico universale. Il giorno dopo si ritroverà nella stessa situazione del giorno prima. Questa formazione induce alla perdita dell'autonomia e dell'autentica responsabilità, anche se McDonald's parla molto di iniziative personali. Questo discorso confonde ciò che appartiene all'ordine dell'adattamento (nessun modello respinge completamente l'umano, esistono sempre disfunzioni da correggere) e ciò che appartiene all'ordine dell'intervento nella definizione e nell'esecuzione dei suoi compiti. La possibilità di iniziativa personale del crew si limita all'abbassarsi per raccogliere ciò che un cliente ha lasciato cadere o a lavorare più velocemente del collega. L'uomo McDonaldizzato è quindi colui che compete con i colleghi per accrescere il rendimento dell'impresa. La formazione si rivela un semplice

---

[9] PH. FORGET e G. POLYCARPE, *op. cit.*, pp. 19-20, 23.

mezzo per organizzare tecnicamente e psichicamente questo insieme di competenze. McDonald's pone quindi l'umano al margine del suo processo di produzione, laddove una strategia fondata sull'autonomia ne farebbe il cuore stesso del sistema. Il rifiuto delle iniziative dei crew sembra essere il modo migliore di imporre quelle dell'impresa, è quindi inutile pensare che il livello di formazione superiore di molti dipendenti possa sconvolgere questa abitudine d'impresa, poiché, in base alla formula di Philippe Lorino: «*Il condizionamento manipolatorio non si trasformerà mai in autonomia con un colpo di bacchetta magica*»[10].

La McDonaldizzazione del discorso: la retorica McDonald's

McDonald's è caratterizzato da una vera e propria diarrea verbale, in questo modo mette in luce il proprio desiderio di vedere a tutti i costi le proprie idee condivise da tutti. Le impone attraverso una idealizzazione del discorso vero e quindi incontestabile. La parola di McDonald's è basata su una logica della compensazione: esso è infatti tanto più chiacchierone su taluni argomenti, quanto più è silenzioso su altri, anche per compensare la castrazione della parola del proprio personale: la sua logorrea rappresenta l'altra faccia del discorso vietato. La parola selvaggia è McDonaldizzata tanto a livello di contenuto, quanto di enunciazione. Innanzitutto, molti argomenti sono considerati tabù, quali ad esempio l'interpretazione non psicologica della relazione di lavoro: il dipendente non può pensarsi con interessi opposti a quelli dell'impresa. La parola collettiva (quindi una parte della vita) è squalificata fin da subito. Il linguaggio autorizzato è d'altronde estremamente eufemistico, utilizza un lessico casalingo, basato su un miscuglio di terminologie americane e francesi. Questo linguaggio artificiale non offre una veduta d'insieme (quindi simbolica), ma una rappre-

---

[10] P. LORINO, *op. cit.*, p. 176.

sentazione infantile della realtà, inducendo un disturbo semantico dato dall'uso di alcuni termini usuali in un significato diverso dal loro senso comune (tempo scelto per tempo imposto, polivalenza per dequalificazione, lavoro di squadra per deprofessionalizzazione, ecc.). Il disturbo consiste inoltre nella confusione della logica dell'impresa con quella del rapporto con i clienti: il crew che non esegue un «buon» lavoro, non viene meno ai suoi obblighi professionali, ma inganna la fiducia dei «suoi convitati». La confusione di queste logiche d'interesse contribuisce chiaramente alla psicologizzazione della relazione di lavoro. Inoltre, l'uso di questo «sabir», rende più difficoltosa la polemica; McDonald's lo presenta come semplice descrizione della realtà, rendendo la trasgressione (verbale) delle Leggi, in questo modo «naturalizzate», letteralmente senza oggetto. La lingua americana perde così la sua dimensione culturale per trasformarsi in un semplice idioma tecnico incontestabile. È necessario tuttavia, anche sulla base degli studi condotti da Pierre Bourdieu, considerare queste pratiche linguistiche veri e propri espedienti sociali, e rifiutare di considerarli solamente strumenti di comunicazione: sono infatti agenti attivi di costruzione del significato del reale, quindi costituiscono uno strumento di dominio simbolico. Il crew novizio che impara a parlare McDonald's giunge a non saper pensare né parlare da solo, ammette come sapere autentico solo quello che gli giunge dall'esterno. La posta in gioco è estremamente importante, poiché questo sapere non riguarda più solo una dimensione professionale, ma un modo di essere nell'impresa, sostituisce il saper essere, totalizzante, al saper fare, necessariamente parziale. Il crew non può progredire nella gerarchia, se non standardizzando il proprio pensiero attraverso questo linguaggio ufficiale. Il management diventa il «luogo» mitico prestigioso, dove è conservata la versione legittima di ciò che sembra essere la verità e quindi la realtà. Questo potere, tuttavia, non è più fondato come un tempo sulla competenza (reale o fittizia), ma direttamente sulla funzione che permette di accedere ai «segreti». Il management si appropria (accesso a) di questo sapere che si presenta come esclusivamente tecnico, quindi uni-

161

versale. Questa svolta, basata sulla socializzazione del sapere, rappresenta un'operazione di magia sociale: l'interpretazione ufficiale del reale assume la neutralità dell'oggettività. L'unica descrizione accettabile è quindi quella che legittima la situazione attraverso un sistema già predefinito, in questo modo il disaccordo diventa l'ammissione di una fuga di fronte alla verità. Questo meccanismo assegna ad ogni discorso deviante lo statuto di parola isterica.

La McDonaldizzazione del corpo: l'uniforme McDonald's

Il corpo del personale deve essere dichiarativo, un corpo rappresentativo, non deve essere infatti solo una bella macchina, ma anche un portavoce, una metafora del management McDonald's, un vettore di senso per il suo proprietario e per gli altri. Esso infatti definisce il rapporto visivo di ciascuno con il resto del mondo, è quindi possibile agire sulla persona agendo sul suo corpo, coinvolgendolo in un sistema che lo considera forza lavoro e segno dell'immaginario riduttivo sul quale si fonda.

L'uniforme McDonald's deve quindi essere considerata come uno strumento di standardizzazione e di semantizzazione del corpo, sottomesso ad una disciplina nell'intento di renderlo più neutro e universale. Lo statuto del crew è basato in parte su questa strategia d'indifferenziazione dell'abbigliamento, l'uniforme veste come una seconda pelle, è il segno di una nuova nascita. Jean Baudrillard ricorda che per l'economia politica classica l'ideale del corpo è il robot, modello compiuto della liberazione funzionale; il corpo diventa così estrapolazione della produttività razionale assoluta e perciò deve essere contraddistinto da un sistema di segni che lo negano nella sua singolarità, per farlo funzionare come un corpo standard. L'uniforme è per questo motivo rigidamente obbligatoria, anche se diversa in base al ruolo (crew, manager, ecc.). Ha conosciuto varianti, nel tempo e nello spazio (secondo i paesi o i ristoranti), ma conserva le stesse caratteristiche generali e genera ovunque gli stessi effetti. L'uniforme è prima di tutto un mezzo per iscriversi visivamente nella continuità della tradizione dei costumi della ristorazione, essi stessi eredi dei costumi domestici, e favorisce anche la presa di coscienza di un'identità collettiva, fortificando lo spirito di corpo, segno di un cameratismo senza cedimenti; non è solo un capo d'abbigliamento professionale, la sua funzionalità scompare dietro il segno, vestendo l'uomo prima del dipendente. Essa, d'altra parte, attribuisce un carattere formale alle relazioni, eliminando una parte di spontaneità nei rapporti tra le diverse categorie di attori (clienti, crew, manager) e contribuisce alla spersonalizzazione, nascondendo il soggetto dietro la dimensione collettiva. L'uniforme deve essere un segno di appartenenza da indossare con fierezza. La cura che se ne ha è la stessa con la quale si cura il legame con l'impresa. Il dipendente che lucida la propria uniforme rafforza inconsciamente la propria appartenenza al gruppo, fa dell'impresa un problema personale e contribuisce, attraverso questo simbolo, alla propria negazione. L'uniforme unifica quindi i membri del personale, rendendo visibili allo stesso tempo le gerarchie; l'abito che indossano li distingue in base ai ruoli, costituisce quindi un ottimo mezzo di controllo sociale, assegnando a ciascuno il proprio posto e imponendo un'immagine corporea diversa, ma legittima, del crew e del manager.

Il crew vestito da McDonald's

Parleremo ora dell'uniforme «storica», senza considerare le varianti locali.

L'uniforme del crew comprende pochi pezzi estremamente indicativi del suo ruolo all'interno dell'impresa. Al momento dell'assunzione riceve un cartellino, un cappellino, pantaloni, una cintura, una camicia, ecc., che richiamano tutti i colori McDonald's, anche se possiedono altri segnali che confermano l'americanizzazione del prodotto. Il dipendente calza scarpe da città, segno di efficienza e di prestanza, ma anche di annullamento (tacchi bassi per le donne). I pantaloni (spesso grigi, a volte blu o marroni) hanno un taglio classico per entrambi i sessi, fattore che testimonia il desiderio di banalizzazione e dona un'immagine di pulizia (il grigio invece del bianco); non avendo tasche, riducono al minimo il rischio di furto e la possibilità di ricevere mance. Tale proibizione funziona come indice di annullamento del dipendente e di testimonianza di onestà dell'impresa. I pantaloni senza tasche impediscono inoltre al dipendente di mettersi le mani in tasca, gesto che indicherebbe la presenza di tempi morti (è proibito non fare nulla), impongono quindi un comportamento conforme a quello che McDonald's desidera mostrare. Un simile abbigliamento manipola l'immagine corporea del crew, per offrirne una positiva dell'impresa e vuole indicare anche l'assenza di interiorità del personale, costituendo quindi una sorta di costante richiamo all'ordine. Il dipendente non ha nulla da nascondere, non ha più dimensione interiore, che, per il filosofo E. Enriquez, corrisponde al processo di coscientizzazione al termine del quale l'individuo si rende autonomo e capace di pensare da sé. Il crew deve quindi scomparire dietro il gruppo, non può nemmeno conservare un bene personale come un fazzoletto, vengono così limitate le occasioni in cui potrebbe distrarsi o distinguersi. Anche la camicia regolamentare obbedisce a precise norme: spesso è a maniche corte, per ricordare (per influenza americana) la necessità di rimboccarsi le maniche: si conserva così il segno in assenza dell'oggetto (che sarebbe indice di trascuratezza). La nudità delle braccia inoltre indica che non vi è nulla da nascondere all'impresa e al cliente. La camicia a righe verticali (verde e rossa) è segno di dirittura morale e disciplina (come il tradizionale gilet dei domestici); le righe snelliscono e sono anch'esse un modo per dire che i prodotti McDonald's non sono pieni di grassi. Anche questo capo di abbigliamento si rivolge ad una clientela giovane, dinamica, sportiva, ecc. Il crew possiede anche un cartellino che, oltre la M di McDonald's, porta scritto il suo nome (non il suo cognome) e a volte un codice (delle stelle) indicante il livello del crew. L'uso obbligatorio del nome, sia con i clienti che tra colleghi, incoraggia ad una certa familiarità, favorisce l'identificazione del cliente con il personale e quindi con il prodotto; crea in questo modo una sensazione di convivialità, rendendo meno percettibili i limiti abituali tra la sfera privata e quella dell'impresa. Il nome, di solito familiare o amichevole, diventa di uso comune; perché non utilizzare il soprannome o un nomignolo intimo per sottolineare ancora meglio la vicinanza tra McDonald's e il suo personale? L'uso del nome determina la negazione dell'esistenza sociale autonoma: l'adulto infatti è sempre interpellato per cognome in segno di dignità. Il «contadino» di un tempo, come il bambino di oggi, ha solo un nome, mentre il nobile, come il manager, ha diritto al proprio cognome e ai propri titoli, il solo nome costituisce infatti un appellativo troppo generico rispetto alle sue funzioni. Anche dare del Voi o del Lei è segno del rispetto di una distanza sociale. Il nome coglie, di ciascuno, solo ciò che permette di interpellarlo funzionalmente e non ciò che permette di identificarlo socialmente e culturalmente, è quindi uno strumento che rende omogenei, negando le individualità. Questa nominalizzazione ridotta contribuisce all'infantilizzazione del personale, contribuendo alla sua squalificazione, e rappresenta un modo di mantenere il dipendente in una condizione di permanente insicurezza, perché passibile di lamentele da parte dei clienti insoddisfatti. Egli si sente «implicato» nella sua relazione di lavoro, non in qualità di adulto responsabile, ma come un bambino, impaurito dall'idea di essere sorpreso.

Il crew naturalmente non indossa la cravatta, segno di potere che contraddirebbe troppo la sua infantilizzazione, indossa invece una visiera rossa con la sigla di McDonald's; tale visiera non ha nessuna funzione igienica, altrimenti si sarebbe preferito il tradizionale copricapo dei cuochi o un semplice cappellino. Essa richiama e contemporaneamente distoglie l'attenzione dall'abbigliamento professionale; non protegge la testa, ma solo lo sguardo; segna fisicamente, come un tatuaggio, il dipendente, per ricordar(gli) che appartiene, corpo e anima, all'impresa. Anche la visiera contribuisce all'americanizzazione del prodotto, attribuendogli un'identità di cui usufruisce, di ritorno, anche il dipendente, che si sente riqualificato proprio nel momento in cui perde la propria identità. Essa dà un'immagine di giovinezza e di vitalità, che testimonia come McDonald's sia un'impresa dinamica. Contribuisce soprattutto a disciplinare lo sguardo, elemento che esprime al meglio la personalità di un individuo: gli occhi sono infatti un sostituto dell'essere stesso perché mediano il passaggio dall'esteriorità all'interiorità. Questo modo di manipolare lo sguardo è una forma particolarmente efficace di spersonificazione. Il crew deve fissare dritto negli occhi il cliente, ma quest'ultimo non può cogliere il suo sguardo se egli non alza la testa: l'uomo al lavoro è quindi una figura senza volto. Lo sguardo, quindi la natura stessa della relazione, sono regolamentati anch'essi. La visiera costituisce infine un elemento che assume la forza del simbolo, poiché istituisce una linea di demarcazione che è parodia della castrazione; esprime una mancanza sotto «forma strutturale di una barra che articola due termini pieni»[11]; è il simbolo di un frazionamento del corpo che mostra ciò che oltre appartiene solo a McDonald's; rappresenta l'oggetto feticcio per eccellenza, perché indica efficacemente la dipendenza del crew e la sua sottomissione alla propria funzione. Questo uomo senza volto è senza identità, senza personalità.

La sua sfigurazione è inoltre visibile ad altri due livelli. Innanzitutto il trucco, che non è rigidamente proibito, ma, in base alle regole, deve essere molto discreto. Questa norma che costringe i crew ad avere un viso pulito è un mezzo terribilmente efficace per impedire loro di nascondersi simbolicamente dietro una maschera, salvaguardando la propria personalità. Anche l'uso di gioielli è limitato, per questioni di igiene, certo, ma anche di standardizzazione. L'uniforme costituisce quindi, prima di tutto, il segno di una castrazione idealizzata.

---

[11] J. BAUDRILLARD, op. cit., p. 115.

Il Manager vestito da McDonald's

Il manager indossa un'uniforme diversa, adatta al suo ruolo, una via di mezzo tra la divisa e l'abito civile. Il manager ha diritto a pantaloni con pinces e tasche, ad una camicia bianca (spesso a maniche corte) e ad una cravatta, per richiamare la sua funzione dirigenziale. Il tradizionale papillon della ristorazione classica non risulterebbe un simbolo efficace, poiché la sua funzione sarebbe puramente decorativa. L'uniforme del manager deve evidenziare «l'onnipotenza» del suo ruolo, deve quindi essere distinta da quella del crew; egli, ad esempio, non indossa la visiera e conserva il proprio nome e cognome, tutti segni, questi, indici del potere che egli ha su di sé e sugli altri. Il manager donna ha diritto alla gonna, ad una camicetta bianca e ad una cravatta alla «La Vallière» (simbolo di femminilità e quindi di apparente diritto ad una «personalità»). L'uniforme è comunque molto sobria, perché sia riducibile a simbolo della necessità di liberarsi di caratteristiche proprie. Il dirigente mantiene così un abbigliamento civile, ma che appare come un ulteriore segno di dipendenza, piuttosto che d'indipendenza, consistente proprio nel maggiore dono di sé al gruppo: non c'è più differenza, infatti, tra vita civile e professionale, e l'uomo viene ridotto alla propria funzione.

3. McDonald's: la «società madre»

La felicità non è una cosa tangibile,
è un sottoprodotto dello sforzo compiuto
Ray Kroc, fondatore di McDonald's

La McDonaldizzazione del settore della ristorazione comporta un'autentica erosione dei mestieri tradizionali, senza tuttavia crearne di nuovi. La relazione sociale con l'impresa non può quindi fondarsi sulla cultura professionale e sull'identità di corpo, ma si basa sulla psicologizzazione di essa, nel quadro della sua individualizzazione. L'impresa moderna si rivolge ai lavoratori al di qua delle loro qualità individuali; con McDo-

167

nald's, essi hanno una relazione astratta riproducibile e generalizzabile nel tempo e nello spazio.

L'impresa «psicologica»

Il gruppo è una bocca
Didier Anzieu, *Il gruppo e l'inconscio*

McDonald's intende razionalizzare la dimensione irrazionale delle relazioni umane. Il manager si sdoppia, per imporre da una parte il rispetto delle norme (Management tecnico) e dall'altra per cambiare gli uomini (Management psicologico); ha quindi la responsabilità del corpo (il lavoro) e dell'anima (la motivazione). McDonald's utilizza delle logiche di immagini genitoriali comuni a tutti gli uomini. Il Management psicologico funziona come una «buona madre» protettrice nei confronti dei dipendenti. Il Management tecnico rappresenta, al contrario, l'immagine del padre che limita l'unione attraverso il richiamo costante alle norme. Questo modello tuttavia rimane regressivo, a causa dell'impossibilità per il dipendente di giocare sull'opposizione tra le due figure genitoriali al fine di diventare responsabile e autonomo. Si trova così in trappola, mantenuto in una posizione infantile dall'alleanza dell'impresa madre e del management padre, i quali, ognuno a loro modo, contribuiscono alla sua squalificazione. Questo management «psicologico» prende forma in un contesto di distruzione delle identità collettive e del senso di antichi valori come quello del lavoro. La disoccupazione fa del lavoro la principale preoccupazione dei giovani, al di là delle sue concrete condizioni (stipendio, sicurezza, ecc.). Gli scioperi degli operai specializzati per rivendicare migliori condizioni di vita, o maggiore dignità sul lavoro e attraverso di esso, appartengono ad un passato ormai concluso. McDonald's rappresenta una replica del capitalismo vincitore sulle moribonde utopie autogestite degli anni Settanta. Questa riabilitazione dell'impresa è avvenuta a scapito di una cultura sindacale arresasi nella sua opposizione alla

168

cogestione dell'impresa. La cultura manageriale che sostiene, al contrario, l'implicazione di ciascuno nell'impresa, sembra porsi sulla linea di una modernizzazione con la quale condivide gli stessi sobbalzi ideologici; essa gode della psicologizzazione generalizzata della società che progredisce con la crisi delle grandi istituzioni e delle Utopie creatrici di senso. Questa psicologizzazione favorisce una filosofia dei rapporti sociali propizia alla partecipazione, in virtù della standardizzazione dei ruoli dei diversi attori. Philippe d'Iribarne ha dimostrato come la vecchia logica di settore, caratterizzata dal possesso di una posizione più o meno vantaggiosa all'interno di una società, sia ormai in contraddizione con la logica economica che prevale nell'impresa modernista; mentre la vecchia classificazione assegnava un posto ad ognuno all'interno dell'impresa, McDonald's ha rotto questo specchio narcisistico, declassando intenzionalmente i posti di lavoro per evitare la nascita di una nuova logica dell'onore. Questa proletarizzazione pone fine all'aristocrazia di alcune corporazioni, il mestiere stesso scompare per essere sostituito da una temporanea appartenenza all'impresa. McDonald's può allora scambiare la logica dell'onore con quella dello sviluppo personale, nell'intenzione di livellare le asperità umane attraverso la generalizzazione di un mercato in cui il soggetto non è più pensato in termini sociologici o economici, ma in termini psicologici. Il management psicologico è l'ultima metamorfosi della gestione delle risorse umane, che dopo aver cercato l'adeguamento tra i dipendenti e gli impieghi (in termini di personale e di qualificazione), pone ormai in primo piano la questione della motivazione delle persone. L'obiettivo della creazione di un uomo nuovo si ritrova ovunque. L'educazione costituisce ancora il suo principale terreno di legittimazione, da quando i sostenitori della pedagogia «soft» pretendono di risolvere le difficoltà scolastiche ignorando gli handicap socioeconomici o psichici. Per «imparare ad imparare», non sarebbe allora sufficiente psicologizzare la relazione pedagogica, utilizzando le ricette dell'analisi transazionale e della programmazione neurolinguistica, pedagogie ufficiose dell'educazione nazionale? L'impresa modernista rimane tuttavia il suo principale terreno di sperimentazione, nutrito dell'ideologia della cultura d'impresa, ora adulata e ora respinta dai suoi detrattori, che la considerano un semplice inganno. Sembra tuttavia possibile procedere oltre nella sua critica, esaminandone gli effetti negativi ansiogeni.

McDonald's è la mia seconda famiglia

Perché il sistema funzioni in modo adeguato il crew deve essere integrato nell'impresa, e dal momento che tale integrazione non viene più attuata per «amore del lavoro» e neppure «alla lunga», deve essere tanto più volontaria. Questo sistema di «job» contiene in sé la possibilità di una nuova alleanza emotiva tra l'uomo e l'impresa. I sistemi basati sui mestieri si trovavano agli antipodi di una «vita di famiglia» sullo stile McDonald's, perché ogni corpo restava chiuso nella propria singolarità; essi recitavano (più volte) la scena ancestrale del conflitto tra la cucina e la sala, ognuno accusando l'altro di vivere per il proprio lavoro, ma unendosi poi attraverso questa suprema divisione. McDonald's invece intende offrire direttamente una «seconda famiglia» e per questo incentiva il sentimento di appartenenza caratteristico delle culture antiche; vuole essere una «tribù moderna» e incoraggia per questo lo sviluppo di modalità d'identificazione irrazionali. Il crew non deve lavorare solo per lo stipendio, ma principalmente perché ama «tutto questo», perché ha una «missione» da compiere. Tali valori strumentali sono tanto più efficaci quanto più sono di una banalità deprimente (l'amore per i bambini, la soddisfazione dei clienti, ecc.). L'essenziale non sta nel loro contenuto manifesto, ma nelle modalità studiate per renderlo operativo. Non si è lontani dall'idea secondo la quale le norme McDonald's esistono solo per giustificare un'operazione di regolamentazione preesistente a qualsiasi contenuto.

Questa standardizzazione, fondata sulla psicologizzazione della relazione, crea tuttavia una situazione ambigua nella misura in cui il crew, venuto semplicemente per lavorare, scopre finalmente una famiglia. Questa aberrante relazione accresce i suoi obblighi, poiché, nel quadro di un coinvolgimento di cui gli sfugge la definizione stessa, egli non sa più dove iniziano e dove finiscono i suoi diritti e i suoi doveri. Tale opacità relazionale rende così il rifiuto di un ordine molto più aleatorio e impegnativo, poiché non si sa se si tratti di una direttiva impartita da un capo o di una richiesta espressa da un amico. Questo disturbo si nutre naturalmente di numerosi ricatti affettivi (uso del nome proprio, uso del Tu, uscite di gruppo, ecc.): è una tecnica di intimidazione, che fa di ogni rivendicazione un gesto condannabile di «depsicologizzazione» della relazione: un uomo «per bene», infatti, non si nasconde dietro regole giuridiche (il codice del lavoro) per rifiutare di soccorrere un amico, di mantenere la parola, di aiutare gli altri. Questa affettività avvolgente crea una situazione menzognera molto più difficile da gestire per il dipendente rispetto al vecchio compromesso fordista.

Questa strategia basa la propria efficacia su di una ipercontrattualizzazione della relazione di lavoro. Il dipendente tradizionale gode certamente di un contratto di lavoro, ma quest'ultimo è racchiuso all'interno di un quadro legale e regolamentare. La nozione di ordine pubblico sociale fa del contratto individuale un'estensione del diritto statale che non può che essere favorevole al dipendente. Il «sistema» McDonald's sembra non dissimulare la sua preferenza per una deregolamentazione e una deistituzionalizzazione del rapporto di lavoro. McDonald's applica, perché obbligato, il diritto francese con le sue regole «arcaiche», ma lo fa in un contesto ideologicamente molto diverso. Il diritto del lavoro è senz'anima, perché la controparte del salario è la fornitura di lavoro, il dipendente si trova subordinato al proprio datore di lavoro, quindi separato da lui. Il codice del lavoro non chiede quindi al dipendente di amare la sua impresa. Il coinvolgimento intimo è dunque di natura «alegale», o persino illegale, poiché stabilisce una relazione contraria allo spirito del legislatore. Il dipendente non si trova infatti coinvolto in una relazione personale – come lo schiavo – ma è posto in una situazione istituzionale. McDonald's intende al contrario creare un autentico contratto di fiducia, opponendo al contratto sinallagmatico del diritto francese, in cui i diritti e i doveri di ognuno si equivalgono, un contratto in cui tutti vincono. La «moralizzazione» del contratto di lavoro, tuttavia, ne modifica profondamente la natura sociale e psichica: l'impresa impone non solo le condizioni di lavoro, ma anche i suoi valori. Il contratto di lavoro classico si trasforma quindi in un contratto di adesione. Questa situazione modifica necessariamente i significati mentali che ogni dipendente attribuisce al proprio coinvolgimento; infatti, quando si crede a ciò che si fa, non solo si è molto più felici, ma anche molto più efficienti, perché si ritiene di procurare benefici sia a sé ed ai propri cari, sia agli altri (nutrire il pianeta ad esempio). Il motore della motivazione può essere tuttavia di natura molto diversificata (il piacere, l'interesse, l'amore, ma anche la paura o l'odio). Ogni impresa imposta la propria azione al fine di selezionare un agente motivante piuttosto che un altro. Il «sistema» McDonald's è caratterizzato così da modalità di retribuzione fondate sulla promessa di una crescita personale all'interno dell'impresa.

McEgo: la logica dello sviluppo personale

La misura, divenuta parola d'ordine della logica economica, si costituisce attraverso la fissazione di norme di consumo dei fattori di produzione che devono essere rispettate in tutto il pianeta McDonald's, poiché l'obiettivo del sistema è di tendere verso lo «scarto zero». La McDonaldizzazione trasforma il rapporto dell'uomo con il proprio lavoro; essa pretende di svilupparne il controllo gerarchico per definire, imporre e far rispettare standard universali. Questa trasformazione del lavoro vivo in lavoro morto, ne permette molto più facilmente l'appropriazione attraverso la burocrazia; essa impone ai lavoratori di fare le condoglianze al proprio mestiere, alla propria vera cultura professionale, alla propria iniziativa e responsabilità. L'identità culturale è chiamata così a scomparire progressivamente; risulta però necessario trovarne al più presto dei sostituti, l'uomo infatti, per agire e per esistere, ha bisogno di riferimenti. La sostituzione è tanto più urgente, quanto più il lavoro diventa ripetitivo, quindi sempre più avvilente e meno interessante. Harvey Leibenstein ha costruito la propria teoria dell'efficacia «X» (efficacia produttiva) studiando tali fenomeni di motivazione, in particolare nella dinamica di un lavoro disumanizzato. L'efficacia si basa sulla definizione di un comportamento ottimale, definito ruolo, rispondente agli obiettivi dell'impresa, ma anche ai bisogni del soggetto; infatti perché il sistema possa funzionare adeguatamente, è necessario che gli sforzi dei dipendenti siano funzionali alla loro crescita personale (al loro Ego). L'obiettivo della cultura d'impresa è di far coincidere queste due logiche: la rivoluzione portata da McDonald's consisterebbe prima di tutto quindi nella capacità di farle convivere. Proponiamo di sistematizzare la formula di Philippe Lorino, che già dieci anni fa definiva i lineamenti di queste politiche di management «californiane», poiché:

non potendo negare il soggetto [*ed era ciò che proponeva il taylorismo*, corsivo mio], il dirigente può tentare di controllarlo in quanto soggetto: il progetto modellatore lascia quindi il posto al progetto manipolatore. Non si governano gli atti, ma le motivazioni, non si costringe, si condiziona[12].

McDonald's sembra il bambino mostruoso, nato dall'accoppiamento tra un modello tayloriano del lavoro e una manipolazione psicologica dei comportamenti dei dipendenti. Il frutto di questa unione non è tuttavia la nascita scontata di un uomo nuovo. Il sistema non genera il cambiamento del paradigma, ma crea piuttosto una deriva schizofrenica. Il dipendente, preso tra due fuochi, comincia a fare il doppio gioco, e, se crede in questo amore impossibile, peggiora la propria situazione: soffre allora di stress, di disturbi del sonno, ecc., ma più frequentemente bara con i propri sentimenti, moltiplicando i propri falsi

---

[12] Ph. Lorino, *op. cit.*, p. 175.

atteggiamenti nei confronti del sistema. L'uomo McDonaldizzato sotto molti aspetti assomiglia alla reincarnazione dell'homo sovieticus. Vedremo tuttavia che questa duplicità – anche ingannevole – finisce per ritorcersi contro il soggetto stesso, che diviene proprietà del sistema e a cui non resta altra soluzione che abbandonare la scena.

Questa deriva schizofrenica può essere chiarita dall'opposizione molto efficace, proposta da Philippe d'Iribarne, tra la logica della motivazione e quella dell'onore. Quest'ultima, caratteristica dell'Europa, fa del dipendente un essere responsabile al di fuori e persino contro i meccanismi di responsabilizzazione di tipo anglosassone. Ci pare che McDonald's vada oltre, sviluppando un management fondato sull'amore di sé. Il dipendente è pagato, non con uno stipendio sufficiente, ma con la promessa di una crescita personale. Il sistema impone la rotazione dei dipendenti come condizione stessa della loro efficienza; il turn over dovrebbe logicamente evitare all'impresa l'eventualità di legarsi moralmente al proprio personale: come diventare infatti adepto di una società in cui ognuno sa che non farà né carriera, né fortuna? Come entrare in una famiglia, quando si sa che si è di passaggio? Alcuni sperano di entrare nell'élite dei manager, ma ciò non può bastare. Questo scambio si basa obbligatoriamente su un tacito contratto di altra natura. McDonald's giunge persino a presentarsi come un'autentica scuola di vita, le sue tecniche di sviluppo della persona inducono – con la scusa di essere propedeutiche all'espansione personale – gli individui ad autodisciplinarsi e a cancellare la propria interiorità, atto questo particolarmente ansiogeno, definito dallo psicanalista P. L. Assoun, come il luogo in cui si creano scambi commerciali di coscienza e in cui si regola la tensione tra pulsione e divieto.

La scarsità delle retribuzioni finanziarie

McDonald's gioca molto poco sulle motivazioni estrinseche quali lo stipendio, le condizioni e l'interesse del lavoro, fattori

174

identificabili con i primi bisogni della piramide di Maslow, poiché essi si rivelano troppo onerosi, e caratterizzati da un'efficacia dipendente anche dal comportamento economicamente «razionale» o meno degli attori. Le caratteristiche psichiche del personale McDonald's non tendono certo a questa «razionalità». Il giovane (studente) spesso si accontenta di una remunerazione più bassa, se ritiene attenuato il disagio legato all'intensità del lavoro. Le retribuzioni simboliche vengono considerate «naturalmente» molto più efficaci; una dimensione simile fa leva sulle predisposizioni psichiche di questi post-adolescenti (affettività esacerbata, romanticismo, ricerca di valori, ecc.).

Il bisogno fisiologico è poco appagato, a causa della scarsità dei salari. Il dipendente neoassunto riceve lo SMIC (Salaire Minimum Interprofessionel de Croissance), cioè 36,98 franchi lordi all'ora (gennaio 1996). Ottiene un aumento dopo sei mesi (37,55 franchi all'ora), poi un altro dopo 12 mesi (38, 02 franchi), fino alla fine della «carriera». Una hostess riceve 38,80 franchi all'ora, lo Swing (il manager di zona), riceve 39,79 franchi all'ora. La scarsità delle retribuzioni orarie è incrementata dalla massiccia presenza di lavoratori part-time. In verità, neppure i dirigenti sono pagati molto meglio: un manager durante lo stage percepisce 41,11 franchi all'ora, un secondo assistente inizia con 44,06 franchi e può giungere fino a 46,04 franchi all'ora, un primo assistente percepisce 46,04 franchi, la paga di un direttore oscilla fra i 54,58 e i 57,87 franchi all'ora. La retribuzione McDonald's, quindi, non sembra costituire l'adeguata controparte di mansioni specifiche, infatti non risulta né differenziata in funzione dei ruoli, né individualizzata, poiché altrimenti perderebbe la sua qualità di segno distruttivo dell'essere del lavoratore. McDonald's, nella fattispecie, sfrutta i vantaggi di un discorso modernista, che legittima – a forza di ripetere che il lavoro non è la cosa più importante della vita – le peggiori condizioni lavorative e retributive. La scarsità delle retribuzioni e il loro rapido blocco costituiscono una componente essenziale del sistema perché inducono il dipendente a dare presto le dimissioni, cosa che corrisponde «miracolosamente» agli obiettivi dell'impresa. Non si rimane da McDonald's per fare

175

carriera, il suo ruolo consiste nel permettere ai giovani di muovere i primi passi nella vita professionale, per quelli seguenti possono sempre rivolgersi all'ANPE. Anche l'impiegato McDonald's, come accade a tutto il personale di ristorazione, riceve retribuzioni in natura, sotto forma di buoni pasto. La composizione dei menu varia – secondo diverse testimonianze – in base al ruolo svolto: un manager avrebbe diritto ad un succo d'arancia, mentre il semplice dipendente dovrebbe accontentarsi di un semplice bicchiere d'acqua. Il «bravo» dipendente verrebbe premiato con porzioni più grandi. Il gigante americano è spesso accusato dai suoi detrattori di assumere giovani non qualificati, mal pagati, non protetti, e di offrire loro nient'altro che un lavoro provvisorio, cioè l'illusione di una integrazione sociale pagata a caro prezzo. La stampa americana nel 1993 ha riportato le osservazioni di un sociologo, Roger Kinney, che si diceva preoccupato nel vedere gli adolescenti che lavoravano nei fast-food ammalarsi e lasciare la scuola. McDonald's gli avrebbe addirittura offerto del denaro per proseguire i suoi studi sul «sacrificio della gioventù americana», ma quest'ultimo afferma di aver rifiutato: «*vogliono comprarmi perché hanno paura che il nostro lavoro spinga l'amministrazione a regolamentare il lavoro dei giovani*»[13].

Il bisogno di sicurezza sembra insoddisfatto a causa del carattere temporaneo dell'impegno, ma anche dell'assenza di prospettive. Il «sistema» McDonald's non potrebbe infatti gestire il mantenimento di decine di migliaia di crew, né offrire loro una promozione. Il mancato aumento dei salari dopo alcuni mesi costituisce a questo proposito un esempio emblematico di questo senso di insicurezza. Anche la polivalenza contribuisce a rompere le abitudini per mantenere la tensione. Il crew non può mai essere sicuro di ciò che farà domani: gli potrebbe essere sempre affidata una mansione più spiacevole. Un inquadramento professionale troppo specifico e importante darebbe vita ad un sentimento di competenza contrario alla logica del siste-

---

[13] «Capital», gennaio 1993, p. 26.

ma (E.H. Sheim). L'organigramma di McDonald's introduce un'apparente continuità fra le funzioni, riducendo fortemente le qualifiche richieste ed eliminando le figure intermedie. È possibile infatti sognare di cominciare come crew a Lione, divenire manager a Berlino e finire licenziatario a Mosca. In realtà esiste una discontinuità quasi totale tra il crew e il manager, un'opposizione di status che evoca quella esistente in tutti gli eserciti fra soldati di carriera e soldati di leva: un soldato di leva resta tale anche se sottufficiale, così come uno di carriera resta tale anche se soldato di seconda categoria. Il passaggio dalla condizione di crew a quella di manager avviene in effetti attraverso una selezione da parte degli organi burocratici. Il crew, segnalato per il suo zelo e sollecitato dalla direzione, si considera l'eletto di McDonald's, sentimento questo che induce i manager a identificarsi completamente con gli obiettivi dell'impresa. Essi parlano unanimemente della loro promozione come di un avvenimento che ha modificato la loro vita. Questo incontro insperato li induce naturalmente a rifiutare il loro passato, e a vivere una sensazione di potenza derivante dalla loro funzione; l'attrazione di una istituzionalizzazione, infatti, è molto forte soprattutto in coloro che hanno conosciuto le paure dell'instabilità.

Le retribuzioni simboliche

McDonald's offre continuamente prove d'amore, attraverso un sistema di retribuzioni simboliche relativamente complesso. La funzione di queste gratificazioni caricaturali consiste nel mettere in luce i migliori. Esse implicano una competizione marginale tra individui che fanno tutti la stessa cosa. In un riquadro sul muro del ristorante viene segnalato «il crew del mese», con tanto di nome e fotografia. Alcune decine di dirigenti meritevoli ricevono ogni anno il «Présidence Award», una spilla di plastica con la «M», che portano come una Legione d'Onore. McDonald's predilige quindi le motivazioni intrinseche più «nobili», come il sentimento di appartenenza, la realiz-

177

zazione di sé e l'autostima. La sua organizzazione del lavoro gli impedisce, però, di utilizzare mezzi classici, quali l'iniziativa individuale o la possibilità di organizzare il proprio lavoro; deve quindi ricorrere a sotterfugi e inganni per sviluppare in altro modo una motivazione strettamente psicologica. La soluzione consiste nel considerare la motivazione non più dal punto di vista del suo contenuto (perché funziona), ma del suo contenente (come funziona). L'obiettivo è quello di agire sulle rappresentazioni degli individui per motivarli, senza cambiare nulla del loro modo di lavorare. L'impresa McDonald's «inquadra» ogni salariato per ottenere il suo coinvolgimento e la sua adesione, ad un costo minimo per l'azienda, ma ad un costo psichico e sociale per lui molto alto. Il dipendente giunge a fare dell'«altro» la causa di ogni male; l'«altro» può essere un concorrente, un dipendente poco «volenteroso» o semplicemente il «lato cattivo» che ciascuno esprime nel momento in cui non si lascia coinvolgere pienamente dallo spirito di gruppo. Il «sistema» McDonald's nasconde il bisogno di nemici esterni e interni: i primi (la concorrenza) sembrano infinitamente meno demonizzati dei secondi. Il nemico esterno è considerato un autentico stimolo per la competizione, e può costituire un'occasione di maggiore autoaffermazione. Il nemico interno si rivela invece molto più pericoloso, proprio perché impedisce di essere se stessi; a volte è identificato con qualche dipendente, ma più spesso è individuato dentro ciascuno di noi. Condividiamo allora la condanna di Loik Roche, il quale sostiene che «*Voler motivare gli uomini è sempre vano e pericoloso perché manipolatorio; si tratta sempre, da parte dei manager, di farli aderire ai loro desideri riconosciuti o negati*»[14].

Le politiche di motivazione in voga in tanti settori, giocano sull'opposizione tra i diversi «Io» dei lavoratori, per ottenere il cambiamento voluto in funzione dell'interesse dell'impresa. L'Analisi Transazionale è spesso utilizzata in modo selvaggio per far passare un dipendente dallo stato di «Io bambino» ad

---

[14] L. ROCHE, *op. cit.*, p. 84.

uno stato «adulto». Questa «teoria» appare come una «giustifi-cazione» – in senso freudiano – che risponde ai bisogni della psicologizzazione del rapporto di lavoro. Lo stato «bambino» designerebbe i comportamenti (insoddisfacenti) di un individuo troppo sensibile (emozioni non controllate, risentimenti visibi-li, ecc.) che non rispondono al principio di «realtà» del mondo economico. Lo stato «adulto» individuerebbe i comportamenti di una persona che informa e ascolta, agisce logicamente e non si lascia coinvolgere da «cattivi» pensieri, secondo un atteggia-mento più conforme alla modernità. Lo stato «genitore» corri-sponde ai comportamenti acquisiti con l'esperienza, rappresen-ta il sapere obiettivo e funzionale, quindi, di fatto, disumaniz-zato. Lo scopo non dichiarato di questi metodi è – per usare una formula pubblicitaria di questa fine secolo – di costringere l'individuo a «positivizzare». Il management «psicologico» esclude naturalmente ogni dimensione sociale e psicanalitica, per iscriversi in una pura logica comportamentista. Il crew McDonald's sarà scomposto, ad immagine del suo lavoro, in unità elementari sulle quali il sistema potrà agire. Il sentimen-to di appartenenza, ad esempio, sarà considerato appagato quan-do i valori dell'impresa incontreranno l'approvazione del dipen-dente. Il sentimento di autostima verrà soddisfatto in presenza di segni di riconoscimento dati dalla gerarchia. Il sentimento di realizzazione passerà attraverso la formazione «in casa» o attra-verso la speranza di diventare manager. La riduzione dello psi-chismo a semplice meccanismo dotato di anima, fa eco, inol-tre, alla parcellizzazione del lavoro e alla reificazione del pro-dotto alimentare.

McContratto

La politica degli affetti impone naturalmente una psicolo-gizzazione della relazione, trasformando un contratto di lavoro la cui finalità progressista appare evidente nella sua istituzio-nalizzazione (CDI o contratto fordista), in un contratto ampia-mente intersoggettivo. Alcuni (T. Andréani, J.F. Gaudeaux, D.

Naud) hanno voluto vedere in questi nuovi tipi di contratto un passo avanti verso la democratizzazione del rapporto di lavoro, in opposizione con l'antico contratto salariale fondato sul potere del proprietario dell'impresa. In realtà questo contratto «psicologico» rappresenta un vero e proprio inganno, l'impresa infatti non è una famiglia e non può funzionare con le regole dell'amore. Esso permette, al contrario, di interessarsi di ciò che succede nella testa di ogni dipendente, e non solamente al contenuto effettivo del suo lavoro; sostituisce quindi il profilo psicologico al sapere e al saper fare. La pretesa di cogliere la persona dietro il lavoratore, si rivela presto pericolosa. Il manager, infatti, rinuncia solo in apparenza alla propria «potenza», mettendo in atto una strategia di «falsa vicinanza». Egli si presenta come il figlio maggiore, incaricato di educare i fratelli minori. Nel giornale dell'impresa, la lettera del Direttore generale è firmata con il nome proprio: Michel (Antolinos). Ci si da del Tu, ci si chiama per nome, si va a prendere un caffè insieme, si esce insieme, ci si saluta dandosi un bacio, ci si stringe la mano, si compiono un sacco di gesti familiari, si ricorda l'origine modesta del fondatore e dei manager. Questa falsa vicinanza mira ad assopire i crew e gli stessi manager. I crew possono sognare di condividere la «vera» vita dei loro capi, e tale illusione contribuisce fortemente alla propria squalificazione, poiché impedisce loro di pensarsi come categoria distinta. Vivono nel timore permanente di commettere un errore, poiché esso non implicherebbe più un richiamo, ma creerebbe delusione. La paura di deludere induce a tollerare le peggiori condizioni di lavoro, perché sposta l'attenzione da esse all'esecuzione del lavoro stesso; favorisce inoltre l'idealizzazione del capo come figura emblematica di competenza. Questa falsa vicinanza inganna anche il manager, che si illude, credendo di essere nel «vero» quando condivide la vita del suo «popolo». Egli viene ingannato dalla relazione stessa e contemporaneamente rinforza le proprie convinzioni: in realtà un capo rimane un capo anche durante una serata trascorsa insieme al dipendente; questi nasconderà infatti i suoi pensieri, per timore di rappresaglie, preferendo fare l'idiota, e questo atteggiamento confermerà l'opinione del capo rispetto a se stesso e rispetto agli altri, che tanto hanno da imparare da lui. Il manager, in seguito, non potrà che desiderare di trasformare questo «altro» a propria immagine. Tale volontà si rivela come illusione di «onnipotenza» in quanto mira a cambiare gli uomini. Il manager, infatti, per riuscire nel suo intento, deve non solo identificare i desideri dei dipendenti, ma anche soddisfarli tutti colmando ogni «mancanza». Pensare di poter conoscere e soddisfare ogni desiderio dell'altro è inumano, in quanto non ne rispetta l'individualità più profonda. Questo sistema di «fecondazione degli spiriti» è tanto più perverso poiché poggia su valori universali, chiudendo il dipendente in una dinamica globalizzante. L'illusione di poter cambiare gli uomini – di fare di ognuno di loro un altro se stesso, cioè un perfetto dipendente McDonald's – inganna tuttavia prima di tutto il manager, che ha bisogno di credere nella sua «onnipotenza»: egli infatti deve essere amato e ammirato perché il sistema funzioni efficacemente. Questo amore e questa ammirazione rappresentano la condizione del processo di idealizzazione che risveglia lo stesso desiderio di amore nel dipendente. Un management «psicologico» di questo tipo permette certamente di evitare numerosi conflitti, perché le difficoltà vengono affrontate chiedendo ancora più amore, ma porta ad un accumulo sempre maggiore di libido, che potrebbe generare situazioni esplosive. Il conflitto si manifesta di fatto con lo scatenarsi di una violenza ancora maggiore: il crew crede di non essere più amato, si sente tradito, perché il manager ne ama un altro. Questa tensione psicologica rafforza l'insoddisfazione legata al carattere ripetitivo, sorvegliato, regimentato del lavoro, e scatena conseguenze quali la gelosia, i desideri di omicidio rimossi, e ben presto la fuga, cioè il licenziamento. George Ritzer sostiene che il settore della ristorazione rapida abbia il grado di mobilità più alto di tutta l'industria americana, nella misura del 300% circa in un anno e di circa 4 mesi di attività. La capacità di travestire una violenza sociale in conflitto psichico spiega come McDonald's possa, in piena crisi occupazionale, permettersi il lusso di avere un turn-over così alto, senza ricorrere a licenziamenti. Il contratto a tempo indeterminato muore da solo, quando la logica dei sentimenti trasforma l'amore in odio. Mantenere la relazione sarebbe troppo oneroso psicologicamente, così il dipendente, per preservare il proprio equilibrio, non ha altra scelta che darsi alla fuga.

McFeticcio

> *La situazione del gruppo è (...) uno specchio che rimanda l'immagine di un ideale infantile, cioè l'immagine di un corpo fatto a pezzi.*
>
> Didier Anzieu, *Il gruppo e l'inconscio*

La cultura d'impresa è il segno della riabilitazione del personale come attore economico, ma anche in quanto istituzione sociale. Essa fa brutalmente passare il dipendente da un controllo sociale ad un controllo ideologico. Deve essere letta come una forma di standardizzazione relazionale compiuta attraverso la trasformazione delle percezioni dei diversi attori; veicola un'etica che satura funzioni manifeste e latenti e costituisce principalmente un legame ideologico che unisce tutto il personale, al di là del suo significato. Essa legittima anticipatamente le differenze di statuto, rimandando al di fuori dell'impresa la fonte di tutte le frustrazioni. Parte della sua efficacia dipende anche dalla sua portata utopica, essa agisce come un riduttore di incertezza di fronte alla polivalenza e alla flessibilità del personale e permette di iscrivere nella durata il rapporto, anche se il legame salariale esiste solo a breve termine. Il personale infatti si rinnova continuamente, ma la «sua» etica rimane invariata; essa costituisce il punto fisso attorno al quale si organizza la rotazione degli uomini; fornisce un quadro di orientamento tanto più efficace, in quanto è di una banalità costernante e crea un consenso intorno ad alcuni valori base come il senso del servizio, ecc.; essa mette in atto opposizioni semplici, come bene-male, per usarle al servizio dell'impresa. L'etica diviene funzionale, legittima in anticipo ciò che esiste, presentandolo come ciò che deve esistere. Essere «bravi» significa essere «bravi nel proprio lavoro»: la questione del senso viene così eliminata. Questa cultura d'impresa organizza il passaggio da un'etica personale ad un'etica utilitaria; questo dover essere diviene un dover essere di ordine funzionale. Essere etico significa rispettare la propria funzione e i rapporti di quest'ultima con le altre funzioni. Questa etica rappresenta un processo di depersonalizzazione: ognuno è portato a creare la propria esistenza conformemente al modello standardizzante. La vita rischia di essere invasa da una forma di surrealtà che fa perdere il contatto con il reale.

Una tale cultura d'impresa ha bisogno di una vetrina: i mezzi creati per essere utilizzati nei rapporti con la clientela, vengono sistematicamente usati, dai servizi di comunicazione interna, per rivolgersi al personale. Il reale deve quindi forzatamente entrare in questa dimensione. L'impresa, la squadra e gli uomini sono standardizzati ad immagine del cliente. Questa logica di identificazione non può avere fine, poiché, come nota Jean Pierre Le Goff: «*Essa induce l'individuo alla ricerca sfrenata della realizzazione del proprio io, attraverso l'immagine idealizzata che l'impresa e la società gli rimandano*»[15].

Planète-Mac e Messages

McDonald's pubblica giornali aziendali, destinati a quei due grandi corpi distinti che sono i crew e i manager.

Planète-Mac è il giornale dei crew McDonald's France. Il suo logo, il nostro pianeta visto dallo spazio, richiama il dominio planetario; è composto da una decina di pagine ed è di grande formato. Vorrebbe essere un giornale di larghe vedute, ma naturalmente è uno strumento strategico della mobilitazione e della motivazione del personale. Il suo stile appare eccessivamente controllato dal comitato di redazione, tuttavia il gruppo

[15] J.-P. LE GOFF, *Le Mythe de l'entreprise*, La Découverte, Parigi 1995, p. 111.

non esita ad utilizzare il titolo francesizzato (*Planète-Mac*) per sottolineare il radicamento nazionale. Il giornale riprende sistematicamente le espressioni idiomatiche che assicurano la coesione interna del gruppo, diffonde abbondantemente gli slogan interni per mobilitare il personale, fornendogli idee pronte all'uso, efficaci nel rapporto con i clienti. Anche il contenuto del giornale appare estremamente studiato. A volte assume il tono della stampa popolare, interessandosi di argomenti che non riguardano direttamente la vita dell'impresa, ma sempre con l'obiettivo di ottenere un risultato ad essa utile: i temi trattati, infatti, sono spesso strategici, e il loro fine sta nel giustificare la politica di McDonald's in materia di prodotti o di obiettivi. L'attività del gruppo è difesa attraverso quella dei suoi clienti o del suo personale. I ritratti dei lavoratori che si trovano a tutti i livelli della gerarchia, ricordano insidiosamente il carattere familiare dell'impresa. È evidente la presenza di alcuni argomenti tabù, quali il salario, le condizioni di lavoro, ecc. Il giornale attribuisce un'identità e una cultura all'impresa, ponendo l'accento sulle persone che ne fanno parte e sui prodotti; si rivolge sistematicamente ai clienti, invitandoli a esprimere (indirettamente) le loro opinioni sui prodotti ma soprattutto sul personale, ricordando così che la logica dell'impresa si confonde con quella della clientela.

Messages è rivolto ai manager, anche se si presenta semplicemente come una rivista interna di McDonald's France; è più lussuosa di *Planète-Mac*, ha più pagine ed un formato più classico, ad indicare che è una rivista più «colta», con pagine dedicate all'economia, alla finanza, a proposte. Le rubriche Strategia o Concorrenza, danno un tono meno irregimentato al giornale. Gli articoli dedicati ai prodotti sono naturalmente i più numerosi. Il giornale fornisce ai suoi lettori elenchi riguardanti tutti i problemi che possono incontrare durante la loro attività e pubblica anche la biografia di alcuni di loro, delineando così, indirettamente, la figura del manager ideale. Indubbimente, il manager fa del proprio lavoro il centro della propria vita, coltiva una passione segreta perfettamente in linea con i valori di McDonald's. Egli può essere un uomo «impegnato», ma nell'ambito umanitario, non può certo essere un sindacalista o un militante politico. La posta dei consumatori occupa uno spazio rilevante; essa rispecchia così bene gli interessi del gruppo che la redazione ha sentito il bisogno di precisare che le lettere pubblicate sono autentiche. McDonald's, attraverso la propria stampa, alimenta l'immagine sportiva della vita d'impresa. Jean-Claude Killy spiega ad esempio in *Messages* del settembre 1995 che i «*valori universali dello spirito olimpico sono anche quelli di McDonald's: la famiglia, i figli, la gioventù, il rigore, ma anche la solidarietà, [...]. Coca Cola ha saputo motivare la propria impresa al completo, compresi i subappaltatori, per farli aderire ad un'idea: "voi rappresentate lo spirito olimpico!" e ha diffuso il messaggio in modo discreto, vario, ma sempre intelligente, senza arrivare a dire "non si può vivere senza Coca Cola e senza Olimpiadi!". Non è vero: si può, ma è più interessante dimostrare che lo spirito olimpico funziona meglio con Coca Cola, e viceversa. [...] Amate lo spirito olimpico come me, e la collaborazione (con McDonald's) sarà un grande successo. Approfittatene, non solo per fare affari, ma per sentirvi meglio ogni giorno, più sorridenti, più rilassati, perché siete degli olimpionici*».

McDonald's ha sponsorizzato i campionati europei di calcio del '92 e la coppa del mondo del '94. Dal 1995 è diventato sponsor ufficiale della coppa UEFA ed è stato uno dei grandi sponsor della coppa del mondo di calcio del 1998.

McSaga

Il dipendente si innamora difficilmente di un regolamento tecnico. La creazione di una saga «aziendale» costituisce quindi il mezzo più rapido per psicologizzare la relazione di lavoro, dotando l'azienda di un'anima e dando un senso alla partecipazione di ciascuno al suo successo. La biografia ufficiale di Ray Kroc, passando continuamente dalla glorificazione del gruppo a quella del sogno americano, costituisce un vero e proprio inno alla McDonaldizzazione del mondo:

Avevo previsto che McDonald sarebbe diventata un'istituzione nazionale. L'America è l'unico paese in cui tutto questo sarebbe potuto succedere.

Ray Kroc, fondatore di McDonald's

Questa saga è principalmente una storia di uomini e di donne, nella quale è presentato il «geniale» fondatore in compagnia dei suoi principali manager, Harry Sornebonn, detto «il mago della finanza», José Martino «la brillante collaboratrice» e Fred Turner «lo straordinario gestore». La saga contiene alcune belle storie che ricordano i grandi «momenti» di questa «prodigiosa avventura umana». La storia comincia con l'avventura dei due fratelli McDonald. Maurice, alias Mac, e Richard alias Dick, aprirono il loro primo ristorante nel 1937 nell'Arcadia; allora, non sapevano nulla di ristorazione (sono le parole di Ray Kroc). Nel 1939, crearono, a San Bernardino (California), una nuova struttura sotto forma di drive-in. Il nuovo ristorante, dalla struttura ottagonale, ebbe immediatamente un grande successo commerciale, ma si rivelò non sufficientemente redditizio: c'erano infatti alcuni problemi con dei ragazzi (ladruncoli) che mettevano in fuga i clienti. Mac e Dick ebbero allora la brillante idea di trovare un modo per permettere ai clienti di non doversi fermare dopo aver acquistato e, nel 1948, trasformarono il loro ristorante, applicando rigorosamente i principi del taylorismo allora in voga, cioè: lavoro in catena di montaggio, quantità e prezzi bassi:

Decisero di trasformare la cucina. Ogni mansione era suddivisa in operazioni semplici, ripetitive e veloci da imparare per un personale poco qualificato. Gli hamburger potevano essere preparati in precedenza. I clienti ordinavano alla cassa [...]. I due fratelli diedero a questo sistema il nome di «Speedy Service System [...]. La clientela familiare era attratta, i bambini affascinati: era l'unico ristorante in cui potessero ordinare da soli.

Ray Kroc, fondatore di McDonald's

Il lavoro era suddiviso tra alcuni operai specializzati, responsabili del «grill», della «friggitrice», dei «condimenti», del «mixer», ecc.

Questa formula offriva una resa economica considerevole a fronte di una spesa per investimenti e salari inferiore di circa un terzo rispetto a quella di un normale ristorante. Gli utili raggiungevano già i 50.000 dollari, per un volume d'affari di 200.000 dollari. Poco dopo i due fratelli aprirono un nuovo drive-in a Los Angeles, usando per la prima volta il simbolo dei due archi:

Ci si può far servire da mangiare senza uscire dalla propria macchina. È un parcheggio in cui tutto è organizzato: camerieri con i pattini a rotelle, prodotti facili da trasportare (hamburger e milk shake).

Messages, settembre 1995

Ray Kroc – il futuro guru di McDonald's – scoprì McDonald's nel 1954. All'epoca aveva 52 anni ed era rappresentante di frullatori. Propose ai due fratelli – con una «filosofia completamente estranea» alla sua, di diventare il loro agente per le concessionarie:

Ero un veterano coperto di cicatrici, reduce dalla guerra degli affari [...]. Durante le mie precedenti campagne, avevo perduto la bile e quasi tutta la mia ghiandola tiroidea [...]. Ero ancora giovane e in piena crescita e continuavo a volare ad un'altitudine leggermente superiore rispetto all'aereo che mi trasportava.

Ray Kroc, fondatore di McDonald's

Le condizioni d'ingresso erano decisamente ragionevoli. Il prezzo di acquisizione era di 950 dollari, con una commissione dell'1,9% sul volume d'affari (1,4% per Ray, 0,5% per i fratelli McDonald). Questo sistema creava una reciprocità d'interessi tra McDonald's e i suoi licenziatari, perché il successo del gruppo era legato alla loro prosperità e non alla vendita dei diritti d'ingresso. Nel marzo 1955, Ray Kroc fondò il gruppo McDonald's System Inc., e il 15 aprile egli stesso aprì il suo primo ristorante a Des Plaines, nell'Illinois, con il nome di McDonald's Speedee Service System. Egli lanciò quindi una sfida contro il tempo: il suo obiettivo era di servire un pasto completo in meno di un minuto. L'uniformità dei prodotti venne incrementata, e si organizzò un sistema molto rigido di controllo dei licenziatari. Un servizio centrale elaborò il manuale dei licenziatari, una vera e propria bibbia che comprendeva in particolare il sistema di valutazione dei ristoranti. Inizialmente, Ray Kroc concesse licenze limitate ad una sola città, per evitare situazioni di monopolio e nel 1969 restrinse ulteriormente il sistema ad un solo ristorante, nel timore che un grande licenziatario potesse diventare abbastanza potente da poter modificare i principi di base del suo sistema. Infine, ideò un rapporto giuridico con essi molto più vantaggioso; trovava un luogo adeguato, convinceva un investitore a costruire un locale, affittava il tutto per venti anni, lo subaffittava al licenziatario e intascava una commissione del 20% e poi del 40%. La tappa successiva consistette nel comprare direttamente terreni, che permisero a McDonald's di diventare, durante gli anni Sessanta e Settanta, anni del boom immobiliare, un vero e proprio impero, valutato attualmente in circa 10 miliardi di franchi. Tuttavia, Ray Kroc era ancora l'agente dei fratelli McDonald, ai quali, ad un certo punto, propose di vendere i loro diritti. La transazione avvenne nel 1961, per un ammontare di 2,7 milioni di dollari; la società allora cambiò nome e divenne McDonald's Corp. Quattro anni più tardi l'azienda emise i suoi primi titoli e nel 1966 fu quotata alla Borsa di New York. Il 1967 fu l'anno in cui ebbe inizio la conquista del mondo. Ray Kroc aprì il suo primo ristorante in Canada, poi un altro a Porto Rico, continuando a dirigere il gruppo secondo gli stessi principi di standardizzazione e di regolamentazione degli uomini e dei prodotti:

I miei amici e i miei soci in affari dimostrarono, con i loro regali di compleanno, di capire esattamente ciò che provavo. Fondarono la Ray Kroc Environmental Fund on Field Museum of Natural History [...]. Per coronare il festeggiamento dei miei settant'anni, Joni organizzò in mio onore un meraviglioso ricevimento [...]. Quella sera attendevo con impazienza di rivedere il volto dei miei amici più cari, compresi numerosi impiegati di McDonald's – segretari, personale di gestione, dirigenti –, perché volevo vedere la loro reazione. Avevo infatti inviato loro per posta, il giorno stesso, particolari inviti di compleanno contenenti anche, come omaggio, alcune azioni di McDonald's. [...] Ero particolarmente felice di regalare delle azioni alle mogli di alcuni dei miei dirigenti, non solo perché potevo contare sulla loro amicizia, ma perché capivo quanto una moglie di McDonald's dovesse essere molto paziente e comprensiva. Sapevo che tutte loro facevano grandi sacrifici per permettere ai loro mariti di avere successo, e volevo essere sicuro che quelle donne si rendessero conto del mio interesse e del mio apprezzamento [...]. Ho ricevuto un sacco di premi nel corso degli anni. Il mio ufficio ad Oak Brook è una vetrina in cui sono esposte tutte le medaglie, i nastri, i trofei [...]. Ma nessuno di questi premi mi ha dato la stessa gioia che ho provato quando fui riconosciuto come Ray A. Kroc, filantropo, cittadino eminente di Chicago [...]. Ringraziai per aver ricevuto quell'onore donando un milione di dollari all'organizzazione.

Ray Kroc, fondatore di McDonald's

Ray Kroc morì nel 1984, all'età di 82 anni. Si disse che, poco tempo dopo, lo Stato Maggiore avesse progettato di abbattere il primo ristorante di McDonald's, a Des Plaines, ma che un movimento di protesta lo avesse obbligato a conservare quella «creazione senza pari nella cultura contemporanea». Il McDonald's di Des Plaines è quindi diventato un museo a gloria di McDonald. L'edificio, dell'epoca, con i suoi due archi, è stato conservato intatto. Nel parcheggio sono esposte vecchie chevrolet, per ricordare i primi drive-in. Manichini di cera, vestiti con abbigliamento degli anni Cinquanta, lavorano in cucina e servono alle casse hamburger e patatine in scatole di cartone. Il visitatore scopre la filosofia del fondatore attraverso vari video, impara che il segreto del successo sta nel «lavorare più duramente e più a lungo», che «trascorrere da 12 a 16 ore al giorno facendo ciò che piace, è favoloso» e che «se avete il tempo di fare una pausa, avete il tempo di pulire». I manager di tutto il mondo vi si recano in pellegrinaggio, per applaudire questa tenace filosofia, e il 9 ottobre (anniversario della nascita di Ray Kroc) festeggiano il Founder's day (giorno del fondatore), prendendo, per 24 ore, il posto dei crew:

189

Non ci sono decisioni amministrative imposte dall'alto, impartite da dirigenti che si limitano ad applicare belle teorie apprese sui libri: tutti, un giorno, si sono scottati le dita con patatine troppo calde. Per fare un esempio: gli uffici della sede di recente sono stati chiusi per un giorno perché tutti i dirigenti e le segretarie, senza eccezioni, trascorressero una giornata al ristorante per assolvere mansioni manuali. I cosiddetti sedentari della sede sono quindi uomini d'azione così come i responsabili dei ristoranti. Accade spesso di vedere dirigenti francesi rimboccarsi le maniche? (chi è quel tipo che pulisce, laggiù, è uno nuovo? No, è Tom, il Direttore generale...).

Comunicazione interna McDonald's

McTrappola: i pericoli dell'impresa psicologica

Il sistema di management «psicologico» aumenta la fragilità dei dipendenti e può essere patogeno nella misura in cui contribuisce al deprezzamento dell'immagine che essi hanno di loro stessi. Questa patologia si sviluppa in particolare quando l'identificazione di ciascuno con la propria funzione o con la propria impresa diviene una fonte di spersonalizzazione e di conseguenza di ansia, di stress e infine di depressione. Questo sistema permette al management internazionale di scaricare una parte delle proprie responsabilità con la scusa della responsabilizzazione dei dipendenti, che in realtà vengono indotti ad interiorizzare le costrizioni: ognuno deve infatti rimanere al proprio posto e fare di tutto per conformarsi agli imperativi della propria funzione, promossa a «principio di realtà».

Questo sistema di management favorisce i conflitti affettivi perché induce le differenti aree della personalità ad agire le une contro le altre, creando una tensione psichica tra ciò che è realizzabile ma insufficiente e ciò che è irrealizzabile ma necessario. Ogni volta che il comportamento del manager oscilla tra l'amore e l'odio, ovvero tra la ricompensa e la punizione o tra la speranza di un avvenire e la fine delle illusioni, viene a crearsi una relazione ambivalente. La vita dell'impresa sembra continuamente segnata da questi giochi (involontari) di stimolo/frustrazione, nel quadro delle relazioni di lavoro e persino extraprofessionali. L'individuo è indotto a dissociare il proprio essere dall'uno o dall'altro di questi livelli di realtà, o addirittura a fuggire da entrambi per rifugiarsi in un mondo illusorio. Egli evolve così verso una derealizzazione che non contrasta le sue prestazioni: si trova nella situazione di quei borderlines che in un contesto particolare delirano, ma che in altre situazioni continuano ad avere una vita normale. Lo scavalcamento delle dimensioni affettive crea instabilità, mina la fiducia nell'affidabilità delle proprie reazioni e sensazioni. Colui che prima vi era amico si rivela nemico, affidandovi uno «sporco» incarico. I crew denunciano spesso la «doppiezza» dei manager; questa qualificazione non ha però nessun significato relativo al loro effettivo comportamento, li rinchiude però in un quadro interpretativo perverso perché imposto. Il crew può spiegarsi il fallimento della propria esperienza solamente con la cattiveria dell'altro o con la propria superficialità o stupidità, può solo rimproverarsi di avere creduto che il manager fosse un amico. Il fallimento risulta essere così di ordine individuale e non viene imputato alla struttura. Tale management «psicologico» impone un rinnovamento regolare dei crew, anche perché prevedibilmente essi smetterebbero, prima o poi, di giocare a questo gioco: il management, infatti, non riuscirebbe ad occultare definitivamente la sua dominazione e la distruzione dei legami istituzionali o di affinità, può limitare solo provvisoriamente le capacità di reazione collettive o individuali. Questa resistenza prende a volte la forma inattesa del controllo dei planning (composizione delle squadre e ripartizione dei compiti), una forma di «transazione alla frontiera» (D. Martin) che non rimette in causa il sistema, ma lo rende più umano. Tuttavia, queste disposizioni non emergono da un conflitto o da una negoziazione, e si iscrivono nella logica di McDonald's: «*La contraddizione maggiore delle politiche di partecipazione manipolatoria sta nell'illusione che si possano mobilitare i dipendenti come "attori" senza offrire loro nulla in cambio*»[16].

---

[16] D. MARTIN, *Participation et changement social dans l'entreprise*, L'Harmattan, Parigi 1989, p. 150.

Il Management «psicologico» rappresenta quindi un mezzo per plagiare i dipendenti, permette di far loro eseguire ciò che moralmente non accettano, costringendoli così a fingere, ad imbrogliare se stessi e gli altri. Offre loro gli strumenti per ingannarsi: il «bravo» dipendente condivide una parte della gioia del manager, legata all'efficienza del sistema produttivo e commerciale. Le persone incontrate – persino i sindacalisti – ammettono la loro ammirazione per questo Management tecnico, che reputano, in qualche modo, mal servito dagli uomini: la tecnica che assoggetta è quindi esonerata da ogni responsabilità. Nel giudicare questo «sistema» McDonald's, si passa dalla funzionalità all'etica; esso è considerato non solo efficace, ma «buono» e «giusto». Certo, a volte, si sogna di lavorare senza manager, cioè senza capo, senza accorgersi così che il dominio è prodotto dalla struttura, cioè dall'incontro di una tecnologia e con gli uomini creati per servirla, un inganno fantastico, nella misura in cui essa pone il dipendente nelle condizioni di desiderare ancora più norme, ancora più management tecnico.

McFigli

McDonald's esige un investimento emozionale, garanzia di un superamento di sé a vantaggio dell'impresa, e in ciò interferisce nella vita psichica del dipendente. Tuttavia, sebbene l'adesione intima ai valori dell'impresa lo privi di qualcosa, quest'ultimo non scompare mai totalmente in quanto soggetto, anche se si è constatato come, a un dato momento, si possa verificare, attraverso il totale abbandono al gruppo, una rivolta del soggetto contro se stesso. Il lavoratore che assume sistematicamente il punto di vista dell'impresa assomiglia allora all'ostaggio che si identifica con il sequestratore, finisce per cadere in adorazione di fronte ad essa, fino a divenirne complice. Il desiderio del soggetto si riassume allora nel solo desiderio dell'altro. Questa identificazione equivale ad una forma di religiosità: ricordiamoci della riflessione di Marx, secondo il quale nulla somiglia di più all'alienazione mentale, dell'alienazione religiosa. In questo caso però non ci troviamo in un contesto religioso, perché il rituale di McDonald's è molto debole – contrariamente a quello di Bouygues –, ma piuttosto in un contesto di identificazione primaria, cioè del funzionamento dell'impresa come oggetto feticcio. Di fatto McDonald's, creando attraverso l'esibizione del contrattuale un raddoppiamento dell'istituzionale, ci conduce nel terreno dell'identificazione primaria, quindi «al di qua» del consenso. G. Deleuze ha dimostrato come l'istituzionale rimandi, proprio per questa ragione, al sadismo. Questa logica di identificazione a favore dell'impresa dissolve progressivamente l'individualità di ciascuno dei suoi membri e conduce il dipendente McDonald's a trasformarsi, poco a poco, in suo adepto, sino al punto di negare la propria esistenza, il proprio percorso (tutti figli di McDonald's). Egli, reificato per divenire sempre più funzionale, subisce una vera e propria derealizzazione. In breve tempo diventa un individuo ipernormale, desideroso di soddisfare in anticipo anche le minime aspettative dell'impresa e perde lentamente la propria immagine per morire in questo specchio narcisistico manageriale. Morte simbolica, ma certamente dolorosa, che può essere analizzata come sistema di sfruttamento narcisistico; essa infatti strumentalizza i desideri degli altri ad esclusivo profitto dell'impresa e si nutre naturalmente di un superinvestimento nel lavoro. Tale superinvestimento, inizialmente imposto, diviene presto vitale, perché vantaggioso ed utile per fuggire dai propri problemi personali; talvolta provoca la rottura dei legami sociali, e può quindi essere compensato solo da una ulteriore accelerazione del processo di identificazione. Il manager ritrova, lasciandosi captare dall'immagine di questo «altro», una parte della potenza e dell'essere di cui era stato privato in precedenza, rischiando addirittura di perdere il senso della propria incompletezza per diventare (troppo) «pieno», in quanto figlio di sua madre, e «onnipotente», in quanto figlio di suo padre. Questa identificazione finisce tuttavia per fallire, producendo il proprio antidoto sotto forma di depressione, angoscia, gelosia. Il crew che soccombe all'amore del manager non può più esistere per se stesso, agire per se stesso, sentire a partire da se stesso. McDonald's giunge persino, poco a poco, a pensare l'altro al suo posto. Questa situazione evoca ciò che Searles chiama omicidio psichico, cioè l'obbligo di risiedere nell'interpretazione dell'altro: «rendere pazzo l'altro è fare in modo che egli sia costretto a corrispondere all'immagine che noi abbiamo di lui»[17]. Il crew (o il manager) vede aprirsi davanti a sé due strade: innanzitutto può sentirsi sempre più estraneo a questo altro che si impone a lui: evolve allora in una posizione che potrebbe definirsi autistica, si ritira sempre più dalla vita dell'impresa e finisce col licenziarsi. Spesso tuttavia, prima di andarsene, compie gesti impulsivi, nonostante la sfera cosciente del suo pensiero sia molto controllata da McDonald's: si assenta irregolarmente, non è gentile con i clienti, ecc. Questo atteggiamento conforta l'impresa nella propria interpretazione psicologica; essa ritiene infatti di avere di fronte a sé un «delinquente» sociale e non un lavoratore insoddisfatto che rivendica i propri diritti. L'altra possibilità di reazione del dipendente consiste nell'accettare e nel rivendicare questo amore: il crew e il manager desiderano incorporarsi completamente l'uno nell'altro; questa soluzione si basa su una vera e propria relazione di transfert; il crew rivive la simbiosi padre-madre-bambino nel suo rapporto con l'impresa, e si rallegra di questa situazione, anche se solo provvisoriamente. Essa infatti presenta anche aspetti angoscianti, legati alla minaccia che costituisce per l'identità stessa della persona. Il crew inizierà a rivolgersi al manager come a colui che può soddisfare i suoi bisogni fisiologici (ore complementari, un buon planning, ecc.) e psicologici (stare «bene», essere «al massimo»). Il bisogno di dipendenza costituisce un fattore di frustrazione e di angoscia: il manager assume, per il crew, un'importanza primordiale, la polivalenza gli attribuisce infatti il potere di affidare una «buona» o una «cattiva» mansione. Tale situazione di insicurezza crea uno stato psichico di profonda angoscia. La dipendenza si manifesta anche nel cambiamento dei valori: il dipendente deve imparare a pensare e a parlare come la sua impresa e, per acquisire e spe-

---

[17] J. SEARLES, *L'effort pour rendre l'autre fou*, Gallimard, Parigi 1977, p. 2.

rimentare i suoi «progressi» nella padronanza dei valori McDonald's, può fare affidamento solamente sul suo manager. L'instabilità dell'impiego rafforza allo stesso modo l'importanza del momento: il dipendente si trova così prigioniero del presente, si àncora all'istante, in mancanza di futuro, ma anche di passato (perché troppo giovane per avere un'esperienza, ma anche perché privato di memoria, poiché McDonald's distrugge le antiche identità). Questo tipo di vita nel presente favorisce l'emulazione, il mimetismo, calma l'angoscia perché offre un quadro confortante. Questa dipendenza porta al conformismo e persino all'automatismo; McDonald's quindi non si fida della «routine» prodotta dal suo sistema.

McAmore, McOdio: verso un igienismo sociale

Il «sistema» McDonald's è globalizzante nella misura in cui si appropria di ogni cosa per creare un ambiente tecnico, simbolico e umano propizio alla trasformazione degli uomini. Esso fa di ogni dipendente un potenziale da sviluppare, un capitale che può essere arricchito o svalutato attraverso una buona o cattiva organizzazione del lavoro. Questo sviluppo personale esige un ambiente «sano»: l'igienismo alimentare si trasforma quindi in igienismo organicista. La stessa logica della purificazione applicata nella concezione e fabbricazione dei prodotti si ritrova nel funzionamento dell'organizzazione. Questo igienismo sociale è ottenuto attraverso l'uso di strumenti di regolazione volti a «guarire» l'impresa dai suoi difetti umani, così come i prodotti sono «privati» dei difetti causati dall'intervento dell'uomo. Si ritrova quindi, anche in questo caso, la stessa volontà di guarire l'uomo da se stesso:

Il ritorno alla morale nell'impresa assume i tratti di un universo omogeneo, trasparente e asettico, composto da individui fisicamente e moralmente sani, conformi alle nuove norme economiche e sociali. Il management modernista ci prepara il migliore dei mondi[18].

[18] J.-P. LE GOFF, *op. cit.*, p. 12.

Il «bravo» crew non esiste che attraverso lo sguardo del suo capo, e per questo motivo il manager deve imparare a farsi amare: amare significa infatti vedersi nello sguardo dell'altro per esistere solo attraverso quello sguardo (Loick Roche). La psicologizzazione permette di fare in modo che il dipendente non esista più, in quanto individuo, al di fuori di questa relazione amorosa idealizzata, ma pericolosa, perché rischia in ogni momento di sostituire all'idealizzazione un'autentica relazione fra persone; perché il sistema funzioni, quindi, è necessario che la banalità del quotidiano (il lavoro), legata all'assenza di prospettive (nel lavoro) finisca per uccidere l'amore. Il sistema di relazioni emozionali finirebbe altrimenti per sfuggire al controllo di McDonald's, fuoriuscendo da tutti i pori della sua struttura. Bisogna che il crew soffra per questo amore deluso affinché il suo desiderio di fusione con l'impresa venga mantenuto, è però anche necessario che questa sofferenza sia senza speranze per giustificare l'allontanamento, cioè la fuga da quell'amore. La figura materna del manager ci appare quindi come onnipotente, capace di suscitare sentimenti di affetto, di lealtà, di sollecitudine, insomma, di amore. La regressione del rapporto lavorativo verso uno stadio libidinale è l'altra faccia della sua dequalificazione-squalificazione, è quindi indispensabile al funzionamento dell'impresa McDonald's.

4. PapàMc

Da McDonald's c'è l'antifunzionariato
McDonald's France

Il «sistema» McDonald's dequalifica e squalifica il personale: il crew universale è succube della relazione incestuosa con la società-madre, ma ciò non potrebbe accadere se l'impresa non avesse il sostegno del Management tecnico per imporre la sua legge al personale. Il «sistema» McDonald's è legato alla vittoria della razionalità economica, temuta e inconsciamente identificata con il potere del Padre (la ragione), sulla Madre (la natura). Questa ideologia pone però un problema fondamentale: la tecnica può essere «onnipotente» solo nella misura in cui l'uomo è considerato «impotente». Tale dualismo si ripropone anche a livello di personale: il manager (rappresentante della società-madre), essendo incaricato di rappresentare e di fare applicare tutte le regole standard, incarna anche il Management tecnico. Ciò implica una creazione di norme, ma, nello stesso tempo, la diffusione di un'idea di controllo e di dominio. Il manager usa un insieme di tecniche di riduzione dell'imprevisto, di soppressione (dell'imperfezione) dell'umano, rinchiude i crew nella ripetizione e per questo non giunge più alla castrazione simbolica fondata sul riconoscimento che «tutto non è possibile». L'ideale di «onnipotenza» si scontra tuttavia con la realtà, in quanto questa «razionalità», per i suoi stessi eccessi, genera irrazionalità. Non si comprende in che modo il taylorismo umanizzerebbe, nel settore della ristorazione, ciò che ha disumanizzato in altri settori. Una tale disumanizzazione proviene, allo stesso modo, dal carattere infraculturale del prodotto. La correlazione fra il carattere disumanizzato del prodotto e la disumanizzazione dei modi di produzione e di consumo è logica, visto che ciò che umanizza è solo la cultura.

Quest'idea contrastata di «onnipotenza» induce sempre di più il manager a castrare i crew, impedendo loro di diventare lavoratori responsabili, cioè adulti. La migliore immagine di questa castrazione simbolica attraverso l'esibizione della potenza di McDonald's fu la presenza, per lungo tempo, di grandi cartelli (collocati sotto gli archi dorati, ancora più grandi), sui quali appariva il numero degli hamburger venduti fino a quel momento nel mondo; questa oscena esibizione di potenza suscitò molte proteste e la dirigenza McDonald's dovette piegarsi, facendo scomparire quei segni ostentatori e riducendo progressivamente le dimensioni degli archi.

McManager

Il «sistema» McDonald's si basa su una struttura organizzativa molto semplice, composta da crew, manager e trainee manager. A McDonald's piace spesso ricordare che l'80% del suo organico e il 20% del personale di sede ha iniziato la propria carriera come semplice crew polivalente. Tuttavia, è assolutamente incontestabile il fatto che almeno il 90% dei crew non diventerà mai manager. Queste cifre in effetti non provano nulla: anche se molti individui divenissero transessuali, l'opposizione dei sessi continuerebbe ad essere una categoria di ogni cultura. La prospettiva di promozione interna è quindi ingannevole: esiste una discontinuità radicale tra i due ruoli e la loro opposizione struttura la natura dei rapporti tra il personale.

Lo staff del Management tecnico

Il Management tecnico è assicurato dallo staff di gestione del ristorante, composto dal direttore e dai suoi assistenti. La carriera del manager prevede infatti molte tappe. McDonald's ama ripetere che un «successo ne trascina un altro». Il manager deve essere capace di inserirsi nel «sistema» McDonald's, deve mostrarsi in grado di esibire la sua interiorizzazione dei valori dell'impresa cooperando e impegnandosi individualmente; la perversione di questo sistema conduce necessariamente ad esagerazioni. Il personale dirigenziale è così invitato a costruire la propria «success story»:

Manager a venticinque anni? Per coloro che lo vogliono davvero, da McDonald's è possibile, e più che in base ai titoli o all'anzianità, sarete giudicati in base al vostro dinamismo. Ora tocca a voi mettervi alla prova!
                                                    Comunicato McDonald's France

– Il manager di zona o Swing manager costituisce una pedina importante, anche se è principalmente un super crew, piuttosto che un vero e proprio manager. Viene scelto tra i crew più anziani per fungere da filtro tra il personale di servizio e il resto del Management tecnico, ed è incaricato di mantenere una pressione costante sul «piccolo» personale; per questo, si trova schiacciato tra il blocco dei crew, che gli rimprovera la sua aggressività, il suo «sporco» lavoro, e le rimostranze dei manager relative allo scarso rendimento del personale; catalizza quindi tutte le tensioni che si creano, assumendo su di sé la parte patologica del sistema e finendo per assomigliare al «matto» della famiglia, a colui che incarna la parte di «follia» che gli altri non manifestano.

– Il Trainee manager si trova al primo gradino della gerarchia. Egli conosce tutti i ruoli operativi e la maggior parte delle norme tecniche; ricoprire tale ruolo permette quindi di acquisire la filosofia dell'impresa. Egli segue una formazione chiamata «Corso di Base in Impresa», che comprende il controllo operativo, le norme di qualità degli alimenti e dei prodotti, il servizio, la sterilizzazione, la formazione dei crew e la comunicazione.

– Il Secondo assistente è responsabile dei crew, di cui coordina l'attività. Progressivamente viene incaricato della gestione operativa del ristorante (ordinazioni, planning, statistiche, ecc.). Segue il «Corso di Base in Gestione», nel quale vengono approfonditi temi quali i rapporti umani (leadership, assunzioni, ecc.), l'organizzazione dei tempi, il controllo della produzione e la gestione dei macchinari.

– Il Primo assistente si occupa, insieme al direttore, di tutta la gestione del ristorante; generalmente è responsabile dell'assunzione e della formazione del personale, della gestione delle merci e degli ordini. Per diventare Primo Assistente, egli segue il «Corso Intermedio in Gestione», in cui si approfondisce la gestione dei planning, delle statistiche interne e della legislazione.

– Il Direttore del ristorante funge da capo dell'impresa anche se non lo è, visto che il vero padrone rimane sempre il licenziatario. Ai suoi ordini lavora un centinaio di dipendenti part time; gestisce la sua squadra, rispettando e imponendo il rispetto delle norme, supervisiona tutti gli aspetti gestionali, economici e di marketing, ed è continuamente spalleggiato dalla sede centrale McDonald's, che mette a sua disposizione i propri esperti nei vari settori. Il direttore deve seguire naturalmente il «Corso Operativo Avanzato», all'Università dell'Hamburger.

Il manager lavora molto, a volte anche più di dodici ore al giorno e durante i week end. È spesso sotto pressione perché deve stabilire i planning, organizzare gli orari, tenere i conti, accogliere i candidati, motivare il personale, sorvegliare l'esecuzione standard delle varie operazioni, ecc. Gli stipendi di base sono relativamente bassi, intorno ai 7500 franchi al mese, cioè da 44 a 46 franchi all'ora, per un Secondo assistente. Un Primo assistente percepisce 51,30 franchi all'ora e un Assistente 55 franchi:

Un lavoro come «store manager» è sicuramente appassionante, bisogna però sapere che non è di tutto riposo. Essere responsabile di un ristorante può voler dire terminare alle tre di mattino, avere solo un fine settimana libero al mese [...]. Per quanto riguarda il lavoro all'interno del ristorante, coloro che sono poco motivati farebbero meglio ad astenersi.

Comunicato McDonald's France

Il Management tecnico comprende due grandi aree:
– Il Management operativo si occupa dei servizi amministrativi centrali (ricerca, contabilità, commercializzazione, ecc.) e della vigilanza relativa al rispetto delle norme internazionali. È composto da dirigenti specializzati, autentici terzi esclusi del dispositivo.
– Il Management funzionale è costituito dai dirigenti dei ristoranti. Il manager esiste per fare in modo che tutto funzioni al meglio, ha quindi una vocazione generica; verifica che ciascuno rispetti le regole standard, deve sapere svolgere ogni mansione e dare l'esempio, spesso è coinvolto personalmente e paga continuamente di persona. Effettua tutte quelle operazioni di cassa proibite al crew, il quale deve rivolgersi a lui per annullare consistenti ordinazioni, per scambiare soldi tra le casse o per risolvere eventuali dubbi dei clienti relativi al resto ricevuto. Il manager è un vero e proprio capo e la sua funzione non gli deriva da una competenza personale, ma dalla sua posizione all'interno dell'impresa. La divisione del lavoro è quindi di ordine sociale, prima di essere di natura tecnica.

La figura del manager è universale, cioè identica da un capo all'altro del pianeta. Tracceremo il suo ritratto in base agli studi dei sociologi, influenzati dalle riflessioni di Simone Weil, relativi all'atteggiamento sociale e psichico dell'«operaio specializzato». Rileggiamo prima di tutto la descrizione di Philippe Forget e Gilles Polycarpe del manager modernista:

Date un'occhiata alle pubblicità e alle pagine «affari» o «economia» della stampa, macchina-pensante: vedrete come i vostri capi si mettono in luce. Ammirate questi uomini e queste donne energici, con le mascelle da luccio, gli occhi da batraci, le pose da trampoliere! Acquisirete come loro visi di cera, sguardi di vetro, sorrisi di silice! Contemplate quelle anime da buoi satolli, tormentati dalla paura o prosciugati dalla fatica[19].

Il capo universale non è capo perché sa, ma accede al sapere per essere capo. Il «voler essere» capo non equivale a qualsiasi altra volontà, non è simile al voler essere cuochi, ma esprime il bisogno di occupare un primo posto, anche qualunque, è indice di un bisogno incondizionato di potere che non si basa su nulla di esteriore, ma su un senso di inferiorità. La funzione attira soprattutto individui la cui personalità debole sembra esigere una consistente compensazione. Il capo deve credere nella sua missione, non è capo per caso, ma vi è stato indotto da uno sviluppo psichico che impone il bisogno di identificazione. Il capo è quindi capo per insicurezza, per sentire di essere una persona. Il potere istituzionale fornisce una giustificazione alla sua esistenza. Egli vuole inoltre essere un missionario, perché vuole trasformare gli uomini, trasformare la sua squadra, deve spendersi senza cercare guadagni per dare l'esempio e fare in modo che gli altri si impegnino al massimo. Il manager incarna la migliore immagine del funzionario, cioè della persona che (si) pensa attraverso la propria funzione e che dispone di un catalogo impressionante di fatti per negare la

---

[19] PH. FORGET e G. POLYCARPE, *op. cit.*, p. 25.

realtà. Come non aspettarsi qualche conseguenza di questa psicogenesi sulla natura dei suoi rapporti nell'impresa?

Il manager esprime di fronte ai propri capi un atteggiamento ambivalente, fatto di aspettative esagerate e di dolorose delusioni. Molti hanno fra di loro rapporti di celata aggressività, espressi da una gentilezza apparente mescolata, nel profondo, con rancore e gelosia. Questi rapporti impersonali sono una difesa contro la violenza del sistema. Il manager ha rapporti ancora più complessi con i crew, i quali non possono avere successo se non rinunciano ad una parte della loro individualità in favore dell'identificazione con l'impresa. Tale regressione si nutre del transfert della libido su un Oggetto rappresentativo di McDonald's (il prodotto, la tecnica, ecc.). È tuttavia più facile amare il proprio capo, anche se è minima la convinzione di essere amati da lui. Questa relazione sentimentale compensa l'instabilità della situazione sociale ed economica. Il crew, non sicuro del proprio presente e ancora meno del proprio futuro, trova conferme nell'«amore» che dà e che riceve. L'amore del Management tecnico in quanto tale è chiaramente una possibile soluzione feticista, che permette di non vedere mai fuggire l'Oggetto, il quale non può che crescere man mano che il manager accede a nuovi «segreti», cioè partecipa in modo idealizzato all'onnipotenza dell'impresa:

Più le idee di controllo e di potere proliferano, più la cieca anomia dei settori fa sorgere dubbi sul controllo dell'insieme. Il razionale diventa irragionevole, i controllori non si controllano più. La Tecnica, tuttavia, non ha mai smesso di voler controllare ogni cosa, escluso se stessa[20].

Il manager è una figura mediatrice indispensabile all'esistenza del sistema, rappresentando la «buona madre» (la società McDonald's) e il «Padre» (il Management tecnico), viene sostenuto dalle immagini genitoriali ancorate in ciascuno di noi.

[20] PH. FORGET e G. POLYCARPE, *op. cit*, p. 27.

202

Rappresenta l'«onnipotenza» di fronte all'«impotenza» dei crew e perciò non può accettare che non tutto sia possibile: il fallimento, infatti, per lui non è la rivelazione di una relativa impotenza, ma della mancanza di azione. Bisogna quindi che agisca in anticipo, deve essere sempre molto pragmatico, anche se veicola una concezione manichea e infantile delle relazioni umane, fondata su un principio di sottomissione.

Il culto del manager

Il Management tecnico non è sufficiente a mantenere in piedi tutto l'insieme, perché questa figura è insufficientemente incarnata: McDonald's ha bisogno di eroi con un volto, quello del manager, un autentico cavaliere dei tempi moderni che non indietreggia di fronte a nulla pur di far applicare scrupolosamente le norme tecniche, un «grande mago» che detiene i «segreti» del «sistema», che non pensa come un padre, ma come il migliore dei figli (della società). Ciascun crew può quindi sognare di essere al posto del suo manager, tanto più che la carriera di quest'ultimo è di solito iniziata come semplice crew. La loro vicinanza è facilitata dall'illusoria cordialità dei rapporti. Il processo di uniformazione al Management tecnico passa quindi attraverso l'identificazione con il manager, all'interno di una relazione erotizzata. Questo bisogno di fecondazione orale costituisce un elemento del «sistema» McDonald's. Il crew si trova implicato in una dimensione metà tecnica e metà sentimentale, la cui verità non sta nella relazione con le cose, ma nella sua sottomissione a degli a priori (la «bibbia» McDonald's). Il Management continua a sostenere che McDonald's vuole il bene dei crew, che ognuno imparerà qualcosa, che è un'esperienza indimenticabile, insomma, che si sarà «gravidi» di qualcosa. Il desiderio di essere ingravidati si ritrova parallelamente nel discorso dei crew o dei Trainee manager che affermano di passare, di transitare da McDonald's per (ap)prendere qualcosa. Per avere successo e diventare anch'egli manager, il crew deve mangiare questo «frutto proibito» (la scienza, la tecnica McDonald's), solo allora accederà ai documenti «segreti» e partirà per gli Stati Uniti come per un viaggio di nozze. Quanti sognano di appropriarsi di quel pene paterno, per essere «onnipotenti»! Un simile Management corrisponde strutturalmente ad una relazione di tipo anale legata sia ad una funzione di espulsione (la massa dei crew), sia ad una funzione di ritenzione (l'élite dei futuri manager) e presuppone l'idealizzazione del manager quale condizione della dipendenza, anche se i sentimenti indotti si rivelano particolarmente ansiogeni (adulazione, gelosia, colpevolezza, depressione, ecc.).

Il Management tecnico immagine dell'«onnipotenza»

Il Management tecnico non è solo la somma delle norme specifiche di fabbricazione e di commercializzazione dei prodotti, ma rappresenta una concezione della vita d'impresa e della società, per questo può essere definito un'ideologia tecnoscientista:

Il fiume della Tecnica è fuoriuscito dal suo alveo. La sua potenza si è impadronita delle cose, dei corpi, delle anime, che sono diventati merci, giacimenti destinati ad essere organizzati e consumati. La Tecnica induce ad una comprensione ormai univoca del reale, e la sua produzione, la sua esibizione, la sua accelerazione esigono dall'uomo la totalità delle sue energie[21].

Il Management tecnico intende prendere possesso del mondo; d'altra parte, lo produce direttamente, in quanto oggetto e persino in quanto spettacolo. La sua logica rimane quella di una illusione pitagorica che intende rendere conto di ogni realtà fisica o psichica attraverso i numeri. Questa generalizzata numerologia vuole ridurre tutto e tutti, comprese le rela-

---

[21] PH. FORGET e G. POLYCARPE, *op. cit* , p. 10.

zioni, a poche equazioni. Il Management tecnico ha uno sguardo immaturo sul mondo, sembra in un primo momento voler «sterilizzare» la relazione tra i dirigenti e il personale, perché diventino tutti «figli di McDonald's», ma la sottomissione alla nuova Legge è ingannevole, in quanto crea una divisione fra coloro che hanno la missione di far rispettare la Legge e coloro che devono rispettarla. Il manager gode così «in qualità» dell'«onnipotenza» propria del Management tecnico. Il «sistema», al contrario, toglie al crew la forza di agire liberamente e di porsi in concorrenza con il manager nella definizione degli standard collettivi, trovandosi così castrato della sua capacità creatrice, al fine di far funzionare la Tecnica come un Dio onnipotente (figura paterna). Il potere del manager si nutre dunque della Tecnica, che squalifica fin da subito le iniziative provenienti dalla base: per risolvere qualsiasi problema, basta infatti applicare le regole. Questo sistema permette a McDonald's di rivendicare un Management privo (delle imprecisioni) dei sentimenti, mentre porta in scena, con la scusa (del rispetto) della Legge tecnica, molteplici figure castratrici, scatenando una vera e propria logica di epurazione dell'umano; in sé, esso ha un autentico odio per l'Oggetto in quanto tale, cioè per tutto ciò che separa, distingue, specifica. La vita stessa diviene così simbolo di ciò che è da rifiutare. Il «sistema» McDonald's soffre di un'intolleranza narcisistica rispetto alle minime differenze tecniche, culturali, ecc. La ricerca dell'assoluto contiene in sé aggressività (vedi il processo contro Dayan), induce a combattere l'altro (estraneo a me), ma anche tutto ciò che interiormente può diventare fonte di dispiacere (estraneo in me) e sfocia nella ricerca di una chiusura narcisistica sempre più ermetica, attraverso la diffusione dei protocolli tecnici. Tale narcisismo rivela abilità di fronte alla propria inumanità, è infatti una difesa infantile del proprio carattere infraculturale. L'«onnipotenza» del Management tecnico costituisce un'elaborazione psichica dell'impotenza culturale di McDonald's. Lo stesso manager dovrà constatare la morte del proprio ideale di «onnipotenza», perché egli è presente solo per fare rispettare la legge, è un semplice ingranaggio del sistema; il suo discorso è autoritario e indiscutibile solo perché fondato sulla tecnostruttura, quindi sulla sua «impotenza» personale; egli non può lasciare la sua funzione senza perdere immediatamente il suo potere. McDonald's rende così i propri manager puramente funzionali, tende a sostituire progressivamente la durezza al potere. Il manager parla un linguaggio guerriero (norme da rispettare, controlli da effettuare, sorveglianza da attuare, ecc.) che scarica all'esterno attraverso una tecnologia commerciale molto aggressiva. È inoltre chiamato a portare il lutto per il suo ideale di «onnipotenza» di fronte ai fallimenti della razionalizzazione eccessiva (Max Weber). Il Management tecnico è infatti troppo «pieno» perché non gli sfugga dell'irrazionale o perché non ne crei. Vi siete accorti, ad esempio, che il cliente deve attendere più a lungo per essere servito durante le ore di minore affluenza, per timore di aumentare le perdite? Jean Baudrillard ha attirato la nostra attenzione sulla rivincita della morte, che qui è incarnata dagli eccessi della razionalità: «*La società che "libera" la sessualità, la sostituisce progressivamente con la morte nella funzione di rito segreto e di divieto fondamentale*»[22].

Il culto della produttività è, secondo il filosofo, la vertigine contraria della morte; essa attualmente risorge ovunque, perché non è più erede di un folklore apocalittico, ma al contrario è stata privata di ogni sostanza immaginaria ed è entrata a fare parte della più banale realtà. Da McDonald's, come ovunque, essa assume il volto della razionalità. Baudrillard parla a questo proposito di un ideale di programmazione totale visibile nell'aumento della prevedibilità, dell'esattezza, della finalità. Questa riduzione funzionale seppellisce l'uomo ancora vivo perché mortifica il suo lavoro e la sua dignità. Qui di seguito analizzeremo i principali strumenti di mortificazione.

---

[22] J. BAUDRILLARD, *op. cit.*, p. 279.

McQualità totale

Se il QSP va bene, tutto va bene
Massima McDonald's

McDonald's rivendica una politica particolare in materia di «qualità totale», che dovrebbe condurre al successo soddisfacendo nello stesso tempo, del tutto, i clienti. Tendere all'eccellenza è tipico di tutte le correnti di pensiero manageriali che hanno dominato gli Stati Uniti e poi l'Europa negli anni Ottanta:

Siamo i più «grandi» in questo mestiere e dobbiamo restarlo, incrementando la distanza dai nostri concorrenti. Dobbiamo essere incontestabilmente i migliori.

Messages, settembre 1995

La ricerca della qualità totale è tradotta nella formula magica QSP:

Una delle chiavi del successo di McDonald's sta nelle tre lettere QSP: Qualità, Servizio, Pulizia. Più che norme teoriche sono una vera e propria ossessione nell'animo di tutti coloro che operano per il mantenimento di una reputazione che ha permesso questa formidabile espansione negli Stati Uniti e altrove [...]. *Qualità*: Ogni prodotto che esce dalle cucine deve essere imperativamente venduto nei due minuti che seguono [...]. Non saranno mai servite patatine fredde o carne cotta da molto tempo. *Servizio*: I clienti devono essere serviti nei due minuti che seguono il loro arrivo al ristorante. *Pulizia*: Tutte le apparecchiature sono smontate e lavate regolarmente.

Comunicato interno McDonald's

La questione del QSP è un aspetto interessante di un discorso più generale. Tale discorso non sarebbe rivoluzionario se servisse semplicemente a ricordare che l'interesse di ogni impresa è di produrre beni di «buona» qualità: esso, in realtà, con il pretesto di migliorare l'efficienza dell'impresa, mira a tutt'altro. Ufficialmente si vuole, attraverso i molteplici aspetti di questa flessibilità generalizzata, rimettere sistematicamente in causa i processi operativi ordinari, per ottenere in ogni settore guadagni supplementari; di fatto, si tratta di mantenere il personale in un'insicurezza costante, senza alcuna speranza di miglioramento durevole. Questa strategia permette di trasformare ogni crew in un monaco-soldato. Il nemico non è più all'esterno, ma in noi, nelle nostre abitudini:

Noi, McDonald's, abbiamo contribuito a sviluppare l'idea di servizio, la nostra ragione di essere sta nell'offrire ai nostri clienti qualità, servizio, pulizia e giusto prezzo [...]. Il servizio è ovunque, in tutto, bisogna averlo a mente sempre, adattarlo alle differenti situazioni, ai diversi clienti, perché, con la forza dell'abitudine, anche le migliori volontà si indeboliscono. L'abitudine fa del ristorante un luogo conosciuto in cui tutto va da sé, un luogo banalizzato: «un cliente è uguale ad un altro, applico le norme e tutto va bene». Per il cliente, è tutto il contrario [...]. I clienti non sono degli ostaggi, possono scegliere e non esitano a scegliere altro [...]. Propongo che ognuno si chieda: «Se fossi io il cliente, che impressione avrei del ristorante, che cosa penserei di ciò che è intorno a me?». Il nostro successo dipenderà ogni giorno di più dalla nostra capacità di servire bene i nostri clienti, e di renderli fedeli.

Michel Antolinos, Planète Mac, n. 8

La ricerca della «qualità totale» induce alla continua precettazione degli uomini. Già Jean Baudrillard evocava il passaggio da questa sollecitazione ordinaria a pratiche di «ritotalizzazione»:

Tutti gli sforzi per «ritotalizzare» il lavoro tendono a ciò, tendono a farne un servizio totale, nel quale il dipendente sia sempre meno assente, sempre più implicato personalmente. In questo senso, il lavoro non si distingue più da altre attività e in particolare dal suo contrario, il tempo libero, il quale, vissuto con la stessa implicazione e lo stesso investimento [...] è oggi allo stesso modo un servizio prestato[23].

<hr>

[23] J. BAUDRILLARD, *op. cit.*, p. 33.

Questa strategia mira a costruire una sociabilità particolarmente ansiogena, colpisce ciascuno nel suo senso di sicurezza, di integrità e di dignità, dando ad ogni azione individuale uno scopo collettivo e abbattendo quelle difese dell'Io o del Super-io che bloccavano la fusione tra gli individui e la loro impresa. Lo stress è quindi indispensabile per il «buon» funzionamento del sistema, in quanto sviluppa paure e fobie che permettono di «mascherare» il vuoto dell'attività e di evitare l'angoscia, per questo ogni seppur minimo atto diventa un elemento decisivo alla riuscita. Di conseguenza, il riposo del crew diventa impensabile, la disattenzione è sempre grave, se non nelle conseguenze, comunque nelle cause, ogni errore diventa rivelatore, ogni gesto acquista un carattere assoluto. L'individuo è sempre sul filo del rasoio, il «meglio» è infatti sempre possibile (ancora più in fretta, ancora meno distanza rispetto alla norma). Il dipendente deve continuamente giustificare e giustificarsi, non per il proprio saper fare o per la propria competenza, perché non ha più una professione, ma per il fatto di «essere» ciò che è, deve quindi dar prova della sua «giustificazione», cioè del suo diritto ad esistere in quanto crew o manager. Questa tensione ansiogena risulta, paradossalmente, molto redditizia: un individuo stressato lavora di più, con maggiore passione, lo sanno bene i miei studenti, che studiano in fretta il giorno prima di un esame. Gli individui che si sentono ingiustificati si sentono in dovere di agire semplicemente per esistere, entrando così in concorrenza «attiva» gli uni con gli altri per trovare e trovarsi una giustificazione alla loro vita:

Le «élites» sono individualiste, sembra, e sono spesso rappresentate da un corridore fondista, da un alpinista o da una call-girl esperta di informatica. Ciascuno di loro si crede libero come l'aria, anche se la stessa aria che respirano proviene dalla Tecnica. Mai si è esaltato tanto l'individuo, cioè lo schiavo libero nella Macchina libera. «Small is beautiful» proclamano gli ingenui, non si rendono conto che la struttura che caratterizza la Tecnica impone una gigantesca rete planetaria, elastica ma senza buchi. Essa rende tutti gli individui sot-

tomessi ad una meccanica d'insieme, e Hobbes oggi scriverebbe il Leviatano acefalo[24].

La perversa ricerca della «qualità totale» costituisce tuttavia la base del management moderno; essa estromette il «profano» dall'impresa, per elevare tutto ad uno stato di sacralità: non esistono più, infatti, attività minori o relative; in questo modo, si raggiunge la perversione descritta da E. Durkheim, per il quale la modernità è caratterizzata dalla generalizzazione di un (falso) elemento sacro. L'individuo, destabilizzato dalla paura del fallimento, cerca consolazione nel denaro, nel proprio lavoro, nel proprio reddito, nella norma. L'oggetto particolare assume per lui un significato assoluto. Il manager esisterà, per così dire, solo al di fuori di se stesso e svilupperà ciò che Kierkegaard chiamava una disperazione di successo, che lo priverà completamente della libertà, soffocandolo progressivamente sotto una massa di obblighi. L'alibi della necessità gli permette tuttavia di cacciare ogni desiderio, creando in sé e attorno a sé una rigidità protettrice di fronte all'invasione delle possibilità legate alla vita. Il manager esiste solo nella sua relazione con McDonald's. Il Management tecnico diventa la sua ragione ontologica, la sua oasi di pace. Si trova così debitore, in debito ontologico con il «sistema». Questa dipendenza implica naturalmente un sentimento di colpevolezza di fronte all'«altro». Il manager allora, per regolare il suo debito, non può che essere superattivo; per compensare la sua colpa iniziale si sente in dovere di essere «presente» ovunque nello stesso tempo, non ha altra scelta che fuggire in questo «altro onnipotente» attraverso l'azione, e non può più accettare, quindi, che non tutto sia possibile. Il fallimento infatti non sarebbe l'ammissione di una «impotenza» relativa, ma il segno della mancanza di volontà nell'atto astratto. Questo rifiuto impossibile di una castrazione simbolica – non essere tutto – induce naturalmente a moltiplicare le castrazioni sugli altri: il manager aumenta le vessazioni

---

[24] P. FORGET e G. POLYCARPE, *op. cit.*, p. 45.

contro i suoi subordinati, li sorveglia, li controlla, li sanziona, li costringe; rendere impossibile la vita degli altri è un'ulteriore forma di castrazione, perché i subordinati non possono far altro che accettare o licenziarsi. Per non fuggire, il crew deve accettare di perdere qualcosa e, a causa della sua qualificazione, non può dispiacersene neanche troppo, cioè legarsi di nuovo alla pienezza di un altro oggetto; non può far altro che incorporarsi alla «società-madre» all'interno di una relazione incestuosa, o incorporare egli stesso il Management tecnico come «super-io» e poi come autentico Ideale dell'Io.

McCastrazione

Il desiderio di quantificare e di controllare tutto evolve verso un sistema di tipo ossessivo: si può infatti fare sempre meglio, ed essere sempre più precisi. Lo scientismo funziona come una forma di pensiero magico, nella volontà di matematizzare la cultura culinaria, così come gli alchimisti sognavano di produrre oro attraverso la combinazione delle cifre. La confusione tra ordini di realtà di natura diversa genera un'autentica fede nella tecnica che, divenendo redentrice, si trasforma in una forma di idolatria. I 25.000 protocolli tecnici – reali o immaginari – fungono da veri e propri feticci moderni, l'alone di segretezza che li circonda e li protegge dallo spionaggio ne è un indizio probatorio. Limitando le possibilità degli uomini reali (cuoco, cameriere, mangiatore), questa ideologia fa funzionare la «Tecnica» come principio paterno. L'amputazione non deriva dalla tradizione («questo non si è mai fatto») o da un autodeterminismo («non lo voglio»), ma dalla sottomissione ad una norma «razionale». La «Tecnica» non solo proibisce alcune cose, ma ne prescrive altre, funziona quindi come figura castratrice della libertà. Questa castrazione è tuttavia rivendicata come positiva, perché darebbe prodotti abbondanti, sani e belli, essendo quindi responsabile di una «sicurezza» alimentare assoluta. Per stare in pace e per conservare il posto il crew, a prezzo della propria disumanizzazione, accetta la «sterilizzazione» della propria «vita» attraverso la Tecnica. Certo, può tentare di resistere incorporando il Management tecnico; ricostruisce allora in sé una parte di umanità, assumendo la razionalità come un autentico super-io. Egli mette in atto un'opera di appropriazione del «sistema», in particolare attraverso l'ostentato rispetto delle norme e il loro vigoroso richiamo di fronte ai novizi. L'assoluzione viene pagata cara, perché impone di pensarsi come un'appendice della macchina, all'interno di una reificazione prossima al paradigma della servitù volontaria. Il crew preferisce incorporare il «sistema», piuttosto che esserne schiavo. Il Management tecnico prende il posto di un Oggetto interiore e suscita regressioni facendo leva su esperienze precedenti. Il crew vive nel rischio costante di una sovracodificazione. Il rapporto con il manager (detentore della Tecnica) favorisce la suggestionabilità, che non è altro, secondo François Roustang, che una tendenza al transfert[25]. Il Management tecnico prende allora direttamente il posto dei molteplici oggetti irreali della libido, trasformata dal manager in «interpretazione» per essere rinviata ai crew, i cui Io sono ingravidati per assorbimento. Il loro stato di dipendenza li costringe ad attribuire «onnipotenza» alla Tecnica e a ricercare parallelamente l'amore del manager. Entrambi rappresentano allora questo ideale dell'Io attraverso l'identificazione con queste due figure tutelari. Ricordiamo che, secondo Freud, il capo è, nel sistema psicologico delle masse, il narciso assoluto. Il «sistema» McDonald's previene – lo abbiamo visto, con la «qualità totale» – le eventuali resistenze dei suoi dipendenti diffondendo un'autentica epidemia di paura.

I protocolli di mansione tra mortificazione e deresponsabilizzazione

McDonald's ha stilato, per ogni attività umana, decine di protocolli di mansione, con la stessa funzione standardizzante

---

[25] F. ROUSTANG, *Un destin si funeste*, Parigi 1976; *Elle ne lâche plus*, Parigi 1980, e *Influence*, Les Editions de Minuit, Parigi 1986.

che hanno le schede tecniche nei confronti dei prodotti. Esse favoriscono la standardizzazione del lavoro e della vita all'interno dell'impresa, quindi la mortificazione e la deresponsabilizzazione: pongono infatti il crew nella posizione, efficace ma insostenibile a lungo termine, di dovere semplicemente eseguire fedelmente ciò che altri hanno stabilito. L'esatto contenuto dei protocolli di mansione è in effetti molto meno importante della loro stessa esistenza. Trattano, allo stesso modo, cose e uomini, riducendo così la politica delle risorse umane a semplice ingegneria sociale. I protocolli di mansione costituiscono l'ammissione di una reificazione tanto degli alimenti quanto degli uomini. Ne esamineremo due tipi, quello dell'hostess e quello dell'incaricato alla produzione, rispettando le formule «ad uso interno» e cercando di non tradire i loro «segreti».

L'hostess incaricata dell'accoglienza

La missione dell'hostess incaricata dell'accoglienza consiste nel rafforzare l'immagine di McDonald's quale «ristorante di famiglia». Distribuisce per questo motivo una spilla (regalo) ai bambini ed è obbligata a compiere questo gesto con particolare attenzione. Contribuisce ad alimentare la fedeltà del cliente scambiando con lui uno sguardo o qualche parola e si rivolge ai clienti abituali dimostrando di riconoscerli. Deve assicurarsi che il 100% dei clienti (adulti e bambini) abbiano una buona impressione di McDonald's, per questo è sorridente, amichevole, educata e cortese; accoglie il cliente al suo arrivo, gli augura buon appetito e lo saluta quando se ne va; lo informa sulle iniziative del ristorante (compleanni, animazioni, campagne promozionali nazionali, festa dell'arancia, ecc.), avvicinandolo sempre con rispetto e gentilezza. Nei momenti di maggiore affluenza accompagna i clienti ad accomodarsi, cercando di sfruttare al meglio la disponibilità di posti a sedere; al bisogno, aiuta anche a consegnare le ordinazioni. Verifica la pulizia dei seggioloni per bambini, se necessario li pulisce e sistematicamente toglie i vassoi dal seggiolone dopo l'uso. Controlla che i distributori di cannucce e di tovaglioli siano sempre ben forniti e ogni 15 minuti controlla la pulizia dei bagni. Sempre ogni 15 minuti, controlla l'area all'esterno del ristorante. Propone ai clienti che hanno dovuto attendere, per sedersi, di sostituire i prodotti freddi. Se un cliente non finisce di consumare un prodotto, lei si interessa della ragione e ne informa immediatamente il responsabile di piano. Gestisce le lamentele in modo standard: si avvicina al cliente con un atteggiamento positivo, lo ascolta senza interromperlo, individua il problema, risponde con diplomazia e trova il modo migliore per risolverlo; se non è in grado di rimediare alla difficoltà, chiama il responsabile del piano, che comunque viene sempre sistematicamente informato.

L'addetto alla produzione

Anche l'attività dell'addetto alla produzione è strettamente stabilita dal suo protocollo di mansione (FCP C6), nel quale sono definiti gli obiettivi del suo ruolo – le responsabilità – e i mezzi da mettere in opera per raggiungerli. La missione del crew consiste nel rispondere a tutte le attese del «suo» cliente, evadendo tutte le ordinazioni al grill. Deve tenere sotto controllo la qualità del prodotto gettando il «sandwich» dieci minuti dopo la sua preparazione e confezionando solo i prodotti di qualità. Si impegna a mantenere un livello di produzione adeguato al giro d'affari, in funzione delle richieste degli incaricati al servizio. Deve fare di tutto per offrire un servizio rapido, caloroso e personalizzato, ma anche per assicurare la coesione e «il morale alto dello staff in cucina». Il crew incaricato di prendere le ordinazioni deve trattare il cliente come fosse un «suo invitato», deve offrirgli un servizio rapido, caloroso e personalizzato», deve accettare tutti i buoni promozionali, compresi quelli dei concorrenti, deve essere in grado di dare al cliente informazioni relative al quartiere o alla zona. Deve poter soddisfare tutte le ordinazioni particolari e per questo usa fogli di ordinazione corrispondenti alla tastiera delle casse. Prende l'ordinazione a partire dal terzo cliente in fila, deve sorridere e accogliere il cliente con un tono di voce gradevole, guardandolo negli occhi, deve ascoltarlo senza interromperlo, continuando a guardarlo negli occhi. Deve poi attuare la strategia della vendita suggestiva – proponendo un prodotto complementare – o aumentata – proponendo un prodotto della stessa gamma, ma con un prezzo superiore. La vendita suggestiva non deve essere un automatismo, ma una questione di buon senso. Non può fare più di una proposta suggestiva a cliente e non può attuare questa strategia con i bambini. Alla fine dell'ordinazione, chiede al cliente se intende mangiare al ristorante o acquistare cibo da asporto. Deve «ringraziare ogni cliente con tono educato e sincero», gli consegna il foglio dell'ordinazione e gli chiede di restituirlo alla cassa, poi accompagna gentilmente i clienti alle casse in cui la fila è più corta e augura loro buon appetito. Il cassiere deve trattare il cliente come un suo invitato, raggruppa le ordinazioni secondo un ordine standard (shake, bevande fredde, bevande calde, insalate, panini, cookies, apple pie, patatine, sundae). In caso di vendita da asporto, usa sacchetti di dimensioni adeguate. Se un'ordinazione è consistente, ne memorizza una parte per evitare di doversi spostare troppe volte. Deve porgere il vassoio al cliente o piegare il sacchetto di fronte a lui, assicurandosi che il logo McDonald's sia ben in vista. Preme poi sul disegno corrispondente al prodotto ordinato senza dover guardare la lista dei prezzi, perché il registratore di cassa è automatico; pronuncia inoltre chiaramente il prezzo dell'ordinazione e la cifra ricevuta (esempio: 50 franchi, paga con un biglietto da 100, grazie). Deve sempre consegnare il resto, prima le monete e poi i biglietti, nelle mani del cliente, mettendo i soldi ricevuti di traverso nel cassetto della cassa fino alla sua partenza. Deve ringraziarlo e invitarlo a tornare con un tono educato e sincero ed è obbligato a dire una parola amichevole ai bambini. Questo comportamento standard può però rivelarsi poco redditizio nei momenti di maggiore affluenza: esistono allora dei sistemi complementari anch'essi prestabiliti: il sistema di cassa mobile permette di accelerare la riscossione non appena il prezzo totale dell'ordinazione è stato stabilito dalla cassa centrale. Anche il cassiere mobile effettua le sei tappe regolamentari della riscossione standard. Il servizio di supporto alla cassa è «un modo eccellente di migliorare la rapidità del servizio e di favorire lo spirito di squadra». L'addetto al supporto assiste due casse contemporaneamente: interviene dopo l'ordinazione e dopo la vendita suggestiva aumentata, verifica se l'ordinazione è da consumarsi sul posto o è da asporto e sistema l'ordinazione mentre il crew annuncia il prezzo e incassa.

Il culto del «segreto»

Il «sistema» McDonald's coltiva il gusto del «segreto» con evidente piacere. Il crew in genere non è in possesso dei suoi protocolli di mansione e il ricercatore si scontra con il silenzio dei servizi di comunicazione: «Vi ringraziamo per il vostro interesse nei confronti di McDonald's... ma quel che chiedete è "top secret"». Il «segreto» del «sistema» McDonald's, tuttavia, è un segreto di Pulcinella: perché allora spendere tante energie per metterlo in scena, per divulgarlo con parsimonia solamente tra i manager di fiducia? Il segreto non segreto alimenta l'ideale di «onnipotenza» necessario al Management tecnico e crea una sorta di rito di iniziazione, è quindi un dispositivo che struttura l'impresa in modo gerarchico. Questa frammentazione interna definisce e legittima l'esistenza di un corpo d'élite. «*Il sapere delle élites tecniche è una menzogna; il suo principale scopo non sta forse nel fare accettare la dimensione arbitraria delle inequaglianze sociali?*»[26].

La pratica del segreto costituisce un modo di rivelarlo pur preservandolo, e permette di stabilire relazioni particolari: il crew apprende il contenuto della sua mansione dalle parole del suo manager, si trova quindi in una situazione di forte dipendenza. Deve poi riformulare il segreto con il suo linguaggio; in base all'Analisi transazionale, sappiamo che la riformulazione costituisce uno strumento molto efficace per modificare il qua-

---

[26] P. FORGET e G. POLYCARPE, *op. cit.*, p. 42.

dro interpretativo dei soggetti. Il crew periodicamente, in occasione dei controlli di valutazione, deve saper dimostrare la perfetta padronanza del segreto, deve esporre nel dettaglio il contenuto dei protocolli di mansione per mostrarsi rispettoso della Legge. Con il suo capo, può poi vedere il «segreto» (il protocollo di mansione) per controllare la buona conoscenza dei processi di fabbricazione. Dopo alcuni incontri, quindi, egli conosce a memoria il «segreto», senza che però gli sia stato imposto. Questo sistema permette la creazione di una coesione d'azione tra i dipendenti. Il segreto che circonda le norme è quindi il cammino più breve per farle conoscere e rispettare rigorosamente; esso funziona come autentico simbolo di un sapere tecnico, socializzato, ma nello stesso tempo oggetto di un'appropriazione privata:

L'accumulo del sapere, dell'abilità e di tutte le forze produttive generali del cervello sociale sono allora assorbite nel capitale che si oppone al lavoro: esse sembrano ormai una proprietà del capitale, o più esattamente del capitale fisso[27].

La pratica del «segreto» ricorda così al crew che si trova accanto ad un autentico processo di produzione, di cui però non è l'agente principale. Questo sapere costituisce quindi uno strumento di dominio che relega l'uomo ai margini della propria attività. Il «segreto» si trasforma in una forma di silenzio tombale perché permette di pensare al posto dell'altro, anche all'interno del suo lavoro. McDonald's quindi può continuare a parlare al posto di centinaia di migliaia di soggetti anonimi, togliendo loro la parola e divulgando la «buona» parola. Il soggetto autentico si nasconde dietro la pratica del «segreto». Eppure, il soggetto può essere «eticamente» definito solamente come persona che pone una domanda, come soggetto che parla, che desidera. Il Management gioca su questi meccanismi, per operare un'inversione della parola, sia imponendo al sog-

[27] K. MARX, *Grundriss*, II, Editions Sociales, Parigi, p. 213.

getto la parola proveniente dall'esterno, sia usando direttamente contro il soggetto la propria parola. L'uso del «segreto» ricorda continuamente la chiusura dell'impresa, cioè il suo carattere autoreferenziale.

McMacchinismo

Il «sistema» McDonald's è caratterizzato dal desiderio di escludere l'umano, ha inventato infatti moltissime macchine per controllare e sostituire l'uomo, nel tentativo di escludere ogni difetto nella qualità della fabbricazione, nel servizio e nei prodotti. La sostituzione della macchina all'uomo, prima ancora di rappresentare un vantaggio economico, costituisce per McDonald's una scommessa ideologica. I prodotti alimentari sempre più spesso sono precotti, tagliati e preparati prima, in aziende la cui tecnologia esclude qualsiasi intervento umano. Il crew di domani dovrà semplicemente condire o riscaldare i prodotti e servirli, ma, forse, rischierà di essere ancora troppo umano e di commettere degli errori. Bisognerà quindi escludere completamente l'uomo dal servizio. Il consumatore, però, non è ancora disposto ad utilizzare unicamente i distributori automatici. In attesa di quella splendida era, McDonald's moltiplica le macchine destinate al controllo, alla sorveglianza, all'inquadramento del lavoro umano: usa ad esempio distributori per bevande che si fermano automaticamente quando il bicchiere è pieno, ha così la certezza che le ordinazioni siano servite in modo regolare e che non si verifichino fastidiosi contrattempi dati ad esempio da un bicchiere troppo pieno da cui esce liquido.

McDonald's non ha mai fatto dell'informatica l'indice della propria modernità, preferendo il molto più efficace «segreto» dei suoi protocolli. L'informatizzazione in quanto tale costituisce quindi un aspetto minore del suo Management tecnico, ma rappresenta un'ottima giustificazione della sua scelta «macchinista» di fronte al personale e ai clienti, dal momento che nessuno avrebbe nulla da controbattere al Moloch informatico. Il gruppo ha impiegato un tempo relativamente lungo per informatizzarsi. Il sistema di gestione si presentava molto semplice ed efficace grazie alla scarsa varietà delle materie utilizzate in relazione al volume d'affari. I registratori di cassa fino al 1988 erano gli unici strumenti informatici obbligatori in tutti i ristoranti; i TPV (Terminali Punti Vendita) assicuravano la sola gestione delle ordinazioni e degli incassi. L'informatizzazione del gruppo si è poi generalizzata su iniziativa di alcuni licenziatari. Il ristorante di Nogent sur Marne è stato il locale pilota per molti sistemi hardware e software. Solo nel 1990 McDonald's ha creato il suo primo programma di gestione, con il nome di SIR (Sistema d'Informatizzazione Ristorante). Questa prima versione era puramente operativa (gestione delle vendite, dei prodotti, degli incassi, della mano d'opera, degli ordini, inventario, ecc.). In seguito, McDonald's ha lanciato nuove versioni di SIR, comprendenti, dal 1993, tutta la gestione amministrativa dei ristoranti. L'obiettivo attuale è di realizzare una rete di ristoranti collegati alla sede centrale. McDonald's intende soprattutto sviluppare la tecnologia informatica per applicarla alla gestione delle ordinazioni e a quella del personale, nella speranza di aumentare così molto rapidamente la produttività del lavoro; in particolare, mira ad incrementare il tasso di rotazione della clientela. Nei McDrive, ad esempio, terminali video permetteranno di passare le ordinazioni senza l'intervento di un crew; per guadagnare tempo, casse portatili senza filo prenderanno le ordinazioni quando i clienti sono in fila. Un sistema di elaborazione informatica dei mezzi di pagamento assicurerà il riconoscimento del denaro (aumentando la produttività della clientela) e la restituzione automatica del resto.

McValutazione

La valutazione del personale costituisce certamente una dimensione essenziale del management. McDonald's pratica due tipi di valutazione, con funzioni diverse: la prima «valutazione» ufficiale avviene di solito una volta all'anno, mentre le seconde possono avere luogo in qualunque momento il manager decida di farvi ricorso. Torneremo più avanti sull'analisi degli effetti di questo giudizio virtuale, cioè sempre possibile.

La valutazione di prestazione dei crew comprende una serie di domande standard riguardanti la soddisfazione del cliente, il rispetto delle norme, la qualità della comunicazione e del lavoro di squadra. Ciascuno di questi temi standard dà luogo ad una valutazione standard a partire da una griglia standard, che propone quattro risposte anch'esse standard: «sempre», «spesso», «a volte», «raramente». La griglia comprende domande del tipo: «È ospitale, cortese, sorridente, gentile e dinamico di fronte ai clienti; ha un atteggiamento del tipo "il cliente prima di tutto"; offre "piccoli sovrappiù"; stabilisce contatti; maneggia i prodotti con cura; contribuisce all'incremento delle vendite; si preoccupa del proprio modo di presentarsi; rispetta le procedure; contribuisce al buon clima; aiuta gli altri senza che glielo si chieda; accetta di svolgere tutte le mansioni; ecc.».

Questa valutazione è decisamente eccessiva rispetto alla durata delle assunzioni, e ha quindi certamente altre funzioni oltre a quelle ufficialmente riconosciute. Innanzitutto, essa alimenta, nella maggior parte dei crew, l'illusione di un futuro comune possibile all'interno dell'impresa. Il crew è «testato», «valutato», «misurato», quindi conserva legittimamente la speranza di fare carriera. Inoltre, essa rafforza il potere del manager, che esercita la sua «onnipotenza» attraverso il diritto di valutare, cioè di nominare l'altro. Il manager può persino indurre il crew a condividere il proprio punto di vista, trasformando così il proprio giudizio personale in autogiudizio del crew: quest'ultimo infatti partecipa alla propria valutazione, trasformando a volte semplici disattenzioni in veri e propri errori. Questo confronto di punti di vista conferisce legittimità alla valutazione; un simile metodo appare quindi come una forma particolarmente democratica di giudizio, che si propone inoltre come propizio alla nascita di un clima di fiducia. La partecipazione alla propria valutazione ha tuttavia effetti psicologici meno benefici, poiché rinchiude il crew nel giudizio dell'Altro, trasformando un apprezzamento (esteriore) quindi «falsificabile» in un giudizio (interiore) quindi colpevolizzante. Il crew che non raggiunge gli obiettivi non è solo un cattivo lavoratore, ma una persona che non tiene fede alla propria parola, al proprio onore. Il manager giudica così gli uomini e non più i fatti. Questa «contrattualizzazione» della valutazione fa passare il crew da una condizione di dovuta obbedienza ad un sentimento di colpevolezza e rende molto meno facile l'identificazione dei propri desideri; con personale più adulto si creerebbe certamente meno confusione: il crew è in effetti paragonabile ad un adolescente in difficoltà nel momento in cui deve pensare da solo, al posto dei suoi genitori.

La valutazione sembra obbedire invariabilmente alle stesse norme. È stabilita a partire da un documento-tipo di quattro pagine identiche in tutto il mondo. L'identificazione del lavoratore è per questo motivo ridotta al minimo: cognome, nome, funzione, data di assunzione da McDonald's, data dell'ultima valutazione. Non si chiede nulla a proposito della formazione del crew, della sua situazione familiare o sociale, non si tengono in alcun conto le differenze culturali e di tradizione. Il modulo richiede però la descrizione esatta dell'ambiente professionale del lavoratore, perché sia rinchiuso meglio all'interno del sistema. La prestazione del crew è valutata in base a tre grandi criteri:

1. La «soddisfazione» del cliente è calcolata sulla base di 9 criteri che misurano la produttività del lavoro di fabbricazione e di commercializzazione (maneggiare i prodotti con cura, effettuare il lavoro con la necessaria velocità, contribuire all'incremento delle vendite, ecc.). Tale parametro permette inoltre di apprezzare il comportamento del lavoratore nell'impresa (uniforme regolamentare, pulita, stirata e completa, scarpe pulite e in buono stato, trucco adeguato, igiene delle mani, delle unghie, dei capelli, ecc.). Nasce il timore che, con la scusa della soddisfazione del cliente, una comunità di lavoro possa trasformarsi in una comunità etica: «*Non si intendono controllare e valutare solo le competenze professionali e tecniche, ma anche le capacità dette comportamentali e relazionali, al di là delle necessità produttive*»[28].

[28] J.-P. LE GOFF, *op. cit.*, p. 9.

Questo bilancio è poi tradotto in un giudizio globale. L'atteggiamento di fronte al cliente (di fatto, di fronte a McDonald's) è giudicato «in progresso», «stabile» o «in regressione». I dirigenti definiscono allora con il crew gli obiettivi da raggiungere nel periodo seguente, trasformandoli, da obiettivi dell'impresa, in obiettivi del lavoratore stesso.

2. Viene poi valutata la conoscenza, da parte del crew, del proprio lavoro, cioè il rispetto degli standard di produzione e di commercializzazione. Si verifica la sua conoscenza delle procedure «segrete» delle varie mansioni. Il rispetto delle norme viene richiesto ufficialmente per ottenere una «qualità totale», ma serve prima di tutto alla standardizzazione del lavoro e dei comportamenti. Il «buon» crew deve essere un esecutore fedele, quindi eccessivo. McDonald's fa della sottomissione al Management tecnico il valore supremo dell'impegno nell'impresa.

3. Il terzo aspetto della valutazione riguarda il «saper essere», cioè il comportamento all'interno dello staff e dell'impresa. Si verifica che il crew rispetti gli altri, che dimostri la gentilezza e la cortesia regolamentari, che usi un vocabolario e un tono consoni, che contribuisca alla creazione di un buon clima di lavoro, che aiuti gli altri senza che glielo si chieda, che li incoraggi, che partecipi all'accoglienza dei nuovi assunti.

Lo scopo della valutazione non sta nella formulazione di un giudizio sul lavoro compiuto in passato, ma serve prima di tutto ad ottenere un comportamento ottimale nel futuro e nel presente; essa costituisce quindi una parola «performativa», destinata a modificare la percezione dei comportamenti, oltre che una minaccia costante alla sicurezza del dipendente.

La valutazione dei crew può avvenire anche in modo sporadico. Ufficialmente, essa definisce un progetto di formazione e determina le diverse tappe del percorso all'interno dell'impresa. Essa pone virtualmente il crew sotto il costante giudizio del manager, dimostrandosi del tutto simile, quindi, ad uno strumento panottico. Istituisce un sistema di autosorveglianza: il crew infatti sa già cosa verrà giudicato «buono» o «cattivo»: la valutazione crea infatti un approccio di sé a partire da una griglia imposta e giunge ad opporre l'immagine che il crew ha di se stesso a quella che il manager si è fatto di lui. Il gioco è perverso, nella misura in cui la parola del valutatore è considerata molto più obiettiva di quella del valutato. Il crew sa fin dall'inizio che deve scendere a patti, trovare un terreno d'intesa a partire dalle conclusioni del valutatore. La valutazione ufficialmente tiene conto dei desideri del lavoratore, ma è necessario domandarsi se questo approccio non sia falsato, dal momento che il crew, trovandosi rinchiuso in un sistema che lo (s)qualifica, non può esprimere i suoi veri desideri. Il giudizio è così un modo di sollecitare l'altro ad agire nel quadro del contenuto ideale delle proiezioni di identificazione del gruppo. L'unica resistenza «legale» a questa castrazione è la sua psicologizzazione. Il crew che «sterilizza» il Management tecnico al punto di fare del giudizio una semplice «diagnosi», giunge a liberarsi del lato affettivo, ma a prezzo della propria disumanizzazione.

McFranchising

Lo Stato maggiore francese è rappresentato principalmente da Robin Hedges, Presidente di McDonald's France, responsabile dei mercati italiani, spagnoli e portoghesi, e da Michel Antolinos, Direttore Generale di McDonald's France. McDonald's gestisce in proprio solamente una piccola parte dei ristoranti, dando la maggioranza degli altri in franchising. La Francia conta circa 175 licenziatari, che gestiscono più dell'80% dei ristoranti. I licenziatari McDonald's sono circa 13.000 in tutto il mondo: tale successo è legato alla concezione e al funzionamento del sistema, che crea un'autentica reciprocità di interessi tra le parti. La quota iniziale è relativamente bassa, contrariamente a ciò che abitualmente avviene nel settore della ristorazione. La remunerazione di McDonald's è stabilita in base al fatturato dei suoi licenziatari. Il successo si spiega anche con la sottomissione volontaria di ogni licenziatario ad un sistema completamente standardizzato. Due grandi date scandiscono questo straordinario processo di standardizzazione.

– Nel 1958 Ray Kroc pubblica un *Manuale di direzione di un licenziatario*, in cui spiega esattamente come preparare i Milk shake, gli hamburger e le patatine, indica i tempi di cottura e le temperature regolamentari dei vari apparecchi, stabilisce le porzioni normali di ogni piatto, dal quarto d'oncia di cipolla per hamburger, alle 32 rondelle per libbra di formaggio. Spiega anche come porre gli hamburger sul grill da sinistra a destra, per riuscire a formare sei file da sei panini ciascuna e dimostra perché dalla fonte standard di calore convenga obbligatoriamente ritirare i prodotti a partire dalla terza fila.

– La seconda data storica è il 1961, anno in cui viene inaugurata l'Università Internazionale dell'Hamburger, presto affiancata da centri nazionali di formazione. Tale università costituisce una vera e propria «Mecca» della tecnologia McDonald's, ed è la sede principale della standardizzazione del personale: a volte infatti risulta difficile distinguere questi hamburgologi, tanto si somigliano negli atteggiamenti, nella loro concezione del mondo e persino fisicamente. La standardizzazione mira a creare uomini sicuramente prevedibili, per ottenere una prevedibilità non meno sicura nelle procedure di fabbricazione e negli stessi prodotti. I dirigenti, così formati, formano a loro volta i manager e i crew in maniera altrettanto standard, in modo che tutti abbiano la sensazione di appartenere ad uno stesso corpo fondato su esperienze e riferimenti comuni, ma soprattutto su una stessa volontà:

L'elemento chiave in queste storie di successo individuale e di McDonald's stesso, non è il talento o l'educazione, ma la determinazione, e questo concetto è espresso bene nella mia predica preferita: «Perseverate. Nulla al mondo può sostituire la perseveranza, non lo farà il talento; non c'è nulla di più diffuso di falliti con del talento. Non lo farà il genio: il genio senza ricompensa è quasi un proverbio. Non lo farà l'educazione: il mondo è pieno di relitti educati. Solamente la perseveranza e la determinazione sono onnipotenti».

Ray Kroc, fondatore di McDonald's

Il manager non è un uomo colto, ma un individuo determinato, che si nutre di abnegazione, perché la pura azione è il suo regno.

L'«élite» vuole essere prima di tutto scientifica ed è solo scientista. Si crede edonista, ma è solo puritana; è persuasa che l'individuo faccia tutto, ed è solo l'ombra ventriloqua delle potenze collettive; si vuole cinica e liberata, ma è solo duplice e volgare; vorrebbe essere intelligente, ma al massimo è abile[29].

Il mondo dei licenziatari è quindi un universo formato da esseri eccezionali. McDonald's ama ripetere che un accordo fra lui e un licenziatario si conclude sempre con una stretta di mano e non con un documento scritto. Il lettore confronterà questo cosmopolitismo dell'élite all'etnicizzazione rampante delle classi lavoratrici che producono ogni giorno milioni di pasti McDonald's.

McDonald's ha saputo creare un «equilibrio» fra questo forte grado di omogeneità e una certa indipendenza riconosciuta ai suoi licenziatari, indipendenza che, naturalmente, non contrasta mai con la standardizzazione; essa può al limite rimettere in causa solo marginalmente la concezione infraculturale dei prodotti, ma fa di ogni ristorante una fonte potenziale di approfondimento di questo livellamento culinario. Il Moloch del XXI secolo sarà dunque un'idra a 20.000 teste. Ogni licenziatario è libero infatti di introdurre innovazioni che aumentino il suo beneficio e quello dei suoi fratelli in McDonald's, pur sempre però nel rispetto rigoroso dell'ortodossia ideologica, cioè dell'etica McDonald's. Questo equilibrio prova una volta ancora che il «segreto» del «sistema» non si trova nei prodotti, ma nella loro concezione mondialista. L'Egg McMuffin ha rappresentato ad esempio una meravigliosa invenzione locale immediatamente universalizzabile: una prima colazione completa, composta da uovo, lardo canadese e pane inglese (Muffin), servito sotto forma di panino, da mangiare in fretta e facilmente, senza coperto, rispondeva alle condizioni di mondializzazione secondo McDonald's. Anche il «Big Mac» e il Filet O'Fish sono stati inventati da licenziatari del gruppo. Il

[29] Ch. FORGET e G. POLYCARPE, *op. cit.*, p. 42.

fallimento principale fu invece lo straordinario Hulaburger (pane grigliato con due fette di formaggio e una fetta di ananas grigliato), probabilmente troppo tipico della cultura americana. Diventare licenziatario è un autentico percorso di guerra: i candidati, selezionati attraverso una serie di incontri in cui si sonda il loro grado di motivazione, fanno anche un'esperienza sul campo, durante la quale si esercitano nel ruolo di crew, per riuscire così in un futuro a svolgere tutte le mansioni, dalla cottura degli hamburger alla confezione delle insalate. Il candidato promosso ottiene una licenza valida per vent'anni. McDonald's gli propone una sede, che può anche rifiutare, e si prende inoltre carico dell'acquisto del terreno e della costruzione del ristorante, compiendo cioè un investimento quattro o cinque volte superiore a quello del licenziatario, che paga le spese legali per circa 250.000 franchi francesi e acquista i macchinari necessari al funzionamento del ristorante, per un totale di circa 4,5 milioni di franchi. La multinazionale può anche anticipare una parte dell'investimento. McDonald's si riserva a sua volta una cifra pari al 12% delle vendite e un canone del 5% sul volume d'affari, in cambio di vari servizi, come l'assistenza tecnica, la formazione del personale e le campagne pubblicitarie. McDonald's impone anche i propri fornitori per tutti i prodotti commestibili, ma non trattiene alcuna commissione. Ogni licenziatario si impegna a rispettare il capitolato d'oneri McDonald's: non si scherza, infatti, con i prodotti o con i procedimenti standard di Management. Il licenziatario deve rispettare scrupolosamente le norme QSP (Qualità, Sicurezza, Pulizia), condurre una gestione competitiva, essere direttamente coinvolto nel lavoro dei suoi ristoranti, contribuire all'espansione del sistema, sapere dirigere il proprio personale. Se è efficiente, può diventare, più volte, «eleggibile all'espansione», autorizzato cioè ad aprire una nuova sede. Un bravo licenziatario può quindi essere proprietario di 3 o 4 ristoranti e, negli Stati Uniti, alcuni «veterani» ne possiedono una vera e propria catena, formata da decine di sedi.

Un licenziatario, naturalmente, fa parte della «grande famiglia» McDonald's: gli viene chiesto di formare altri licenziatari, di partecipare a diverse commissioni o eventualmente di lavorare in uno degli Uffici Esecutivi della Multinazionale. D'altra parte, McDonald's non scherza con il rispetto delle regole richiesto ai propri licenziatari: una studentessa che lavorava come crew, durante una conferenza, mise in luce alcune disfunzioni riguardanti il rispetto delle norme «QSP» e poco dopo apprese che i manager del ristorante in cui svolgeva servizio avevano dovuto giustificare il mancato rispetto della Legge.

McFine

Il «sistema» McDonald's ha rivelato alcuni dei suoi segreti. Il miracolo essenzialmente consiste nell'uso che la transnazionale dell'alimentazione ha saputo fare delle figure genitoriali per strutturare le proprie relazioni con i clienti e con il personale. Questa struttura funziona a livello del trittico cliente-prodotto-ideologia alimentare: l'uomo McDonaldizzato mangia infatti sempre la stessa cosa, allo stesso modo, qualunque sia la sua età, il suo sesso, il suo paese, la sua condizione, la sua cultura; si trova quindi letteralmente infantilizzato di fronte ad una forma alimentare la cui novità sta nel suo carattere infraculturale. Questa universalità permette di psicologizzare il prodotto, per farlo funzionare in un modello di immagini femminili o materne all'interno di una regressione verso il corpo biologico o libidinale di un mangiatore ormai liberatosi dagli antichi «tabù». L'hamburger si offre come compagno nel quadro di un nuovo accoppiamento. La «forza» del sistema McDonald's consiste poi nel fare funzionare la sua ideologia alimentare sicuritaria come una figura paterna che calma l'angoscia ancestrale dei mangiatori di fronte alla loro alimentazione. L'uomo McDonaldizzato si trova così incastrato tra un prodotto che lo nega in quanto essere singolo e una ideologia sicuritaria che lo deresponsabilizza. McDonald's quindi non viola i tabù culturali, ma li elimina in favore di un assoggettamento completo ad un autentico igienismo alimentare e sociale. Il «sistema» McDonald's, dunque, impedisce all'uomo di raggiungere la condizione di mangiatore adulto.

Questa struttura triangolare si ritrova anche nel trittico personale-impresa-ideologia tecno-scientista. Il lavoratore polivalente, negato nella sua qualificazione professionale e squalificato in quanto uomo concreto, non può fare altro che cercare la protezione della «società-madre», all'interno di una relazione realmente incestuosa. Il crew universale è sottomesso ad un management affettivo che gli propone di sostituire il suo «sviluppo» personale allo sviluppo socio-economico (salario, condizioni di lavoro, condizioni sociali, ecc.) e culturale (apprendimento di una professione). Il crew psicologizzato, d'altronde, si trova ad essere deresponsabilizzato, cioè castrato, di fronte ad un Management tecnico il quale, moltiplicando i Divieti, censura la sua autonomia e funziona con modalità paterne. Il sistema quindi impedisce al dipendente di accedere alla condizione di lavoratore responsabile, dunque adulto.

Al termine di questo viaggio, si può pensare che questa duplicazione della struttura triangolare parentale e il suo funzionamento, così come noi abbiamo tentato di cogliere percorrendo alcune piste non ancora battute, rappresentino un'autentica perversione del modello genitoriale, nella misura in cui il bambino (consumatore o crew) si trova ogni volta intrappolato dall'inedita alleanza del Padre (Ideologia sicuritaria o Management tecnico) e della Madre (Prodotto o Società-Madre) allo scopo di mantenerlo in una posizione insoddisfacente. Sta all'individuo planetario del XXI secolo (re)inventare un'alimentazione che soddisfi ad un tempo il corpo biologico, edonista, psichico, sociale e politico. La mondializzazione alla McDonald's non costituisce neppure un'autentica mondializzazione, poiché dimentica una parte importante dell'umanità, non prendendo in considerazione molti paesi insufficientemente solvibili, quali quelli del continente africano, perché del mondo conserva solo ciò che può essere digeribile dalla propria logica; una vera mondializzazione implicherebbe infatti l'apertura all'Altro, cioè la padronanza della propria cultura, in particolare culinaria, ed infine perché la McDonaldizzazione non si fonda su nessuna cultura, ma sulla negazione di tutte le culture preesistenti. Il «sistema» McDonald's non favorisce lo scambio fra culture, ma generalizza una forma particolare rendendola universale.

Bibliografia

Opere generali

ANATRELLA T., *Interminables adolescences*, Cerf-Cujas, Parigi 1988.
- *Non à la société dépressive*, Flammarion, Parigi 1993.
ANDREANI T., GAUDEAUX J.F. e NAUD D., *L'entreprise: lieu de nouveaux contrats?*, L'Harmattan, Parigi 1995.
ANSART P., *Discours politique et réduction de l'angoisse*, in «Bulletin de psychologie», volume XXIX, n. 322, marzo 1976.
ANZIEU D., *Le groupe et l'inconscient*, Dunot, Parigi 1984; trad. it., *Il gruppo e l'inconscio*, Borla, Roma 1986.
ARENDT H., *La crise de la culture*, Gallimard, Parigi 1972.
AUGÉ M., *Non Lieux, introduction à une anthropologie de la surmodernité*, Le Seuil, Parigi 1992; trad. it., *Nonluoghi. Introduzione a un'antropologia della surmodernità*, Eleuthera, Milano 1996.
BADINDER E., *XY. De l'identité masculine*, Odile Jacob, Parigi 1992.
BARTHES R., *Mythologies*, Le Seuil, Parigi 1957; trad. it., *Mitologie*, Pratiche, Milano 1987.
BAUDRILLARD J., *L'Echange symbolique et la mort*, Gallimard, Parigi 1976; trad. it., *Lo scambio simbolico e la morte*, Feltrinelli, Milano 1990.
- *La société de consommation*, Denoël, Parigi 1970.
BERGERET J., *La personnalité normale et pathologique*, Dunot, Parigi 1985; trad. it., *La personalità normale e patologica. Le strutture mentali, il carattere, i sintomi*, Raffaello Cortina, Milano 1985.
BLOCH E., *Le principe espérance*, volumi 1-2, 1959, Gallimard, Parigi 1976; trad. it., *Il principio speranza*, Garzanti, Milano 1994.
BOESCH E., *L'action symbolique. Fondements de psychologie culturelle*, L'Harmattan, Parigi 1995.
BRUILLON V. e MAJESTE M., *Le sein, images et représentations*, L'Harmattan, Parigi 1995.
BRUNEAU J.P., *Psychanalyse et entreprise*, Les Presses du Management, Moisiel 1990.
CASTEL R., *Le psychanalysme*, Maspéro, Parigi 1973.

– *La gestion des risques*, Editions de Minuit, Parigi 1981.

CHESNAUX J., *La Modernité-Monde*, La Découverte, Parigi 1993.

DEVEREUX G., «Normal et anormal» in *Essais d'Ethnopsychiatrie générale*, Gallimard, Parigi 1970, pp. 2-80; trad. it., *Saggi di etnopsichiatria*, Armando, Roma 1978.

– *La renonciation à l'identité: défense contre l'anéantissement*, in «Revue française de psychanalyse», volume XXXI, n. 1, gennaio 1967, pp. 101-142.

– *L'identité ethnique: ses bases logiques et ses dysfonctions*, in «Ethnopsychanalyse complémentaire», Flammarion, Parigi, pp. 131-167.

EHRENBERG A., *Le culte de la performance*, Calmann-Levy, Parigi 1991.

– *Esprit. Masculin, féminin*, novembre 1993.

FORGET PH., POLYCARPE G., *L'homme machinal*, Syros-Alternatives, Parigi 1990.

HABERMAS J., 1968, *La technique et la science comme idéologie*, Gallimard, Parigi 1973.

D'IRIBARNE PH., *Le chômage paradoxal*, P.U.F., Parigi 1990.

– *La logique de l'honneur: gestion des entreprises et traditions nationales*, Le Seuil, Parigi 1989.

JAFFELIN J., *Critique de la raison scientifique*, L'Harmattan, Parigi 1996.

JONAS H., *Le principe de responsabilité*, Cerf, Parigi 1995; trad. it., *Il principio di responsabilità. Un'etica per la civiltà tecnologica*, Einaudi, Torino 1999.

LAYOLE G., *Les infortunes de l'appréciation en entreprise*, L'Harmattan, Parigi 1994.

LEFEBVRE H., *La vie quotidienne dans le monde moderne*, Gallimard, Parigi 1968.

LE GOFF J.P., *Le mythe de l'entreprise: critique de l'ideologie manageriale*, La Découverte, Parigi 1993.

LIPOVETSKY G., *L'empire de l'éphémère*, Gallimard, Parigi 1987; trad. it., *L'impero dell'effimero*, Garzanti, Milano 1989.

– *Le crépuscule du devoir*, Gallimard, Parigi 1992.

LORINO PH., *L'économiste et le manager*, La Découverte, Parigi 1989.

– *Liberté, égalité, modernité*, La Découverte, Parigi 1985.

LINHARD D., *Le Torticolis de l'autruche, l'éternelle modernisation des entreprises françaises*, Le Seuil, Parigi 1991.

MACAIRE R., *Pour une politique de l'avenir humain. Essai sur la socialisation*, L'Harmattan, Parigi 1996.

MARCUSE H., *Eros et civilisation*, Les Editions de Minuit, Parigi 1963; trad. it., *Eros e civiltà*, Einaudi, Torino 1972.

– *L'homme unidimensionnel*, Editions du Minuit, Parigi 1968.

MARTIN D. (a cura di), *Participation et changement social dans l'entreprise*, L'Harmattan, Parigi 1989.

MENDEL G., *La révolte contre le père*, Payot, Parigi 1968.

MONGIN O., *La peur du vide, essai sur les passions démocratiques*, Le Seuil, Parigi 1991.

PACKARD V., *La persuasion clandestine*, Calmann-Levy, Parigi 1984; trad. it., *I persuasori occulti*, Einaudi, Torino 1989.

PAGES M., *Le Travail amoureux, éloge de l'incertitude*, Dunod, Parigi 1977.

PIAGET J., *La représentation du monde chez l'enfant*, P.U.F, Parigi 1947; trad. it., *Rappresentazione del mondo del fanciullo*, Bollati Boringhieri, Torino 1973.

PRADES J., *La Création-destructrice, l'Economique, La Technique et le Social*, L'Harmattan, Parigi 1995.

PRADO DE OLIVEIRA L.E., *Schreber et la paranoïa. Le meurtre de l'âme*, L'Harmattan, Parigi 1995.

RAFAI N., *Analyse des organisations*, L'Harmattan, Parigi 1996.

RITZER G., *La McDonalización de la sociedad, un análisis de la racionalización en la vida cotidiana*, Editorial Ariel, Barcelona 1996; trad. it., *Il mondo alla McDonald's*, Il Mulino, Bologna 1997.

ROCHE L., *Deuil du travail, travail de deuil in «Stratégies et ressources humaines»*, Hiver 1993.

– *Psychanalyse, sexualité et management*, L'Harmattan, Parigi 1995.

ROHEIM G., 1943, *Origine et fonction de la culture*, Gallimard, Parigi 1972.

ROUSTANG G. (a cura di), *Vers un nouveau contrat social*, Desclée de Brouwer, Parigi 1996.

SEARLES H., *Mon expérience des cas limites*, Gallimard, Parigi 1994.

– *L'effort pour rendre l'autre fou*, Gallimard, Parigi 1977.

SFEZ L., *La santé parfaite, critique d'une nouvelle utopie*, Le Seuil, Parigi 1995; trad. it., *La salute perfetta*, Spirali/Vel, Milano 1999.

TRICOT M. e FRITZ M.F., *Du père à la paternité*, L'Harmattan, Parigi 1996.

VINCENT J.P., *Des systèmes et des hommes*, Les Editions d'Organisation, Parigi 1990.

WALLRAFF G., *Tête de Turc*, La Découverte, Parigi 1986; trad. it., *Faccia da turco. Un «infiltrato speciale»*, Pironti, Napoli 1986.

WINNICOTT D., «De la régression considérée comme thérapie», in *De la pédiatrie à la psychanalyse*, Payot, Parigi 1975, pp. 334-352; trad. it., *Dalla pediatria alla psicoanalisi*, Giunti, Firenze.

Opere relative all'alimentazione

APFELDORFER G., *Je mange donc je suis, surpoids et troubles du comportement alimentaire*, Payot, Parigi 1991; trad. it., *Mangio, dunque sono. Obesità e anomalie nel comportamento alimentare*, Marsilio, Venezia 1995.

ARIES P., *La carte du restaurant*, Lanore, Parigi 1995.

– *La fin des mangeurs*, Desclée de Brouwer, Parigi 1996.

– *La logique de l'indistinction*, in «Golias» numero speciale, novembre 1996.

FISCHLER C., *L'Homnivore: le goût, la cuisine et le corps*, Odile Jacob, Parigi 1990; trad. it., *L'onnivoro. Il piacere di mangiare nella storia e nella scienza*, Mondadori, Milano 1992.

«Autrement», n. 108 e 154 (alimentazione), n. 123 (adolescenza).

Indice

Pietro Barcellona
Il declino dello Stato.
Riflessioni di fine secolo sulla crisi del progetto moderno
1998, pp. 376, lire 35.000

Nell'epoca della mondializzazione dell'economia e del profitto, una lucida critica della riduzione della società a «macchina totale» e dell'uomo a «materia prima» della produzione.

Cornelius Castoriadis
L'enigma del soggetto. L'immaginario e le istituzioni
postfazione di Fabio Ciaramelli
1998, pp. 344, lire 32.000

«Non è di alcuni "saggi" che abbiamo oggi bisogno, ma del fatto che la maggioranza della gente acceda alla saggezza, il che a sua volta richiede una trasformazione radicale della società: infatti, la cultura attuale produce tutto tranne che esseri umani saggi». (C. Castoriadis)

Susan Moller Okin
Le donne e la giustizia. La famiglia come problema politico
presentazione di Gianluigi Palombella
1999, pp. 264, lire 28.000

Una femminista acuta ed equilibrata affronta, senza indulgenze, un problema politico che riguarda l'intera società: la giustizia nella famiglia.

Michael Walzer
Geografia della morale. Democrazia, tradizioni e universalismo
1999, pp. 128, lire 25.000

Un libro appassionante e tragicamente attuale che mette sotto accusa la pretesa dell'Occidente di indicare una morale universalmente valida. Stati, etnie, religioni e culture non dovrebbero aver bisogno della guerra per conservare la propria storia e il diritto al riconoscimento.

Enzo Fantò
L'impresa a partecipazione mafiosa.
Economia legale ed economia criminale
prefazione di Pier Luigi Vigna
1999, pp. 256, lire 28.000

Un libro di vivissima attualità: attraverso una rigorosa documenta-
zione descrive – tra l'altro – i processi di ristrutturazione in atto nella
criminalità mafiosa, soprattutto sul versante dei suoi rapporti con l'e-
conomia legale.

Giovanni Filoramo
Millenarismo e New Age. Apocalisse e religiosità alternativa
1999, pp. 176, lire 25.000

L'angoscia di fine millennio penetra anche nelle pieghe della società
tecnologica. Il mondo globalizzato non riesce infatti ad esorcizzare la
domanda di «sacro» che si ripropone in mille forme diverse e l'in-
combere di concezioni apocalittiche, millenaristiche, catastrofiche.

Umberto Curi
Pensare la guerra. L'Europa e il destino della politica
1999, pp. 144, lire 24.000

Dall'età classica fino al Novecento, la cultura dell'Occidente ha sapu-
to «pensare» la guerra solo come senso forte della politica, come sua
intramontabile necessità. Potrà l'Europa allontanarsi dalla sua origine?

Pietro Barcellona
Quale politica per il Terzo millennio?
2000, pp. 200, lire 25.000

Il conflitto politico futuro avrà come posta in gioco il governo del
ciclo vitale: dalla manipolazione dei corpi e degli alimenti fino al
trattamento dell'informazione. Su questi temi deve misurarsi l'iden-
tità della sinistra.

Fabio Ciaramelli
La distruzione del desiderio.
Il narcisismo nell'epoca del consumo di massa
2000, pp. 224, lire 26.000

L'imperativo del raggiungimento immediato della felicità uccide il
desiderio, condannandolo a oscillare tra l'ansia del possesso e la fru-
strazione del risentimento.

Volume di pagine 240
carta Litolux 1.4, gr. 80

Finito di stampare
nel maggio 2000
dalla Dedalo litostampa srl, Bari